VOLUMES JÁ EDITADOS NESTA COLEÇÃO:

N.º 1 — *Barão do Rio Branco*
ESBÔÇO DA HISTÓRIA DO BRASIL

N.º 2 — *Carvalho Franco*
HSTÓRIA DAS MINAS DE SÃO PAULO

N.º 3 — *Carlota Pereira de Queiroz*
UM FAZENDEIRO PAULISTA NO SÉCULO XIX

N.º 4 — *Gabriel Marques*
RUAS E TRADIÇÕES DE SÃO PAULO

N.º 5 — *Hermes Vieira*
BANDEIRAS E ESCRAVAGISMO NO BRASIL

Carlota Pereira de Queiroz

VIDA E MORTE DE UM CAPITÃO-MOR

CONSELHO ESTADUAL DE CULTURA
SÃO PAULO

Em memória de meu irmão Alfredo, tràgicamente desaparecido quando muito me animava para a publicação destas memórias, auxiliando na classificação dos numerosos documentos.

Carlota Pereira de Queiroz

APRESENTAÇÃO

por **João Fernando de Almeida Prado**

Prossegue neste volume a Dra. Carlota Pereira de Queiroz a publicação do arquivo de sua família. Depois das Contas de Um Fazendeiro, *manancial de informações sôbre o meio e o tempo em que viveu o seu avô paterno Manoel Elpídio Pereira de Queiroz, cujas atividades coincidiram com o grande desenvolvimento da Província de São Paulo, dá-nos agora valioso subsídio para pesquisa historiográfica graças ao arquivo do avô materno Coronel José Vicente de Azevedo. As duas fontes esclarecedoras do século 19 paulista completam-se por versarem zonas diferentes, muito distantes entre si na época em que foram escritas, com aspectos diversos nas respectivas peculiaridades. Acentuavam-se no caso as variações da matéria constantes nos dois, o avô paterno a consagrar esforços de fazendeiro de café quase sòmente em afazeres agrícolas ou com êles relacionados, ao passo que o materno na antiga Piedade, depois Lorena, nas vizinhanças da divisa com a Província do Rio de Janeiro, exercia os mesmos acrescidos pelos de comerciante, entremeados de incursões na insidiosa política, movido neste sentido pela importância que desfrutava na região lorenense. Inevitáveis, portanto, as dessemelhanças nos dois grupos familiares, o primeiro estabelecido na direção da vila de São Carlos, hoje Campinas, e outro no trajeto da Capital do Império.*

Constantemente, por esta e mais razões, devia José Vicente entrar em contato com a Rua do Ouvidor, a Rue Vivienne des Tropiques, *como lhe chamavam os franceses de passagem pelo Rio de Janeiro, onde se informava das novidades. Na mesma ocasião também se enfronhava do que sucedia na capital hipertrofiada pelo sistema monárquico. Tudo no Império dependia do Paço, Parlamento e Ministérios, fiéis do destino da Nação. Do congresso partiam para as províncias os governadores escolhidos nos Partidos Conservador ou Liberal, segundo estivessem no poder, daí a expressão "Côrte" dada genèricamente ao centro distribuidor de mercês a quem soubesse solicitá-las ou conquistá-las. Igualmente de lá vinham modas, luxo, o ne-*

cessário e o supérfluo e mais apaixonantes novidades no vale do Paraíba, onde a população mantinha com o Rio relações mais seguidas do que os outros moradores da província.

Os efeitos de maiores facilidades de comunicação entre Lorena e a "Côrte" manifestavam-se nos usos e costumes locais a ponto de os lorenenses desfrutarem "standard" de vida, e, mesmo, brilho, desconhecidos na Paulicéia. A sede paulistana contava pelo meio do século 19 apenas trinta mil habitantes, espalhados em diminuto casario, como podemos ver na reconstituição em gêsso existente no museu Ipiranga. Resumia-se quase a pouso de tropeiros, que passou a melhorar depois da inauguração da Faculdade de Direito do Largo de S. Francisco, cuja estudantada composta em grande parte de filhos de fazendeiros, estancieiros, políticos e comerciantes, emprestavam-lhe melhor nível social. Trazia a Escola mais uma vantagem ao reunir elementos paulistas dantes dispersos no êrmo provinciano, escassamente provido de rudimentares meios de comunicação, causa de falta de conhecimento e união entre os futuros dirigentes locais e nacionais.

Compreende-se o interêsse do nôvo trabalho da Dra. Carlota Pereira de Queiroz, feliz complemento do precedente no sentido de melhor visão da existência paulistana no século 19. Sempre nos pareceu residirem na ramaria genealógica, tradição oral e arquivos familiares, as mais seguras fontes a respeito de como se formou e desenvolveu a nossa classe dirigente. Nesses documentos encontramos esclarecedores subsídios sôbre os primeiros núcleos desbravadores das terras, empenhados de corpo e alma na prodigiosa tarefa de transformar, à testa de escravos, densas florestas em lavouras fecundas. Ao esfôrço dos lorenenses e vizinhos deveu-se o abastecimento das Minas Gerais, de onde escorria ouro para a metrópole, riqueza precursora do café, que se tornaria base econômica e financeira sôbre a qual se elevou o Brasil hodierno.

Nesses troncos familiares, vemos uniões destinadas a refôrço de cabedais no sentido de permitir aos descendentes maiores emprêsas e melhores resultados. E, como não houvesse bastante brancos para o casamento das filhas, na altura em que o desbravador se encontrava isolado entre massa de escravos multicores, índios, negros africanos ou crioulos mestiços, eram recebidos de braços abertos reinóis de boa aparência e costumes, como o rapaz à procura de fortuna na América, atirado por piratas platinos em Santa Catarina, de onde após tôda sorte de aventuras apareceu em Lorena e penetrou no clã dos Azevedos, também iniciado por reinícola luso atraído pela casa comercial de Manoel Pereira de Castro, o Capitão-mor.

A tradição escrita divulgada pela Autora enumera quais os recursos dos ascendentes, como no correr do tempo venciam obstáculos, exerciam benéfica atividade, multiplicavam-se, não raro enriqueciam, assim como direta e indiretamente favoreciam a região onde deitavam raízes. Pelo que se deduz da documentação junto publicada, tinham de contar sòmente com suas fôrças na faina que lhes coubera, longe da "côrte", ou seja, das vistas e bafejo do centro político. Tampouco, da sede da província poderiam vir auxílios, distante São Paulo naquela época, em que mensageiros demoravam dias para percorrer o vale do Paraíba. Recursos dêste modo se reduziam, pois, aos locais extremamente exíguos e nos decorrentes de suas próprias iniciativas. Foi sòmente a poder de lentos e apurados trabalhos que se tornou possível preparar terrenos, até surgir o franco progresso, cada vez mais acelerado, atualmente custoso de conceber em tôda sua extensão às novas gerações.

A Vida e Morte de Um Capitão-mor, *publicada pela Dra. Carlota Pereira de Queiroz, remonta à fundação de lugarejo que ia ser das mais florescentes povoações do norte da capitania de São Paulo, no decurso do regime colonial. Começou na Freguesia de N. S.ª da Piedade por volta de 1718, logo após a descoberta do ouro das Gerais. Elevada a vila em 1788, grande parte do seu crescimento acompanhou a atividade da produção aurífera. No início dêste período, ali se tinham fixado como agricultores os pais de Manoel Domingues Salgueiro, nascido em 1749 na mesma região. O seu casamento com môça de Pouso Alto, na capitania de Minas Gerais, indica as relações que em tôrno da mineração se tinham formado, mercê das vias por onde se escoavam ouro e diamantes e os mineradores recebiam gêneros para manter-se.*

O filho Manoel Pereira de Castro, que juntara os nomes das famílias paterna e materna segundo costume ibérico, casou-se com Ana Maria de S. José, natural de Parati, na capitania do Rio de Janeiro. O consórcio, desta vez com fluminense, confirma os característicos precedentes. Continuavam as uniões entre moradores da área onde cruzavam as principais estradas de três capitanias. Escreve a respeito a Autora: "Dêle descendem as duas famílias que mais concorreram para o progresso da Freguesia de N. S.ª da Piedade depois vila e cidade de Lorena — os Vicente de Azevedo e os Moreira Lima — que se originaram dos casamentos de duas filhas do Capitão-mor *(Maria da Guia e Carlota Leopoldina)* com portuguêses abastados estabelecidos na mesma localidade — o Comendador José Vicente de Azevedo e o negociante Joaquim José Moreira Lima. O Capitão-mor Manoel Pereira de Castro e sua Freguesia natal foram contemporâneos, cresceram juntos, foram por assim dizer companheiros de infância e de mocidade, tendo êle nascido em 1777 e a Vila fundada em 1788. À medida que prosperavam os seus negócios, a Vila progredia também."

Na sua fé de ofício de serviços públicos, temos reflexo do sistema metropolitano através do colonial, em que pessoas de posses, "los ricos hombres" deviam acudir a el-Rei, portanto, à coletividade. Na Vila natal, sita entre o acesso da região das Minas Gerais e a costa, não longe de Parati, ancoradouro mais próximo, estas obrigações eram particularmente severas para obstar possíveis descaminhos por terra e mar dos "quintos" devidos à régia fazenda. A situação trazia ônus, mas também vantagens auferidas das importantes vias de alto teor econômico para a época e lugar, a convergir em Lorena, tais como a estrada Rio-São Paulo (de que Manoel Elpídio Pereira de Queiroz deixou pormenorizada descrição), a de Mambucaba-Parati através da íngreme Serra do Mar, e a de Silveiras e redondezas e principalmente a Rio-Minas, de intensa atividade como escoadouro de metais e abastecedora dos mineradores que os descobriam.

A Independência trouxe completa mudança à antiga colônia erigida a Império. Passava de mera possessão européia pertencente a soberano absoluto, à organização política inspirada nos mais recentes figurinos em matéria de constituição liberal. A vinda da côrte lusa imprimira nunca visto impulso progressista ao seu abrigo durante a tormenta napoleônica e por maior que fôsse o prejuízo acarretado pela sua partida, nada mais o deteria na nova monarquia. Nesta altura, também recebemos providencial apoio na expansão do café, riqueza prodigiosa, derramada pelo vale do Paraíba em direção a todo São Paulo.

A sua marcha de norte para leste incrementou o desenvolvimento de tôda a província a começar pela região lorenense. Acentuaram-se ràpidamente nesta fase os bens do Capitão-mor Manoel Pereira de Castro e conseqüente prestígio político, como se infere do seu arquivo ora publicado. Incluía-se pela atividade e fruto do trabalho na geração que teve de arcar com o fardo de substituir aos reinóis de volta para o reino. Partira o monarca a quem tanto devemos com o govêrno, seus pertences, funcionários, repartições, Tesouro Público, dignatários etc. ... de modo a recair o Brasil na condição primeira, anterior a 1807. Malogrado o plano das recolonizadoras Côrtes de Lisboa, graças aos assomos liberais do Príncipe Herdeiro e da sua primeira espôsa, tornaram-se os brasileiros livres da antiga metrópole, situação em que foi preciso tudo improvisar, novas leis, orientação, costumes, diretrizes e novos governantes.

Precisamos reconhecer no caso terem procedido os naturais assim sùbitamente chamados a se dirigir, com admirável acêrto. Ao invés de ocorrer na administração lacuna nefasta, como era de esperar, pelo contrário, melhorou a ponto de não haver interrupção no nosso progresso, mercê dos que souberam portar-se à altura dos acontecimentos, a despeito de falta de preparo à desmedida emprêsa. Valeu se na circunstância o Capitão-mor dos serviços que no regime colonial prestara, para graças ao tirocínio arrostar problemas muito mais extensos e complicados, provenientes do nôvo estado de coisas, substituto dos "ukases" do governador da capitania que antigamente a seu talante tudo resolvia.

A mutação provocou, porém, lutas decorrentes do sistema democrático entrado em prática. O regime assente no sufrágio universal, decorria em meio de inevitáveis choques em tôrno do exercício do poder, segundo podemos acompanhar na correspondência do Capitão-mor, constante no seu borrador. Menciona os sucessos da insurreição de São Paulo e Minas em 1842, causador de múltiplas e lamentáveis conseqüências. Dolorosa provação devia ter ressentido Manoel Pereira de Castro ante a divisão da família entre liberais e conservadores, chefiados os primeiros em Lorena pelo filho padre Teotônio, homem violento, e os segundos pelo genro português José Vicente de Azevedo, de ânimo mais cordato, porém, eficiente em política pela situação social e haveres, dois recursos considerados acintosos pelos adversários.

O padre, se bem pertencesse à Igreja, era da espécie de semeadores de tempestades, como houve vários no Império, razão de D. Pedro II pouco apreciar em geral a diplomatas, militares e eclesiásticos. Um dêles, Monsenhor Pinto de Campos, ficou famoso pela sua agressividade nos embates políticos do Império, em que chegou a rodear-se de cangaceiros. O êmulo lorenense engolfou-se nos distúrbios de 42 sem sequer respeitar laços familiares. Teve o seu cunhado José Vicente de ocultar-se ameaçado de morte em uma fazenda de Guaratinguetá à espera do restabelecimento da ordem, ocorrido pouco depois com a prisão do padre e mais cabeças locais da intentona. Nos acontecimentos figurara Lorena como capital revo-

lucionária do norte da província e Teotônio como chefe de Junta Governativa.

A malfadada luta deixou sulcos profundos na região. Serenada momentâneamente a vida da província pelas fôrças de Caxias, continuaram, no entanto, competições em tôrno do mando entre as facções representadas pelos dois ramos do tronco do Capitão-mor. Estava, entretanto, algo esmaecida quando faleceu José Vicente, o qual deixava o filho de mesmo nome, órfão de nove anos de idade, remetido para estudos ao Rio de Janeiro a fim de crescer afastado do ácido ambiente conseqüente ao levante, que envenenava relações e difundia ódios. Presenciara o infeliz menino os desmandos dos liberais. Fôra testemunha da invasão de sua casa por asseclas do padre Teotônio à procura de José Vicente, que só por milagre lhe escapara da sanha. Assoberbados pela paixão política, ou melhor, da politicalha, tinham os revoltosos de começo assaltado a vila de Silveiras e morto o subdelegado de polícia, além de cometerem tôda sorte de tropelias contra adversários. De volta a Lorena, o padre, principal causador dos distúrbios, ordenou que lhe trouxessem vivo ou morto o cunhado, fato que acudiu à memória do jovem quando aos dezesseis anos de idade tornou ao meio familial.

Manifestou-se esta influência ao constituir-se o filho do antigo conservador em ativo elemento daquele partido. As nítidas tendências do jovem, que se apresentava como discípulo do pai, suscitaram zelos dos liberais a começar na própria família. Reavivou-se o dissídio entre os dois grupos pela atitude de José Vicente, acentuada depois do seu consórcio com a prima Angelina. Motivos de choques não faltavam em meio acanhado, onde todos se acotovelavam. De primeiro, segundo suplente de delegado de polícia, cargo de vulto quando exercido por político militante, passou ao de delegado em 1853, por ordem do presidente da província pertencente ao Partido Conservador, com grande escândalo e desgôsto dos liberais sob a batuta do tio Teotônio. Na intenção de destituí-lo, espalhavam que alterara a certidão de idade para poder exercer o cargo. Iam além. Insinuavam haver dúvidas a respeito da filiação, incerta a de que se valia, assim como o acusavam de perseguições e violências contra adversários. Perderam, entretanto, os esforços, eleito José Vicente deputado provincial.

Ao findar o mandato, tornou a Lorena, onde reassumiu as funções policiais e outras como juiz de ausentes e de órfãos, comandante da Guarda Nacional, inspetor da instrução pública etc. ... amostra da importância que desfrutava a despeito da idade e dos adversários políticos. A situação ligava-se ao Partido além de relações com personagens influentes, razão da sua renúncia ao principal cargo, o da polícia, quando o amigo e correligionário conselheiro Pires da Mota deixou a presidência da província. Nas funções de assegurador da tranqüilidade local, relevante no decorrer da guerra do Paraguai, houve-se de 1861 a 64 com desvêlo, em que contratou, armou e manteve à sua custa um corpo de segurança da maior utilidade para os conterrâneos. Lorena via-se então em pleno progresso, elevada em 1856 à categoria de cidade.

Não era, porém, sòmente neste terreno que se manifestavam as virtudes inatas do excepcional môço, modelar de espírito cívico. Invariàvelmente intentava colocar-se acima de questiúnculas irritantes, sobejas na existência provinciana. Apelava na intenção de favorecer o progresso local ao esquecimento de rancores e moderação de ambições sem lograr apoio entre os contrários, o que não admira visto o ânimo ferrenho de prepotentes como o tio Teotônio. Segundo a Autora, ódios partidários sobrepunham-se ao amor da terra, pois, "os liberais não perdoavam o grande chefe conservador que, com pouco mais de 30 anos, era um dos homens de maior prestígio na zona", cujo pior defeito, no entender dos desafetos, seriam "os benefícios que proporcionou à cidade e aos seus conterrâneos".

Uma das falhas mais sensíveis da organização política do império residia na inevitável fonte de distúrbios causada pela ingerência dos partidos no serviço público. A justiça era contida pelo "lápis fatídico" de D. Pedro II; mas a polícia, no regime constitucional, prestava-se a abusos em ambientes dominados por lutas de campanário. Êste grave defeito e a demasiada centralização administrativa das províncias, estreitamente dependentes do Rio de Janeiro, motivo de o seu destino resolver-se longe dos habitantes, não raro à sua revelia, criava múltiplos inconvenientes. Do defeito originou-se em grande parte o republicanismo de paulistas eminentes como João Tibiriçá, Prudente de Morais, Campos Sales e outros presentes à Convenção de Itu, na fundação do jornal Província de S. Paulo e em muitas mais manifestações, como sucedeu ao avô materno da Autora, Manoel Elpídio Pereira de Queiroz.

Em Lorena, neste período, registrava-se intensa atividade decorrente da produção do café. No movimento destacavam-se os descendentes do antigo Capitão-mor. Surgiram maiores comodidades, e, por fim, luxo, expresso por alfaias, cuidados de indumentária e festas. Faculta o copioso acervo de do-

cumentos reunido pelo Coronel José Vicente, merecedor de particular atenção da Autora, interessantes observações acêrca dos recursos então existentes na vida cotidiana, além do que significam para os usos e costumes daquele setor da província. As seguidas relações dos lorenenses com a chamada "côrte", ou seja a capital do império, trouxeram a coqueluche do teatro, em que aparece uma das inúmeras iniciativas de José Vicente para elevar o nível social de sua terra.

Certo dia, resolveu contratar no Rio de Janeiro e trazê-la a Lorena a excelsa Candiani, soprano mundialmente conhecida, elevada aos astros pelos cariocas. Podemos avaliar o assombroso evento através da paixão pelo espetáculo lírico reinante aquém e além-mar no correr do século 19. As crônicas de Machado de Assis, ecos da vida fluminense, mencionam com entusiasmo a cantora, reflexo da moda e prenúncio da apoteose que não tardaria a premiar o campineiro Carlos Gomes, rival dos maiores compositores do bel canto do momento.

No intuito de que nada faltasse às representações, providenciou o Coronel José Vicente encomenda de pertences para sala e palco cênico. Arandelas, cortinas, retrato ou "transparente com efígie" do Imperador, necessários ao espetáculo de gala de dois de dezembro de 1858, aniversário de S. M., galões, sêdas, bastidores etc. ... e principalmente o pano de bôca, comprado de firma carioca por intermédio do célebre João Caetano dos Santos, autoridade absoluta em matéria de teatro, constam no arquivo ora divulgado com alguns curiosos pormenores. Finalmente, chegou do Rio a Companhia em cargueiros e carros de boi (em que viajava a Candiani) para "noitadas que marcaram época na cidadezinha do vale do Paraíba", *hospedada em casas prèviamente preparadas para hospedá-la.*

Os camarotes receberam poltronas nobres e cadeiras estofadas de casas particulares, a fim de que os ocupantes se sentissem como nos salões de suas residências. Durante os intervalos, bebidas eram servidas com guloseimas, enquanto ferviam conversas alimentadas pelo espetáculo e reparos sôbre a assistência, tudo a concorrer para o triunfo de José Vicente, chefe conservador. Despedida a Candiani, continuou o teatro com outras representações de diferente repertório, talvez para muitos ouvintes gênero mais agradável, composto de peças de sucesso na "Côrte", em maioria de Martins Pena, tais como o Noviço *ou o* Primo da Califórnia,*ocasiões em que a sociedade lorenense se reunia quando não havia solenidade ou ofício religiosos.*

Não menor sucesso obteve José Vicente na visita do Conde d'Eu e Princesa Isabel a Lorena, fato pouco suscetível de amainar a sanha dos seus opositores. Rosnavam, a propósito, que a Herdeira do Trono, sabidamente rigorosa no cumprimento de deveres religiosos, fôra ardilosamente atraída para ouvir missa na fazenda do chefe político. Na ocasião tivera gentileza carinhosa para a filhinha dos hospedeiros, "o que representou para a Família e especialmente para os conservadores um gesto de grande significação política", *diz a Autora ao comentar as paixões provocadas por incidentes anódinos suscetíveis de desencadear tempestades. Melindres empeçonhados por azedos comentários aprofundavam sulcos já existentes entre os componentes dos dois partidos.*

Semelhantes incidentes repetidos em tôda a parte, desde capitais de províncias até ínfimos lugarejos, constituíram a sombra do reinado de Pedro II. Quanto mais socialmente subia um personagem político, maior era a campanha contra êle movida pelos adversários. O vêzo alcançava desunir famílias, antigo convívio e relações comerciais, causa de grande prejuízo para todos. Na documentação divulgada pela Autora ocorrem manifestações dessa espécie a denunciar a pequenez do espírito regional. Em certa festa, por exemplo, "compareceram Fulanos e deixaram de aparecer Beltranos", *desagradável modo de proceder em meios reduzidos, resultado de quezílias quase sempre de origem politiqueira.*

De primeiro, a atividade proporcionada pela confluência das estradas maiores de três capitanias e depois o surto de café magnificado pela abertura da E. F. Central do Brasil — cujo ponto final na província de São Paulo foi durante certo tempo em Lorena, imprimiram desenvolvimento à região. Tampouco, não lhe foram estranhas — por estranho que pareça — as repercussões da guerra do Paraguai. Somos de parecer que a despeito de aquele conflito ser em geral maléfico, promovia, contudo, inflação estimulante de negócios. Causava danos morais e materiais, mas, em compensação, ativava o giro monetário na imensidade do império, cujos dilatados limites em época de lenta comunicação, necessitavam em certas circunstâncias de um acelerador de transações mercantis e mais fenômenos econômicos correlatos.

A atividade propiciava aumento de fortunas, auxílio a iniciativas privadas, estímulo a novas emprêsas, de que Mauá foi grande exemplo, a concorrer para difundir crenças cada vez mais arraigadas entre brasileiros acêrca de seu incomensurável futuro provável, liberalizador de bens sem conta.

Enquanto não se realizava, em área encontrada pela côrte portuguêsa em 1807 apenas povoada por três milhões de habitantes, dos quais menos de um têrço eram brancos civilizados, desenvolvia-se sêde de recursos e de importância na chamada classe dirigente. Ser "govêrno" acalentava sonhos e esperanças, a provocar desesperados esforços, pois, quem lograsse ingresso na ambicionada esfera, adquiria esmagadora superioridade sôbre os seus semelhantes.

O sistema constitucional, a grande novidade do século 19, dera consciência do seu valor à burguesia, que chegava ao poder dentro dos princípios difundidos em França a partir de 1790. Exercia a maior nação latina desmedido alcance no mundo em geral, particularmente sôbre os povos de mesma origem, de modo a tornar-se indefectível paradigma nas boas como nas más coisas. Estas repercussões políticas entre nós eram no caso ainda reforçadas pelo modêlo americano que nos franceses revolucionários tanto influíra. Estávamos, destarte, pressionados por dois pólos de origem comum democrática.

O último fator anglo-saxão, por motivo de provir do continente, com igual trajetória política de nação colonial do século 18 e independente no seguinte, suplantava aos demais, em que também devemos incluir o britânico, presente nos trabalhos e decôro do Parlamento, onde os parlamentares timbravam em copiar a dignidade e atitudes dos eleitos para os Comuns. De mistura, era lícito considerar o Imperador como bom presidente americano, de colaboração com o Congresso a um tempo sob influxo de franceses e de britânicos. Infelizmente, tão acertados modelos em teoria, não proporcionavam os esperados benefícios na prática. A liberdade com L *grande não trazia consigo diques necessários a irrequietos sul-americanos. Através de constituir fórmula para tudo atender, consertar, melhorar até produzir a perfeição na terra, concorria para desordens por vêzes lamentáveis.*

O resultado era visível no péssimo resultado do jôgo de ambições políticas à cata de satisfação através de nocivos expedientes eleitorais. A fórmula constitucional, moldada pelo ultraliberalismo, gerou na vigência do regime monárquico lutas implacáveis entre indivíduos, grupos e famílias, em tôrno de competições que deveriam beneficiar a todos e não sòmente ao político militante. Exemplo do exposto, temos no já citado áulico, erudito, bajulador de D. Pedro II, Monsenhor Pinto de Campos, clérigo e deputado, defensor da Igreja contra protestantes e maçons, e, no entanto, mancomunado com facínoras nos embates da politicalha pernambucana. Por esta razão recusou-lhe o imperante ingresso no Senado a despeito das nuvens de incenso que o politiqueiro sôbre êle derramava. No Rio de Janeiro, na "côrte", dava-se o mesmo, as eleições realizadas em meio de distúrbios promovidos pelos capoeiras do chefete Duque Estrada, o qual a certa altura teve o desplante de queixar-se ao soberano de que os adversários adotavam a mesma praga. Respondeu-lhe D. Pedro II "um dia ser da caça e outro do caçador" *e voltou-lhe as costas. Mas foi preciso aguardar a República para um benemérito paulista, Sampaio Ferraz, acabar com a capoeira a serviço da politicagem que se tornava vergonha nacional.*

Nas províncias sucedia coisa parecida, avivada pelo âmbito onde adversários políticos irreconciliáveis a todo momento se deparavam. Os atritos entre lorenenses, partidários das duas facções distribuidoras de prestígio, assumiam não raro desmedidas proporções. Por pouco perdia a vida o Comendador José Vicente nas desordens de 1842, pelo motivo único de êle se destacar na chefia do Partido Conservador. Iguais circunstâncias convergiram mais tarde sôbre seu filho. Notabilizava-se em Lorena o herdeiro com o mesmo nome, pela atividade e iniciativas no campo econômico e administrativo, coroadas de sucesso mais que suficiente para lhe granjear funda malquerença dos liberais. Os cargos que desempenhara, mormente na polícia, estreitamente vinculada à política, contribuíam para recrescer antipatia até ódio, parecido aquêle dos provincianos com o atribuído aos frades.

No seu arquivo ora publicado pela neta, ocorrem reflexões acêrca de quanto eram prejudiciais quezílias emanadas do manancial de travo. Verificava como comerciante experiente, familiarizado com clientela da cidade e adjacências, o nocivo de questões partidárias. Escrevia, nas cartas constantes no borrador, a intenção de abster-se cada vez mais de "negócios políticos" e semelhantes, passíveis de acarretar a "desafeição prejudicial" às lides do comércio, razão de os conservadores o qualificarem de liberal. A politicagem de campanário, porém, é vírus difícil de combater. Se bem se dissesse "homem de paz", não conseguia o Coronel José Vicente livrar-se do contágio. Carpia o desgaste do Partido Conservador e ansiava por restabelecê-lo na pujança antiga, estopim de futuras explosões como não deixaria de acontecer. Alheio a possíveis revides, expandia esperança acêrca da volta do correligionário Conselheiro Nébias ao Govêrno de São Paulo, cuja nomeação lhe proporcionaria meios de realizar planos recuperadores do prestígio partidário esvaído.

Segundo a Autora, corria o ano de 1862, favorável ao chefe conservador José Vicente em todos os terrenos, e, por desventura, também no político. Pequenos e grandes sintomas refletiam, inclusive no campo oposto, mostras da sua ascensão. Entre as mais curiosas, temos os festejos carnavalescos como os da "côrte", que representavam dos maiores acontecimentos da época, sòmente comparáveis em repercussão popular aos religiosos, aproveitados pelo chefe dos conservadores para fins de propaganda do partido. A propósito comenta a Autora: "o que não resta dúvida é que foi festa de arromba e que valeu por um grande comício do Partido Conservador. Outra não podia ter sido a intenção", *motivo de se aliviarem maiores nuvens sôbre o responsável.*

Deu-se em 1868 a crise resultante do antagonismo entre o Duque de Caxias e o político Zacarias de Góes e Vasconcelos, que provocou a queda dos liberais se bem estivessem no auge do poderio, mais firmes do que nunca, em vias de ainda mais acentuarem supremacia. A repentina decisão de D. Pedro II a favor do Duque, de volta à Côrte vitorioso do Paraguai, e seus correligionários, suscitou convulsão à qual historiadores atribuem o surto republicano então registado. No Rio de Janeiro o choque foi enorme. Nas províncias, muito pior. Viam-se obrigados chefões, que à testa da polícia mandavam e desmandavam, terror dos contendores, a lhes entregarem o cabo do rêlho, expostos a vinganças e humilhações.

Quando ia no máximo o tumulto decorrente do golpe de Estado, de tão fundas conseqüências nos anos seguintes, fôra resolvida na sombra da politicalha a eliminação do Coronel José Vicente. Destruído o chefe que mais concorria para o renascimento do Partido Conservador em Lorena, poderiam os adversários seguros esperar dias melhores — para êles — sem perigo de se haverem com situação dominada por vulto cada vez mais prestigioso em todo o vale mariano do Paraíba. Em princípio de 1869, com apenas trinta e cinco anos de idade, caiu José Vicente numa emboscada disposta no caminho de sua fazenda. Mortalmente ferido por assassinos de aluguel ocultos na estrada, veio a falecer depois de prolongados sofrimentos. O crime levantou enorme escarcéu em tôda a província e no Rio de Janeiro, atribuído a seus inimigos políticos.

Uma tragédia gera outras. Dos suspeitos não escaparam pessoas de sua própria família, encarcerados o tio padre Teotônio, que o batizara, mais parentes do Partido Liberal. A má reputação do eclesiástico comprometia os companheiros em caso difícil de deslindar em meio de paixões desvairadas. É pródiga a crônica histórica de sucessos semelhantes, como a morte de Paul Louis Courrier atirada sôbre Luís Filipe, Rei dos Franceses, que nada tinha absolutamente com o delito, ou a do Duque de Loulé, genro de D. João VI, a respeito da qual recentemente apareceu trabalho que prova ter sido por mero acidente. Iniciadas investigações na maior confusão, erradas desde o princípio, finalmente foram descobertos os verdadeiros autores do crime.

Para chegar a tal resultado decisivamente contribuiu o irmão da vítima, o brilhante advogado e político Pedro Vicente de Azevedo, sucessivamente escolhido para presidente de Pernambuco, Minas, Pará e São Paulo pelas suas qualidades de administrador durante o império e mais tarde prefeito de São Paulo, quando se realizava o grande surto que havia de transformar o antigo rancho de tropeiros na maior cidade da República.

Deixava José Vicente viúva e filhos menores. No lance demonstrou D. Angelina não desmerecer do avô Capitão-mor, o qual entre outros bens legara aos descendentes constância na fortuna e na desventura. Soube a infeliz educar da melhor maneira os filhos, recompensada pelas alegrias que mais tarde lhe proporcionaram. O mais velho, de nome Francisco, realizou notáveis empreendimentos, agraciado por Pedro II com o título de Barão de Bocaina. Nos cargos públicos que ocupou e nas emprêsas privadas de que participou, houve-se de maneira a justificar, além do baronato, a distinção da Ordem da Rosa, prêmio de serviços prestados à cidade natal e a tôda a província, já nesse tempo a mais progressista do Império.

O segundo, batizado com o nome do pai, teve vida exemplar como chefe de família e no desempenho de muitos cargos, devotado à magnífica ação filantrópica a favor de desvalidos, sempre lembrada nos anais da caridade em São Paulo. Tal como os seus maiores, deixou prestantes descendentes formados a seu exemplo, que se distinguiram no Estado e no País em profissões liberais e funções públicas. Recebeu pelas virtudes e fervor religioso o título honorífico de Conde da Santa Sé, pelo muito que praticou pela Igreja Católica e benemerências apreciadas em altas esferas romanas. Assistimos comovidos — e sempre lembramos — a missa rezada por sua alma na igreja de Santa Ifigênia, ao som dos cânticos dos meninos órfãos ali presentes, sob a direção do seu genro, o ilustre musicista Fúrio Franceschini.

O mais môço dos filhos de José Vicente, órfão com três anos e poucos meses, tornou-se desvelado companheiro da mãe. Era em extremo cortês e dedicado a amigos e parentes, incansável em lhes testemunhar provas da sua índole prestativa e compreensiva. Chamava-se Pedro Vicente Sobrinho para diferenciar-se do tio que muito estimava.

A única e última filha de José Vicente foi Maria Vicentina, de apenas nove meses de idade quando o seu pai desapareceu. Casou-se em 1888 em São Paulo com José Pereira de Queiroz, prestante organizador jurídico do Banco do Estado, ao qual conferiu, no período de organização, a estrutura em que o notável estabelecimento se elevou e prosperou. São os pais da Autora do presente trabalho, de que em pouco falaremos.

Junto à descendência de José Vicente, por si só digna de encômios, figuram em igual nível as dos demais filhos e netos do Capitão-mor Manoel Pereira de Castro.

Destacou a Autora a Joaquim José Moreira Lima, elevado no império a Conde de Moreira Lima, figura tradicional na cidade de Lorena, onde sempre habitou e a qual muito beneficiou. Também participa do mesmo cuidado da Dra. Carlota a Baronesa de Santa Eulália, viúva do primo Antônio Rodrigues de Azevedo Ferreira, outra imponente personalidade da região lorenense, igualmente devotada a obras sociais e mais préstimos à cidade natal, mãe do deputado Arnolfo Azevedo, que muito fêz pelo norte de São Paulo. Mais poderia citar a Autora; teve, no entanto, de se ater aos limites do trabalho, com preferência a assuntos sôbre usos, costumes e recursos de vida na evolução do ponto de encontro de três vias mestras de antigas capitanias, hoje importantes Estados da atual Federação.

O objetivo foi plenamente atingido. A história dos descendentes do Capitão-mor bem merecia divulgação do modo como se encontra irmanada com a da cidade de Lorena. Notamos no trabalho da Autora a repetição de traços peculiares tanto em Manoel Pereira de Castro como nos seus principais descendentes — por exemplo no seu neto Coronel José Vicente — os quais, além de proprietários rurais, dedicavam-se ao comércio. Providos de espírito de iniciativa, não deixavam cair em mãos estranhas as mais importantes atividades do momento, fato que os aparenta aos grupos de que fala Max Weber em outras latitudes, providos de característicos parecidos. Evitavam depender de intermediários, empreendedores que eram, tendentes a compor inevitáveis autarquias, numa época de comunicações difíceis, de forçado isolamento, representada pelo núcleo inicial das fazendas, onde era preciso tudo organizar e improvisar a fim de viver de si mesmo.

Êste traço marcado e marcante causou repetidas uniões de filhas e netas do Capitão-mor com caixeiros portuguêses, pois os reinícolas monopolizavam outrora o exercício do comércio em tempos coloniais, e até muito depois, no comêço da República, como vemos no Rio de Janeiro, mais em relações com os lorenenses do que a capital de São Paulo. Ocorria, como vimos, escassez de brancos onde havia pouca imigração da antiga metrópole, mormente em regiões ainda por se desenvolver, de vida difícil e agreste. A vinda de rapazes dos centros comerciais do reino era providencial para as firmas do Vale do Paraíba. Traziam a técnica do mister, operosidade e conhecimentos variados, difíceis de encontrar entre habitantes compostos de rurais. Apresentavam mais uma qualidade, professavam a mesma religião, usos, costumes e tradições dos hospedeiros. Dessa boa aliança se originaram mestres ilustres como Aroldo de Azevedo e muitos mais cultores de humanidades e profissões liberais constantes na árvore genealógica, a abranger os Vicente de Azevedo, Rodrigues de Azevedo, Moreira Braga, Antunes Guimarães, Azevedo Ferreira, Azevedo Castro, Castro Santos, Castro Lima, Moreira Lima, hoje dispersos pelo Estado e País.

O quadro foi pormenorizadamente traçado pela Dra. Carlota Pereira de Queiroz, discípula e assistente do grande clínico Miguel Couto, presente aos trabalhos do investigador de problemas de medicina Carlos Botelho, que a estimava, tal como mais tarde os parlamentares da Constituinte de 1934 lhe tributavam merecida admiração. Na Câmara dos Deputados, na sociedade e nos hospitais, a Autora manifestou as virtudes herdadas dos seus. Se bem absorvida pela sua clínica, ainda conseguiu tempo para nos conceder sucessivos trabalhos de interêsse para a historiografia, hoje mais que nunca à procura de documentação informativa.

Louvada seja e fazemos votos pela continuação dessa atividade onde revela os mesmos dotes de atenção e discernimento anteriormente demonstrados nas demais a que se consagrara.

[illegible]

[illegible]

[illegible]

[illegible]

D.ª Angelina Moreira de Azevedo, neta do Capitão-mor Manoel Pereira de Castro

AOS BISNETOS DE VOVÓ ANGELINA

Numa velha cômoda, com puxadores de cristal, que eu remexia à vontade, procurando retalhos e rendas para vestir minhas bonecas, via sempre num canto do gavetão de baixo uma caixa verde. Mal eu chegava perto já me diziam: "Não mexa aí! Vovó não quer!" Era Clementina, a velha preta, que atendia ordens.

Obedeci. Mas, depois, cresci e a curiosidade aumentou. Que tesouros haveria ali guardados?!

Perguntei um dia: "A senhora não me mostra, Vovó?" e ela, tôda doçura, tôda paciência, começou a me contar estórias.

Fiquei sabendo tanta coisa!

Que ela morava numa Fazenda muito grande, que se casou com o primo, que ia muito à Côrte, que foi ao beija-mão do Imperador, que sua Mãe se chamava Carlota (nome que, na sua modéstia, para afastar o seu, fêz questão que me dessem), que também tinha fazendas e era Viscondessa... Depois, uma estória triste e eu chorava também: Que seu marido "o seu avô José Vicente" como ela me dizia, "voltava para casa um dia e levou um tiro. O cavalo chegou todo ensangüentado e nós corremos atrás dêle para ver o que tinha acontecido. Mas o pajem veio correndo e disse que o "Sinhô" tinha sido atirado na estrada. O que eu guardo nessa caixa são os papéis de seu avô, as lembranças da Fazenda, e um dia vou mostrar a você, minha neta".

Mas, êsse dia não chegou... Ela ficou paralítica numa cadeira de rodas e não podia mais me contar estórias. Os papéis me revelaram o que ela reservadamente não chegou a me dizer. Entregou-mos e eu guardei-os preciosamente, como ela guardava. Mas hoje estou velha também e resolvi pedir-lhes que me contassem o resto da estória. É uma estória tão comprida, tão bonita, que eu quero contar também a vocês, bisnetos de Vovó Angelina!

CARLOTA PEREIRA DE QUEIROZ

— 1969

CAPÍTULO – I

A FREGUESIA DE N. S.ª DA PIEDADE

Descoberto o Brasil em 1500 e proclamadas as suas riquezas naturais, a maior preocupação do Reino tornou-se logo encontrar na nova colônia minas de ouro, prata e pedras preciosas. A região do sul, a primeira alcançada depois do litoral, e a Bahia, foram os pontos de entrada para atingir o sertão, onde a cobiça ia ao encontro dos tesouros.

Fundada Piratininga, em 1554, como diz Capistrano de Abreu (**Caminhos Antigos e Povoamento do Brasil**), os dois rios próximos — o Tietê e o Paraíba — foram os caminhos naturais para a exploração das selvas, a estrada percorrida pelos que vinham de São Paulo e encontravam o vale em que se fundou a atual Lorena, antiga Freguesia de N. S.ª da Piedade.

Essa Freguesia ficava entre duas serras — a da Mantiqueira e a do Quebra Cangalhas (nome atribuído à Serra do Mar na região). Aí encontravam os exploradores, que vinham das Capitanias de São Paulo ou do Rio, em busca dos caminhos de Minas Gerais ou de Goiás, lugar propício para acampar. E, quando de volta, através de Parati, em direção de Mambucaba, de caminho para o Rio, ou para São Paulo, era ali ainda que paravam para tentar depois a travessia da serra. Dada sua posição privilegiada, e colocada como estava a meio caminho, facilitava a permanência dos viandantes e logo moradores fixos começaram a se estabelecer no local, dando origem a um povoado, que ficava no chamado sertão de Guaratinguetá.

Em 1710, criou-se ali uma capela, sob a invocação de N. S.ª da Piedade, que ainda é hoje a padroeira da atual cidade de Lorena. Pertenciam essas terras nessa época a Bento Rodrigues Caldeira. No seu bem documentado livro **Gens Lorenensis**, diz Gama Rodrigues que essa capela estava situada no mesmo local em que se encontra hoje a Catedral de Lorena, que é bispado atualmente. Ficava próxima ao pôrto de Guaypacaré, o qual desapareceu com a mudança do leito do Rio Paraíba, que se afastou do seu curso primitivo. Foram o mesmo Bento Rodrigues Caldeira e seus vizinhos João de Almeida Pereira e Pedro da Costa Collaço os verdadeiros fundadores da Vila, porque mandaram erguer nas suas terras, em pleno sertão, essa capela, sob a invocação de N. S.ª da Piedade. Começaram por constituir um patrimônio para o templo que haviam feito erigir e que constava de 100 braças de terras, junto à capela, as quais a Confraria de N. S.ª da Piedade aforou a 40 réis a braça, a fim de atrair moradores fixos. A população urbana já era avultada e o povoado tinha 40 fogos.

O nome de Guaypacaré era dado a um riacho, afluente do Paraíba, que formava no local êsse pôrto natural, em que desembarcavam os exploradores. Há muitas explicações a respeito da origem dessa denominação, que acabou por se estender à própria Freguesia (N. S.ª da Piedade de Guaypacaré). A versão popular até hoje na cidade dá como significado "Terra da Goiaba", fruta abundante na região. No seu livro **Resenha Histórica de Lorena,** Faustino César atribuiu a origem à palavra indígena "Goa - up - caré", que significa braço torto e parece se referir a uma volta do Paraíba nesse lugar. A corruptela transformou a palavra em "Hepacaré", denominação até hoje empregada numa rua da cidade, dada a um clube local e a casas comerciais.

Capistrano de Abreu, em artigo publicado na **Revista do Brasil,** de janeiro de 1923 (n.º 85), e transcrito no seu livro já citado **Caminhos Antigos e Povoamento do Brasil,** da Sociedade Capistrano de Abreu (1930) chama o Paraíba rio ruim, quer por suas más condições de navegabilidade, quer pelo predomínio de indígenas contrários aos da língua geral, sem especificar.

Conta êle também que o Governador do Rio de Janeiro, Arthur de Sá, indo em visita às minas gerais (como escreve) teve de ir por terra até Parati e daí a Taubaté, para transpor a Mantiqueira. Várias eram as gargantas que estabeleciam comunicação com a serra. Na altura da Freguesia de N. S.ª da Piedade havia a garganta de Piquête e a garganta do Embaú, que Gentil de Moura afirmava que davam entrada para Minas Gerais. Foi assim decisivo o papel que representou essa região na penetração das terras auríferas, porque foi uma das primeiras exploradas pelos bandeirantes paulistas.

EXPLORAÇÃO DAS MINAS

Conta Diogo Vasconcellos, na sua **História das Minas Gerais,** que, em 1672, o Governador Affonso Furtado concedeu a Fernão Dias os podêres de estilo, nomeando-o Chefe e Governador de sua leva e da terra das Esmeraldas. Em 1673, partiu êle com uma comitiva numerosa em que figuravam índios, mamelucos e escravos. Diz também que a marcha dessa expedição não encontrou dificuldades até Guaratinguetá, região aberta e freqüentada havia muitos anos.

As minas do sertão de Taubaté, as primeiras exploradas, foram descobertas por aventureiros que sacrificaram vida e cabedais sem receber auxílio algum da Fazenda Real. Tudo fizeram na convicção de que as terras passariam ao seu pleno domínio, confiantes numa carta régia de 18 de março de 1700, dirigida ao Governador D. João de Lencastro. Essa carta abonava a quem descobrisse minas de ouro, além de fôro de fidalgo, o hábito de uma das três ordens honoríficas e a propriedade das minas, com a condição de pagarem o quinto à Coroa. Diogo Vasconcellos diz, porém, que o paulista, pouco inclinado ao comércio, deixava campo livre aos exploradores ambulantes.

Essas expedições eram organizadas pelos reinóis (homens vindos do Reino, nem sempre portuguêses) e nela tomavam parte prêtos, brancos, mulatos e índios — não havia preconceito de raça. Foi êsse o primeiro caldeamento da raça paulista. Homens de tôdas as condições sociais, de tôdas as idades, abandonavam suas famílias, seus lares, se embrenhavam pelo sertão a dentro, na pesquisa do ouro.

Cada expedição levava, além dos homens necessários, um médico e duzentos índios, procurando dar a todos completa assistência. Do ouro extraído pagavam o quinto do metal fundido à Casa Real.

Diz Capistrano de Abreu ainda em **Caminhos Antigos e Povoamento do Brasil** (pág 65): "A situação geográfica de Piratininga impeliu-a para o sertão, para os dois rios de cuja bacia se avizinha — o Tietê e o Paraíba — teatros prováveis das primeiras bandeiras que tornaram logo famoso e temido o nome de paulista".

E a "Terra dadivosa" tudo oferecia aos insaciáveis exploradores. Um clima ameno, em primeiro lugar, uma vegetação luxuriante, que os extasiava, a possibilidade de uma alimentação fácil, com caça rica, muitos frutos, a fartura de madeiras possibilitando a confecção de abrigos improvisados e até a colaboração dos naturais da terra para guiá-los nessa aventura e abrir-lhes os caminhos, com o seu braço mais adestrado. Tudo os convidava para a penetração nas matas. Foi essa a origem do bandeirantismo, que tanto ilustrou a história paulista.

Diz Capistrano de Abreu que "os paulistas iam e vinham", não se fixavam. Além dos bandeirantes havia os conquistadores, contratados pelo reino e que tinham por missão pacificar certas regiões em que os índios ofereciam resistência. "Os conquistadores", refere o mesmo Autor, "podiam cativar legalmente a indiada e recebiam vastas concessões territoriais. Iam autorizados a distribuir hábitos e patentes". O maior serviço que prestavam, dizia, consistia em ligar o Tietê e o Paraíba ao São Francisco, através da Mantiqueira, levando canoas rio abaixo. Ao tempo em que se batiam contra os índios, à volta de São Paulo, grande era o número de povoados que iam surgindo — Moji das Cruzes, Taubaté, Guaratinguetá, Itu, Sorocaba. Para mobilizar essas fôrças bastava o descobrimento do ouro em córregos e rios.

Iam assim todos em busca de terrenos auríferos, pesquisando a areia dos ribeiros e a terra das montanhas. Quando tinham suspeita da existência de ouro construíam barracas e iniciavam a exploração. Dêsses acampamentos originaram-se os povoados e depois as freguesias, que se incorporavam à monarquia portuguêsa, tornando-a um dos reinos mais vastos e ricos do mundo.

Nem um século passado do descobrimento do Brasil, como nos conta Pedro Taques, em **Minas de São Paulo,** por volta de 1597, Afonso Sardinha e um filho tiveram a primazia de descobrir ouro de lavagem nas proximidades de São Paulo. Ciente do ocorrido, o Governador Francisco de Souza, em 1599, nomeou primeiro Administrador das Minas e Capitão de São Paulo a Diogo Gonçalves Laço, dando imediata conta ao Rei das medidas tomadas e indo êle pessoalmente assumir a direção dos trabalhos.

Por morte de Francisco de Souza, em 1609, sucedeu-lhe o Governador Salvador Corrêa de Sá, ao qual se seguiram respectivamente dois de seus filhos.

O Marechal Müller **(S. Paulo em 1836)** diz, porém, que só depois da volta do Brasil ao domínio português, em 1640, é que os paulistas iniciaram essas excursões pelo interior do Brasil, o que não nos parece verídico.

Em 1700, foi criada na região a "Comarca do Norte", origem da denominação empregada até hoje de "Norte" para essa região de São Paulo, que tinha até então uma única Ouvidoria, com sede na capital da Província. Fundada a vila de Taubaté, em 1703, para ali se transferiu, e ir a Taubaté era ir ao Norte.

São Paulo compreendia nessa época quatro capitanias que dela se desmembraram mais tarde: Minas, em 1720; Rio Grande, em 1738 e as de Goiás e Mato Grosso, em 1748. Por sua vez, até 1709, a Capitania de São Paulo estava sujeita ao governador-geral do Rio.

Separada a Capitania de São Paulo da de Minas Gerais foi seu primeiro governador e Capitão-General Rodrigo César de Menezes. Em conseqüência dêste fato desmembrou-se a pequena capela de N. S.ª da Piedade da igreja matriz de Guaratinguetá, passando a matriz, por provisão de S. Exa. Revma. D. Francisco Jerônimo, Bispo do Rio de Janeiro, a cujo bispado pertencia ainda a Capitania de São Paulo. Foi nessa ocasião que os proprietários das terras aforaram 100 braças, para o patrimônio da capela. Teve assim a freguesia a sua igreja matriz e passou a se denominar Freguesia de N. S.ª da Piedade de Hepacaré, sempre por causa do riacho que ali deságua, no majestoso Paraíba. O vigário, por ordem do bispo de São Paulo, foi a Sant' Ana do Piraí e tomou posse do caminho nôvo para o Rio. Dada a invejável situação do local, moradores aí começaram a se fixar, atraídos não só pelo terreno plano como pelo seu clima ameno e pela proximidade do pôrto e do rio. Além de habitantes de outras regiões do Brasil, foram numerosos também os portuguêses que ali se estabeleceram. Nos **Apontamentos Históricos, Geográficos, Estatísticos e Noticiosos da Província de São Paulo,** publicados em 1879 e coligidos por Manoel Eufrásio de Azevedo Marques, está, a respeito de Lorena, que o Capitão-mor de Guaratinguetá, Domingos Antunes Fialho, incumbido em 1765 de feitura da Estrada do Rio de Janeiro, foi quem, segundo a tradição, deu impulso à povoação, estabelecendo-se nela com sua família e aderentes.

Embora êstes fatos históricos não sejam pròpriamente o assunto do nosso livro, a êles se liga a fundação de Lorena, o berço de Manoel Pereira de Castro, razão pela qual dêles nos ocupamos aqui.

MANOEL JOSÉ BRANCO

Em 1624, foi designado o português Manoel José Branco, natural de Vila de Setúbal e casado com uma filha de Fernando ou Fernão Dias Pais e Lucrécia Leme (conforme **Nobiliarquia Paulistana** de Pedro Taques) para assistir e quintar o ouro, por provisão de Diogo Mendonça Furtado, Governador-Geral do Brasil.

Carvalho Franco, no seu livro **História das Minas de São Paulo,** contesta a versão de Pedro Taques de que Manoel Branco tenha sido provedor das minas, e afirma que êle só exercia as funções de administrador dos índios das aldeias que pertenciam ao Reino, de superintendente dos serviços das minas e do fornecimento de gado à população. Ocupava, portanto, cargos de confiança por designação do Governador. Juntamente com o procurador da Câmara, o juiz municipal e o vereador mais velho, cabia-lhe proceder à arrecadação dos quintos e guardar o produto em cofres seriados, de que cada um dos responsáveis tinha sua chave, de acôrdo com o regulamento prescrito. Só a título de curiosidade transcrevemos estas informações.

Em várias regiões foi por muitos anos vedada e posta em guarda a arrecadação do ouro, por conter também pedras de diamantes. Uma junta regulava êsse serviço para acautelar o seu extravio. No local ficava um cofre com quatro chaves, distribuídas pelos chefes responsáveis. Um segundo cofre era colocado na zona de mineração, também com quatro chaves. Devia ser menor, ter pouco pêso e ficar "prêso com chapas de ferro a uma mesa, para maior segurança". Mais um cofre era colocado no mesmo local, com as mesmas garantias, e que devia ser conduzido à Vila mais próxima, de três em três meses, "com tôda a cautela, levando os diamantes". Um livro de entradas devia ser colocado nesse cofre e nêle a relação dos diamantes encontrados. Um documento com 16 itens regulava as obrigações dos responsáveis pela entrega. Em seguida, cuidava-se da remessa sem que "ninguém demorasse com diamantes na sua mão".

Por aí vemos a responsabilidade dêsses homens. Além dos cuidados todos, um corpo de destacamento devia permanecer sempre junto aos cofres "para concorrer e acautelar o extravio, conservar a paz entre os mineiros, defendendo-os das ciladas e invasões dos índios sylvestres de que são muito infestadas aquelas terras".

Percebendo irregularidades na entrega, o administrador Manoel José Branco admoestou os companheiros e se indispôs com os seus auxiliares, os quais tentaram fugir para o litoral e para o Rio, no que foram impedidos por êle. Vingando-se dessas medidas, procuraram afastá-lo do cargo, que era da confiança direta do Governador. Para isso, fizeram novas designações pelo regulamento antigo, que conferia essa atribuição à Câmara Municipal; e, aproveitando-se de uma ausência sua, substituíram o provedor e o tesoureiro. Suas ordens não eram mais atendidas e os habitantes do local não forneciam mais índios forros para os trabalhos nas minas, como era do regulamento. De nada valeram as suas reclamações e protestos; Manoel José Branco foi afastado do cargo de provedor. Tendo já acumulado grande fortuna, foi à Bahia, onde se fundia o ouro, e lá mandou preparar um cacho de bananas, aros e argolas para presentear o Rei, em Portugal. Tendo tudo pronto, embarcou com seis mulatos seus escravos e ao chegar em Lisboa fêz-se transportar por êles numa rêde trançada com fios de algodão de várias côres, pelo que foi muito apupado.

Depois da entrega solene, o monarca partuguês, querendo recompensá-lo, indagou o que desejaria possuir. Conhecedor das terras brasileiras, pediu onze léguas em quadra, no sertão de Guaratinguetá, junto da vila, às margens do Rio Guaipacaré. Essas terras acabaram abandonadas porque Manoel José Branco morreu logo após o seu regresso e nunca foram cultivadas pelos seus descendentes.

No excelente estudo de Alcântara Machado, **Vida e Morte do Bandeirante,** encontramos duas referências a êsse Manoel José Branco. A respeito de uso de talheres, pouco freqüente na época, cita-o como um dos dez milionários que possuíam facas de mesa. E conta ainda que, iniciado o seu inventário, o Juiz de Órfãos expediu uma carta precatória denunciando a existência de herdeiros de menos de vinte e cinco anos, no que não foi atendido. Refere ainda uma questão suscitada por um de seus filhos na mesma ocasião, sôbre o inventário do "opulento Manoel José Branco" (como diz) e que continuou depois no inventário de sua mãe, anos passados, pedindo a anulação dos mesmos por se tratar de "um velho de decrépita idade, com mais de noventa anos". Ouvida sua filha sôbre o caso, chamou também seu pai de "um homem trabalhoso".

Isso tudo vem confirmar a fortuna acumulada por Manoel José Branco, ainda no início do século XVII, na época bandeirante. E não resta dúvida de que êle já previa a importância do sertão de Guaratinguetá, porque foram as terras que solicitou ao Rei.

CAPÍTULO – II

MANOEL PEREIRA DE CASTRO

Foi nessas terras do sertão de Guaratinguetá que nasceu em 21 de maio de 1777, Manoel Pereira de Castro, na já freguesia de N. S.ª da Piedade. Era filho de Manoel Domingues Salgueiro, Capitão-mor da mesma freguesia e êle também ali nascido em 1748. Continuando a tradição de seu pai, Manoel Pereira de Castro ocupou papéis de relêvo na administração da referida freguesia, criada em 1701, de que foi mais tarde também Capitão-mor.

Nos excertos das listas de recenseamento da Freguesia de Nossa Senhora da Piedade, publicadas no magnífico livro de Gama Rodrigues **O Conde de Moreira Lima,** por ocasião do centenário dessa grande figura lorenense, consta já, desde 1766, quando ainda a freguesia dependia de Guaratinguetá, o nome de Manoel Domingues Salgueiro, o pai do Capitão-mor Manoel Pereira de Castro, como soldado, com apenas 17 anos de idade, filho do lavrador Antônio Domingues e possuindo 200$000 em dinheiro. Ali se casou também em 1767.

A espôsa de Manoel Domingues Salgueiro, que veio a ser, portanto, a mãe de Manoel Pereira de Castro, figura também nas mesmas listas com 13 anos de idade, filha de Luciana Leme de Camargo, viúva e possuidora de 100$000 em dinheiro. Eram habitantes todos da mesma freguesia de N. S.ª da Piedade. Foi êsse casal, de tão parcos recursos, no início de sua vida conjugal, o ponto de partida de uma geração que muito concorreu para o povoamento da região. Nove anos passados, em 1775, já aparece nas listas Manoel Domingues Salgueiro, casado, com 26 anos e pai de duas filhas, Maria e Felizarda: Manoel Pereira de Castro não existia ainda. Seu pai já possuía nessa época nove escravos, cinco cavalos, dez cabeças de gado, sendo três de ventre, e um sítio em que colhia 120 alqueires de milho, 30 de feijão, 15 de arroz, 16 de amendoim, além de 40 barris de aguardente.

De ano a ano os negócios da família prosperaram e dois anos depois, em 1777, nasce o primeiro filho varão — Manoel —

que viria a ser mais tarde o Capitão-mor Manoel Pereira de Castro. Pode-se dizer que êle foi contemporâneo da Vila de Lorena, fundada só onze anos após o seu nascimento, em 1788.

Lorena e o Capitão-mor Manoel Pereira de Castro cresceram juntos, portanto, foram companheiros de infância e de mocidade. Quando a vila se fêz cidade, em 1856, Manoel Pereira de Castro já não existia, tinha "deixado a vida presente" em 1846, na expressão da época, mas continuou a viver através de sua descendência, sempre fiel, sempre devotada à antiga freguesia de N. S.ª da Piedade.

Um ano após o nascimento de seu filho Manoel, em 10 de janeiro de 1779, além do sítio mencionado, Manoel Domingues Salgueiro já possuía casas na freguesia.

De 1781 a 1783, as listas de recenseamento incluem os moradores do "Caminho Nôvo para o Rio", a nova estrada aberta pelo Capitão-mor de Guaratinguetá, Domingos Antunes Fialho, o que deu grande impulso à freguesia. No seu percurso, vários outros povoados foram surgindo — Areias, Silveiras, Cunha e Bananal. Nessas novas listas figura sempre em progressão constante o Capitão Manoel Domingues Salgueiro, o pai de Manoel Pereira de Castro — que, além das casas na freguesia, já colheu, em 1783, no seu sítio, durante o ano, 300 alqueires de milho, 52 de feijão, 80 barris de aguardente, 54 de melado, e possuía 54 cabeças de gado, 27 de ventre, 20 com crias, 12 porcos e mais 15 escravos. Confrontando com a lista anterior, de 1775, o progresso é evidente. A cultura aumentou e das dez cabeças de gado passou a proprietário de 52.

A VILA DE LORENA

Em 1788, dada a sua grande expansão, foi a Freguesia de N. S.ª da Piedade elevada a Vila, por portaria do então Capitão General e Governador da Capitania de São Paulo, Fernando José de Lorena (Conde de Sarzedas), compreendendo a Freguesia de Silveiras e a Capela do Embaú.

Na certidão de publicação está que, "por ser a Freguezia da Piedade huma das mais opulentas e populosas da Capitania situada como estava no ponto donde saem as duas estradas gerais da Capitania (para Minas e para o Rio), necessàriamente havia de dar calor ao seu comércio, ficando além disso sobre o Rio Paraiba que facilita muito o intercambio com muitas das Villas do Norte. Teriam necessidade de estarem ali Justiças" e completava: "Sou servido por Serviço de Sua Magestade e a requerimento dos moradores que a faça erigir em Vila, com o nome de Vila de Lorena"; deu-lhe assim o seu próprio nome.

Dizia ainda o edital de publicação que, já em 1765, El-Rei D. José I ordenara que, nas povoações da Capitania, se erigissem vilas e se congregassem os diversos vadios que vivessem em sítios volantes para morarem civilmente. Muito expressiva a certidão do Edital de Publicação elevando Lorena a Vila, datado de 22 de dezembro de 1788, que convidava para o ato solene da instalação da casa da Câmara "todo o povo da Freguezia e principalmente a nobreza dela para que pessoalmente assistam e mostrem a alegria e a fidelidade com que protestam servir com suas pessôas e bens o quanto estiver nas forças desta Villa Nova de Lorena a muito poderosa Raynha Nossa Senhora Dona Maria Primeira". Eram êsses os têrmos empregados pelo "Ouvidor-Geral e Corregedor da Câmara de San Paulo", Desembargador Miguel Marcelino Velloso e Gama. Na certidão estava inserta a portaria do Governador, o Capitão-Geral Fernando José de Lorena.

O Ouvidor-Geral Corregedor declarava que a Freguesia tinha nessa ocasião "pelo menos oitenta homens capazes de servirem os cargos da Vila e terminava ordenando que se procedesse à eleição dos Juízes, Vereadores e mais oficiais da Câmara."

Tendo sido um dos signatários da Certidão, por pertencer à nobreza da Vila e certamente um dos "oitenta homens capazes" a que se referia o Ouvidor-Geral, encabeçava essa lista o nome do Capitão Manoel Domingues Salgueiro, pai do futuro Capitão-mor Manoel Pereira de Castro, o qual tinha nessa ocasião apenas onze anos de idade.

Levantado em seguida o Pelourinho, em janeiro de 1789, foram eleitos os Vereadores e Oficiais da Câmara e escolhido o local para a Câmara e a Cadeia.

Elevada a Freguesia a Vila, desmembrou-se Lorena da Jurisdição de Guaratinguetá. Compreendia a Vila de Silveiras, na Estrada para Areias e a Capela do Embaú. Tinha um Juiz Municipal, 4 Juízes de Paz e um de Órfãos. Nela residiam três sacerdotes e estavam estabelecidos alguns comerciantes.

Pela sua situação, confinava a vila com as de Itajubá e Baependi, na Capitania de Minas; e na de São Paulo, com Cachoeira, Guaratinguetá, Cunha, Cruzeiro e Piquête; Bananal, pertencente a São Paulo, embora mais distante, era freguesia remota da Vila de Lorena, como diz o Marechal Müller, e depois ficou pertencendo a Areias, tendo sido elevada a Vila só em 1832.

"Spix e Martius em 1817, Saint Hilaire em 1822, David Pedro Müller em 1836, nos seus roteiros de viagem, sempre descrevem e focalizam **a vila** de Lorena."

"Spix e Martius no Livro **Viagem pelo Brasil** descreveram as cadeias da Serra do Mar que encontram descendo a da Mantiqueira, de volta de Areias, e falam num vale alegre que ali existe, nos seguintes têrmos: "O vale do Paraíba estende-se entre as últimas encostas das duas serras e o Paraíba corre nêle depois de abandonar os vales estreitos das montanhas. Tomando por um atalho, alcança a vargem de Lorena" **(nome que lhe havia sido dado em 1788, quando criada a vila)** conhecida como Guaipacaré. Chama-a de "sítio pobre e sem importância, com umas quarenta casas".

Saint Hilaire assim se refere: "O pôrto de Lorena encontra-se numa baixada ou vale formado pela Serra da Mantiqueira e a grande cordilheira marítima, onde o terreno torna-se mais plano que em outro qualquer lugar do centro do Brasil." Em 1836, Müller diz que já existiam em Lorena 62 fazendas de café e que Lorena possuía nessa época 9 engenhos de açúcar, 74 distilarias de aguardente. Refere também que a Vila tinha 4 fazendas de criar e 62 de café, 2 engenhos de socar arroz e 1 de serrar. A população era de 1787 almas para 1344 escravos, enquanto que Taubaté, com 3277 habitantes, tinha só 500 escravos e Pindamonhangaba 542 para 1813 almas.

Antonil (João Antônio Andreoni, S. J.), no livro **Cultura e Opulência do Brasil por suas drogas e minas,** ao descrever o "Roteiro do caminho da vila de São Paulo para as Minas Gerais e para o Rio das Velhas", diz que "de Guaratinguetá até o porto de Guaipacaré, aonde ficão as roças de Bento Rodrigues" gastou dois dias até ao jantar. Destas roças até ao pé da serra afamada de Amantiqueira **(sic)**, "pelas cinco serras muito altas, que parecem os primeiros morros que o ouro tem no caminho, para que não cheguem lá os mineiros, gastão-se três dias **até ao jantar.**"

Essa expressão "até ao jantar" está explicada pela informação do próprio Antonil de que "de caminho para Minas Gerais os paulistas não marchão de sol a sol, mas até o meio dia e quando muito até huma ou duas horas da tarde, hora do jantar naqueles tempos."

Das mesmas listas de recenseamento já mencionadas consta, em 1790, o nome do Capitão Manoel Domingues Salgueiro, com 41 anos, e o de seu filho Manoel (Manoel Pereira de Castro), já com 12. A sua Companhia abrangia os moradores do "Caminho Nôvo do Rio", a Freguesia "das Areias" e seus pertences. À medida que subia de pôsto, Manoel Domingues Salgueiro melhorava de situação econômica, como vimos vendo, através destas listas. E, em 1793, já figura ao seu lado, como Capitão Auxiliar, o seu filho Manoel, com 17 anos apenas. Em 1797, com 20 anos de idade, passa êste a constar da lista como Capitão agregado, casado com Ana Maria de S. José, natural de Parati. Seu pai, em ascensão constante, colheu nesse ano 500 alqueires de milho, 60 de feijão, 40 de arroz, 30 arrôbas de açúcar, além de possuir 6 cavalos, 60 cabeças de gado e 30 porcos.

Em 1799 o Sargento-mor Manoel Domingues Salgueiro já era chamado "Senhor de Engenho", com a produção anual de 60 arrôbas de açúcar, "vendido na terra" (como diziam) a 1$600 a arrôba. Era já dono de duas casas de morada na vila e possuía 10 cabeças de gado, que foram vendidas a 5$000, além de "seis cavalos para seu mister". Nesse mesmo ano seu filho, o Capitão Manoel Pereira de Castro, já com 23 anos, é dono de um sítio, em que colhe 20 alqueires de milho, 15 de feijão e 20 de arroz, para o consumo da casa. Possui 12 cabeças de gado, 2 cavalos e 7 escravos. Consta já da mesma lista sua filha Maria, de um ano de idade, que virá a ser mais tarde D. Maria Pereira da Guia Azevedo.

Gama Rodrigues reproduz no seu livro um autógrafo de Manoel Pereira de Castro, do ano de 1799, quando êle tinha apenas 22 anos. Na mesma página figura a assinatura abreviada de seu pai, o Capitão-mor Manoel Domingues Salgueiro, que o antecedeu na administração. Temos nesses autógrafos um atestado do nível cultural dessa família, ainda no século XVIII, bem antes da independência do Brasil.

Em outro livro de sua lavra, **Gens Lorenensis**, Gama Rodrigues conta que o testamento de Manoel Domingues Salgueiro contém as assinaturas autógrafas de todos os seus herdeiros, inclusive da filha mais velha, já viúva. E isso em 1818, que foi o ano da sua morte, anteriormente ainda à Independência do Brasil.

Como vimos constatando, a progressão é constante na família e na vila. Desde 1801 Manoel Domingues Salgueiro já figura como Capitão-mor e em 1803 Manoel Pereira de Castro, por sua vez, é citado como "agricultor em terras próprias" e possuidor de 8 escravos.

Em 1805 encontramo-lo provido em Capitão do Embaú e em 1806 é designado juiz ordinário da Vila de Lorena. Ali se concentram as suas atividades. Em 1808, além da filha Maria, que já tem 10 anos, tem uma segunda, Ana, com 4 anos, e nasce a terceira, Carlota, que será a futura Viscondessa de Castro Lima. Mais três filhas sucessivamente passam depois a figurar nas listas: Mariana, em 1810, Isabel em 1812 e Emídia em 1815.

Nesta data Manoel Pereira de Castro já é também "Senhor de Engenho", chegando a colhêr 400 alqueires de arroz, 15 arrôbas de algodão e a produzir 50 barris de aguardente durante o ano. Possui 15 porcos e marca 25 animais de gado vacum, mais 4 de gado cavalar. Consta ter remetido para a Côrte nesse ano 50 arrôbas de fumo. É já um grande proprietário. Sua filha mais velha, Maria, com 16 anos, casou-se com o tio Antônio Domingues de Castro, do qual enviuvou um ano após, sem geração, tendo se casado em segundas núpcias com o abastado comerciante português José Vicente de Azevedo.

Em 1817 seu pai, Manoel Domingues Salgueiro, que já tem 70 anos, aparece pela última vez nas listas de recenseamento como "Fazendeiro em seus Prados"; e o filho Manoel, então com 40 anos, agricultor e senhor de engenho, é dono de 17 escravos, possui 8 cavalos, 20 cabeças de gado e 16 capados, tendo fabricado 120 barris de aguardente. Nesse mesmo ano nasce-lhe mais uma filha — Manoela.

Em 1818 morre seu pai, e Manoel Pereira de Castro, que é Capitão da 7.ª Companhia, figura como agricultor no Bairro do Pôrto do Meira e "Senhor de Engenho", com a produção de 200 barris de aguardente. Planta mantimentos apenas para o seu consumo, tem 20 capados e marca 20 exemplares de gado vacum, possuindo mais 84 vacas. Produz 400 alqueires de milho, 30 de feijão e 100 de arroz. Em 1821 nasce o seu segundo filho varão — Joaquim Honorato.

Em 1822, já com 47 anos de idade, Manoel Pereira de Castro é o Sargento-mor da Vila de Lorena e tem como Capitão agregado seu filho Manoel Teotônio de Castro, nascido em 1803. Como "Senhor de Engenho" fabricou no ano 50 arrôbas de açúcar, 80 barris de melado, 150 de aguardente, e colheu 300 alqueires de milho, 40 de feijão, 100 de arroz e 60 de farinha. Possuía na época 16 porcos, 39 cabeças de gado e 6 cavalos.

Em 1828, o Capitão-mor Manoel Pereira de Castro, com 52 anos, **é o Capitão-mor de sua vila natal,** Senhor de Engenho e Fazendeiro de Café. Produzia 200 barris de aguardente e transportava para Minas 250 arrôbas de açúcar. Assim, atingiam uma grande produção, tanto a Vila de Lorena como o "Senhor de Engenho", seu Capitão-mor.

Müller dá como produção total da Vila 1.000 arrôbas de açúcar, das quais 250, como vimos, só do Capitão-mor, transportadas para Minas. Além disso, colheu êle 400 alqueires de milho, 100 de feijão, 90 de arroz e mais 700 de farinha de mandioca para o consumo de sua casa. Possuía 70 capados e 2.000 pés de café plantados, dos quais colheu 80 arrôbas que foram para o Rio, através de Parati, e lá vendidas a 3$200 (pela primeira vez encontramos referência à lavoura de café). Era mencionado o Capitão-mor como senhor de 48 escravos, informando a lista de recenseamento que "não os separa em serviço, trabalham todos em comum".

Em uma página do livro **Memórias de Um Magistrado do Império**, do Conselheiro Albino José Barbosa de Oliveira, (vol. 231 da Brasiliana), encontramos em nota o seguinte trecho: "Em cada vila havia antigamente forças de milicias e ordenanças cujas patentes eram distribuidas entre os poderosos. Em cada uma delas havia um capitão mór e às vezes um sargento mór com dois ou tres agregados da mesma patente."

"A lei de 18 de Agosto de 1831 extinguiu as antigas milícias e ordenanças criando a Guarda Nacional."

Será a razão por que nos faltam documentos a partir dessa data até 1840, quando começam os de café? Mas Manoel Pereira de Castro continua a ser chamado Capitão-mor, e nas notas do seu funeral, em 1846, é ainda o título que lhe dão. Foi a morte política, por assim dizer, porque Capitão perante a lei êle deixara de ser diante da nova legislação.

Nascido em Lorena e ali tendo vivido, primeiro na Freguesia e depois na já "Vila de Lorena", criada em 1788, Manoel Pereira de Castro, com o seu prestígio de agricultor opulento, de Senhor de Engenho, de senhor de escravos, de fazendeiro de café, foi, como seu pai, "Fazendeiro em seus Prados", desde 1822. Tendo permanecido sempre na vila, onde constituiu família, ali nasceram todos os seus filhos e se casaram suas filhas, com pessoas de destaque do lugar ou com representantes das principais famílias da redondeza, contribuindo também para o maior fastígio da velha Freguesia de N. S.ª da Piedade.

Encontramo-lo pela primeira vez, como dissemos, em 1777, no recenseamento da Freguesia de N. S.ª da Piedade, ainda pertencente a Guaratinguetá, com um ano de idade, filho do Capitão-mor Manoel Domingues Salgueiro e de Ana Maria Pereira. O nome patronímico de Pereira que adotou, vinha assim de sua mãe, já nascida em Lorena, mas cujo pai era natural da Freguesia de São Salvador de Pereira, do Arcebispado de Braga.

E o nome de Castro fôra adotado por seu Avô, o pai de Anna Maria Pereira, que se chamava também como êle Manoel Pereira de Castro e era natural de Gomide de Castro, pertencente ao Arcebispado de Braga.

Foi assim que, na pequena Lorena do Século XIX, teve origem a família do Capitão-mor Manoel Pereira de Castro. Foram 13 os seus filhos, quatro dos quais morreram em tenra idade. Não seria por falta de assistência, não lhes faltando os recursos da época. A longevidade do avô e do próprio Capitão-mor, que faleceu com 69 anos, não permitem atribuir à hereditariedade essa morte precoce. A medicina e a higiene precárias da época, recorrendo as fazendas distantes a benzeduras e mezinhas, foram seguramente as maiores responsáveis.

A ATUAÇÃO DO CAPITÃO-MOR

Completamos estas informações sôbre **Vida e Morte de um Capitão-mor** com preciosos documentos autênticos, pertencentes ao arquivo do Dr. Francisco de Paula Vicente de Azevedo, seu trineto, cuidadosamente conservados por seu pai, o Barão da Bocaina, por sua vez bisneto do Capitão-mor, e que, nos tendo sido confiados, muito vieram enriquecer êste trabalho.

Descreveremos, através dêles, episódios da vida de Manoel Pereira de Castro, ainda Capitão, Sargento e depois Capitão-mor, reservando para um apêndice a reprodução dos documentos na íntegra, bem como de outros que possuímos, de épocas ulteriores.

Dos papéis que temos em mãos, contemporâneos e pertencentes a Manoel Pereira de Castro, e que compõem a sua vida, os primeiros datam de 1799, quando ainda Capitão da 2.ª Companhia de Ordenanças da Vila de Lorena, e vão até 1846, ano da sua morte. Vamos através dêles assinalar alguns tópicos mais interessantes da sua existência, para finalizar reproduzindo a nota das despesas com os seus funerais, em 1846.

É curioso notar que a nomeação para Oficial da Ordem da Rosa só foi concedida por D. Pedro II, em 5 de maio de 1846, ano de sua morte. Diz o documento que êle prestou juramento por procurador, em 22 de junho do mesmo ano.

Num papel datado de Lorena, 23 de maio de 1799, antes da vinda de D. João VI para o Brasil, portanto, e assinado por Manoel Figueiredo, êste declara que pagará ao **Capitão** Manoel Pereira de Castro a quantia de 20$830, "procedidos da fazenda que comprei na sua loja e recebi a meu contento, tanto em preço como em bondade". (Expressão que encontramos várias vêzes em notas comerciais da época.) Afirma também que pagará a êle ou a quem indicar, dentro de dois meses, sem pôr dúvida alguma, obrigando para isso sua pessoa e bens presentes e futuros. No rodapé desta carta, em nota assinada pelo mesmo Capitão, já com data de 7 de julho de 1801, vem a declaração de que a cobrança do crédito pertence ao Capitão José Rodrigues Neves, "que poderá exigir como divida sua e sendo perciso (sic) o constitue procurador em causa própria". Por aí verificamos que Manoel Pereira de Castro era nesta data negociante já alfabetizado e instalado na Vila de Lorena. (Doc. n.º 1, pág. 257.)

Continuando, cronològicamente, é de grande interêsse o documento que se segue, assinado por Francisco José de Lima e datado de 4 de maio de 1803, em que êste declara que deve ao "Capitam Manoel Pereira de Castro a quantia de settenta e oito mil reis procedidos de duas bestas brabas **(sic)** e huma mansa que lhe comprei" e que recebeu "a seu contento" em preço e bondade, como no caso anterior. Obriga-se a pagar dentro de dois anos, em dois pagamentos iguais. Diz ainda que "se o senhor Capitam percizar **(sic)** algumas cargas da Vila de Paraty" para Lorena compromete-se a tratar pelo preço de costume. Seriam para o transporte de negros? Como no caso anterior, obriga sua pessoa e bens presentes e futuros "e mais o bem parado **(sic)**, tanto móveis, como de raiz, especialmente as mesmas bestas e não pagando no pre-fixo tempo pagará com os juros da Ley". (Doc. n.º 2, pág. 257.)

Em 8 de agôsto de 1805 Manoel Pereira de Castro passa um recibo na Vila de Rezende, declarando ter recebido "Sento e vinte um mil e quatrocentos" e que a cobrança do crédito "pertence ao Senhor Antonio Coelho Borba, que constitui procurador em causa propria". Esta última declaração já vem datada de Vila de Lorena, em 1.º de abril de 1810. (Doc. n.º 3, pág. 257.)

Passamos agora a 1811, de que possuímos uma carta, endereçada a D. Maria Domingas da Ressureição (1) "Lourena" **(sic)**, enviada por Domingos José da Silva, que dá conta do pedido que fêz ao Coronel Macedo (que não conseguimos identificar) para um afilhado dessa senhora e portador da carta. Pede ainda falar ao Mano "Capitam" (será a Maria, filha também do Capitão Manoel Domingues Salgueiro, que aparece na

---

(1) D. MARIA DOMINGAS DA RESSUREIÇÃO era a "respeitável matrona" como chama FAUSTINO CÉSAR no seu livro **Resenha Histórica de Lorena**, em cuja casa foi exposto JUSTINO JOSÉ DE ANDRADE, que veio a se ordenar e foi vigário de Lorena.

lista de 1775 com 5 anos?) que "se deve lembrar do que tracta com os ómem", reclamando a farinha de trigo que ficou de lhe mandar. Escreveu-lhe nesse sentido quando chegava o barco para que enviasse de volta para o Rio. Informa que desde 28 de fevereiro "estão os dois mil cruzados na mam" **(sic)** do Alferes José Monteiro e na mesma ocasião chegaram três embarcações de negros (a cópia vai na íntegra na documentação). O comércio de negros continuava e vemos que os navios negreiros entravam também por Parati.(2) (Doc. n.º 4, pág. 258.)

De 1812 há um só documento. É uma declaração de João Francisco Vieira, de que vendeu ao Capitão uma escrava de nome Rita "por preço e coantia de sento e dois mil e coatro sentos reis" que recebeu. (Doc. n.º 5, pág. 259.)

Em 1815, José Cordeiro da Silva Guerra acusa a dívida de cento e sessenta mil réis ao "Capitam" Manoel Pereira de Castro, proveniente de um casal de escravos, Custódio e Maria, "que comprou ao mesmo a seu contento **em preço e bondade**", prometendo pagar dentro de um ano e dar neste tempo "dous muleques de seis palmos de altura para sima e não para baixo". Caso não possa dar os moleques pagará em sal, a 1.600 a carga, para o que obriga também sua pessoa e bens presentes e futuros. (Doc. n.º 6, pág. 259.)

Em 10 de agôsto de 1815, Manoel Pereira de Castro declara ter recebido a escrava mencionada "da mam do proprio devedor". Êle é na ocasião Capitão da 7.ª Companhia. Supomos que o devedor, não dando os "muleques", tenha-os substituído por uma escrava.

De 1821 há um documento de bastante interêsse e que vai também na íntegra, no apêndice. Trata-se da eleição para "Juiz de Paz da Capela Curada do Embaú". Realizava-se no Corpo de Igreja, com a presença do Juiz de Paz da Vila de Lorena que era, como diz o papel, o Capitão-mor Manoel Pereira de Castro (título que já lhe davam apesar de só o ter sido em 1828). Foi convocado o povo da mesma Capela, e na forma da Lei "novissima" **(sic)**, procedeu-se à eleição popular "para Juiz de Paz e Supplente", escolhidos na ordem da votação. Complemento dêste documento, há um borrão do ofício que a mesa paroquial que presidiu à eleição devia enviar com as sédulas **(sic)**, para a Câmara Municipal da Vila de Lorena proceder à apuração. Devia vir assinado pelo presidente, capitão, secretários e escrutadores **(sic)**. (Doc· n.º 7, pág. 260.)

---

(2) O fato de essa carta estar no arquivo do Capitão-mor parece confirmar a hipótese de que se tratava de uma sua mana.

Do ano de 1827, temos em mão três cartas, tôdas endereçadas ao já **Sargento-mor** Manoel Pereira de Castro. Uma delas, datada de 12 de setembro e endereçada "Sua Fazenda", é do sargento do Distrito e as duas outras de São Paulo.

O "sargento do Distrito", acusando o ofício do sargento-mor, dá conta de uma incumbência, dizendo que o caminho a que se refere "nunca foi caminho", mas picada aberta sem licença em terras alheias seguida de duas estradas de comércio para "paceio e devertimento" e a rezão **(sic)** por onde despòticamente veio abrir não pode informar. Censurada, essa pessoa não tinha atendido as ordens do sargento-mor nem do capitão e muito menos atenderá dêle, que é simples sargento. O proprietário queixou-se ao sargento da inconveniência da picada em terras suas. O sargento termina dizendo "V. Sia., mandará o que fôr servido" e assina-se Antônio Rodrigues da Costa. Como vemos, está Manoel Pereira de Castro em plena função do seu cargo. (Doc. n.º 8, pág. 261.)

As cartas vindas de São Paulo e datadas respectivamente de janeiro e de junho do mesmo ano de 1827, são endereçadas também ao sargento-mor Manoel Pereira de Castro.

Na de junho, José Gomes de Almeida acusa a importância do altar portátil (muito usado para cerimônias religiosas em fazendas que não tinham capela). Agradece a "bôa moeda em que veio", e se põe ao serviço do sargento-mor "no que puder prestar". Vê-se por êsse documento que o **sargento-mor** estava atento à assistência religiosa da população. (Doc. n.º 9, pág. 261.)

Segue-se, em 17 de janeiro de 1827, uma longa carta de São Paulo, de Manoel Rodrigues Jordão, em que o sargento-mor pôs à margem com sua caligrafia típica, **"respondida em 5 de Fevereiro de 1827"**, donde vemos que chegou às mãos do destinatário em pouco mais de 15 dias. (Reproduzimos na íntegra na documentação.) O missivista consulta o sargento-mor se lhe convém a incumbência de inspecionar a construção de uma ponte e pede que proceda à cobrança como achar mais conveniente de parte de uma fazenda que comprou, hipotecada a terceiros. Espera que o avise do "último preço que a sua costumada diligência puder conseguir". Curiosas as recomendações que faz "enquanto se não decide a sabida etiqueta de Minas com esta Provincia o que talvez aconteça no corrente anno" (alusão à questão de limites?). Pede que procure um agregado caso as casas não venham abaixo "para desfrutar o q-plantar e vigiar a entrada de algum intruso", aconselhando "deitar em tempo proprio algûas roças para feijão e milho a pagamento por alqueire do que fôr plantado, de modo a fornecer mantimento para a escravatura, que no fim do ano mandará para lá, com algum gado e egoas". Pergunta ainda "se no Regimento paga-se imposto por entrada de gado e egoa e quanto, para sua intelligência". (Docs. n.º 10 e 10-A, págs. 261/2.)

Nesse documento de janeiro encontra-se no verso o borrão de uma carta do sargento-mor à Ilma. Sra. D. Gertrudes sôbre o mesmo negócio em que se refere ao "Sr. Brigadeiro seu Mano", donde se conclui que o missivista era mesmo o Brigadeiro Jordão (1). (Doc. n.º 10, pág. 261.)

A cópia do borrão vem incluída nessa carta e já traz a data de "Lorena, 21 de Mayo de 1829". Terminando, usa a expressão "o mais obrigado servo" sem assinatura, uma vez que é um simples borrão. O que mostra que Manoel Pereira de Castro não só era consultado por pessoas de destaque, como dava atenção aos negócios que lhe eram confiados.

Como sargento-mor, em 1827 estava Manoel Pereira de Castro tratando dos campos comprados a José de Oliveira Cabral; e Joaquim Mariano Galvão, que devia ser um dos possuidores, escreve em 2 de dezembro de 1831 ao Capitão-mor (que o era desde 1828), dizendo que perdeu os títulos das compras feitas a êsse José de Oliveira Cabral e pede informações sôbre a data e a sisa paga, em Minas, bem como os juros que foram perdoados. Quer resposta pelo próximo correio e em nota à margem, como era costume de Manoel Pereira de Castro, êste acrescentou "respondida em dezembro de 1831". Curioso nesta carta é que vinha dobrada fazendo o próprio envelope, como era hábito, com a anotação — 60 — que seria naturalmente o valor do sêlo — ôlho de boi, emitido em 1843, e que foram os segundos emitidos no mundo (publicado nas **Efemérides)** (Doc. n.º 11, pág. 263.)

Uma conta corrente do ano de 1829 dá os detalhes da dívida de José d'Oliveira Cabral à "Illma. Sra. D. Gertrudes Galvôa d'Oliveira e Lacerda", na qual consta o Capitão-mor Manoel Pereira de Castro como tendo comprado, em 5 de abril de 1829, (Doc. n.º 12, pág. 263) metade dessas terras de João da Costa. Montavam a 73$210, de que pagou parte ao Capitão. A partir dêsse ano de 1832, a maio de 1854, ela pagou juros de 6% sôbre o resto da dívida. Uma nota confirma que não foram contados

---

(1) No livro **Um Fazendeiro paulista no século XIX**, vimos que uma das irmãs do Brigadeiro (ESCOLÁSTICA JACINTA) casou-se com o único filho do primeiro casamento de D. ANA JOAQUINA DA SILVA PRADO e veio a ser a tia-bisavó do fazendeiro MANOEL ELPÍDIO PEREIRA DE QUEIROZ (pág. 18).

os juros até 1829 por se terem perduado **(sic)**. (Será Joaquim Miranda Galvão o marido de D. Gertrudes que passa assim a ser Galvôa?)

A partir dessa data passou-se cêrca de uma década de que não possuímos documentos, mas de 1840 até 1846 (ano da morte do Capitão-mor) êles passam a ser freqüentes e de grande interêsse. É a época da cultura do café e da revolução de 1842.

A VENDA DO CAFÉ

Do ano de 1840, encontramos a primeira nota sôbre negócios de venda de café. Convém lembrar que nas listas de recenseamento da Vila de Lorena já figura no ano de 1828 o Capitão Manoel Pereira de Castro, que nesse mesmo ano foi feito Capitão-mor, agricultor e senhor de engenho, como possuidor de dois mil pés de café, de que colheu 50 arrôbas, vendidas para o Rio a 3$200.

Vamos procurar reproduzir na íntegra esta interessante "conta de venda e líquido rendimento" que possuímos, datada do Rio de Janeiro, em 2 de setembro de 1840. Dela constam 27 sacos com café e a guia que de Lorena o senhor Joaquim José Moreira Lima, seu genro, consignou para dispor por conta do senhor Capitão Manoel Pereira de Castro vindos de Parati pelo barco "S. Francisco" e de Mestre João Martins Barboza, por intervenção de Antônio Pereira Lisboa. (Doc. n.º 13, pág. 264.) A nota diz que são 12 a 13 arrôbas de café de 1.ª, nôvo, a 3.750 rs. que importam com a Guia em rs. 469$832. As despesas de frete, carreto por saca (1$080) e comissão de venda (3%) foram de 32$170 e o resto ficou creditado em conta do Sr. Lima (que foi o intermediário, o marido de sua filha Carlota Leopoldina, a futura Viscondessa de Castro Lima). Essa nota vem assinada por Benjamim José Dias.

Mais quatro notas de venda de café existem, dos anos de 1844 e 1845. Nas duas primeiras, dêste último ano, o signatário no Rio é o mesmo Benjamim José Dias, acusando numa a conta de 43 sacas remetidas por intermédio de Manoel Fernandes Campos, (Doc. n.º 14, pág. 266) que renderam 329$424, creditados ao Capitão-mor, como o chama sempre e a quem escreve diretamente. Repetimos aqui suas expressões: "As noticias recentemente recebidas da Europa e de diversos lugares onde se dá consumo aos nossos cafés tem sido terriveis e desanimadoras no presente; porem temos esperanças de que ellas melhorem logo que cessem as abundancias que por lá tem chegado repentinamente. Os cafés novos e bons ainda tem no mercado sofrivel animação, mais (sic) os velhos e ordinarios estão em um estado tal que só com grande custo se podem obter alguns preços regulares". Espera que o Capitão-mor se conforme com os preços cotados e promete se esforçar por melhorar a situação. Na carta seguinte, datada de 21 de agôsto de 1845 e endereçada sempre ao Capitão-mor Manoel Pereira de Castro pelo mesmo Benjamim José Dias, êle informa que, atendendo a ordem recebida, entregou a Manoel Cornélio dos Santos para abonar em conta de Joaquim José Moreira Lima a importância de 329$424 que tinha debitado ao próprio Capitão-mor. "Em consequência das entradas terem sido diminutas" informa o missivista, "os cafés ficão sendo procurados, principalmente os novos, bons e superiores, que alcanção de 3.000 a 3.500 rs". Curiosas as expressões finais: "Estimarei que V. Sra. esteja na posse de sua saúde, para assim dispôr de quem com amizade e consideração" etc. Segue-se a assinatura. (Doc. n.º 14-A, pág. 266.)

As duas outras notas de café que possuímos vêm datadas respectivamente de 28 de fevereiro de 1833 e 1.º de abril de 1845, do Rio de Janeiro. A primeira é a venda de "22 sacos de Caffé" que de Parati nos remeteu o Sr. Manoel Fernandes Campos (o mesmo intermediário) pela mesma barca "Flor do Mar", tendo como Mestre Joaquim Henriques. (Doc. n.º 15, pág. 238.) Foram vendidos por conta do "Illm.º Snr. Cappm." Manoel Pereira de Castro a Antônio Luiz Zamith por 2.350 rs. — "Abatidos os preços de carreto, fretes (a 14 — rs. por arroba) e que entregou ao Snr. José Bernardino Teixeira por conta do Snr. Joaquim José Moreira Lima". — Assinam esta declaração Vieira e Pinto Dias (talvez o mesmo Benjamim).

A última conta em papel timbrado — R. do Rosário n.º 82, de 1.º de abril de 1845, (Doc. n.º 16, pág. 237) refere-se a 62 sacas consignadas pelo próprio Capitão-mor (de Lorena) (o título permaneceu até sua morte) por sua conta e risco e por intermédio do referido Manoel F. da Silva Campos, de Parati, e vinda na mesma barca "Flor do Mar", tendo como Mestre Luiz Corrêa Marques. Os cafés de 1.ª foram creditados "ao dito Snr. Manoel Pereira de Castro por 467$806". A nota vem assinada pelo mesmo Manoel Cornélio dos Santos, a que se refere Benjamim José Dias. (Doc. n.º 16, pág. 264.)

Passamos agora aos anos de 1841, 1844 e 1845. Embora anteriores às últimas, não obedecemos à ordem cronológica para não interromper os assuntos de café.

A primeira, datada de 21 de outubro de 1841, é uma carta de Julião Florêncio Meyer, (Doc. n.º 17, pág. 267) da Vila de Pouso Alegre. Por fora há uma nota: "Carta do Snr. Juliam".

Trata-se de uma dívida antiga de rs. 3:500$000 de um Sr. José Francisco Porta a João Pedro de Oliveira. Há quatro anos reclamou o credor sem resultado, "tempo que lhe deu de espera contanto que lhe desse garantia" ao que Porta anuiu. Pagou--lhe com a "hyppoteca" de 8 escravos (a carta está na íntegra entre os documentos) e foi passada em cartório. Tendo o prazo se esgotado, diz Julião que a dívida ficou a seu cargo por lhe estar a dever o Sr. Oliveira, que quer pagar só com o valor da hipoteca, motivo por que roga ao Capitão-mor mandar promover a execução, conquanto houvesse entrega dos mesmos escravos. E ajunta: "Não me opunho para debaixo do auspicio de V. Sia. ser avaloados **(sic)** tantos quantos cheguem para o pagamento, tudo isso no caso que não aja comprometimento da parte de meu amigo e sendo percizo judicialmente então desejo que V. Sia. empregue todo seu valimento para breve finalização na certeza de que alem da despeza que prompto satisfaço lhe serei gratto." Em **post scriptum** acrescenta que em casa do Sr. José Vicente (o Comendador, genro do Capitão-mor, que só veio a falecer em 18 de abril de 1844) existe uma procuração sua.

Outra questão é apresentada ao Capitão-mor no ano seguinte, de 1842. Em carta da Vila de Cunha e datada de 1842, pelo mesmo assinada, Antônio José de Macedo e Sampaio dirige-se ao Amigo e Snr. do Curação" como começa, a respeito de um pagamento de mais de 18 anos. Enviara ao finado Francisco de Paula, sogro do Capitão Bento José Xavier da Silva "huma porção de solla e vaqueta para me dispor". Diz que passaram para as mãos de outro, o Tenente Antônio Luiz Domingues Bastos e há mais de 18 anos não lhe foram prestadas contas "havendo se esgotado para este fim todos os meios pulíticos" **(sic)**. Pede ao Capitão-mor que intervenha junto do tal Antônio Luiz "pois elle sabe o que deve". Lembra-lhe que o dito Tenente entregou por ordem sua 21 meias de sola de que tem recibo. Deve ao dito Antônio Luiz a quantia de rs. 30$000 de sisas de umas terras que arrematou na Vila no tempo em que o mesmo era contratador da sisa, o que descontará na sola. E acaba rogando ao Capitão-mor que queira "por o seu respeito para fazer com que o mesmo Tenente preste a conta por elle a signada do rendimento da dita solla", declarando os preços, pois não deseja ir a Juízo. (Doc. n.º 18, pág. 270.)

Não há nota pessoal de Manoel Pereira de Castro sôbre êsse assunto. O caso é que êle continuava a ser sempre o "Capitão-mor".

Encontramos o nome dêsse mesmo Tenente Antônio Luiz Domingues Bastos como um dos candidatos mais votados no ano seguinte de 1843 na ata de apuração das cédulas para eleitores da "Parochia da Villa de Lorena e curato do Embaú" (Doc. n.º 19, pág. 268.)

É curioso observar que o mais votado foi José Vicente de Azevedo (genro do Capitão-mor, marido de sua primogênita), figurando em segundo lugar o próprio Capitão-mor. São reconhecidos eleitores os vinte e três primeiros com maioria de votos. Foram avisados todos que se achavam na Vila para assistir o "Te Deum" que se ia celebrar na matriz "na conformidade da Ley". Seguem-se as assinaturas dos membros da mesa, dentre os quais o Vigário e o genro do Capitão-mor, José Vicente de Azevedo.

Em circular dirigida ao Senhor Subdelegado de Lorena, com data de 27 de novembro de 1843, o nôvo Chefe de Polícia da Província, Joaquim Firmino Pereira Jorge, (Doc. n.º 20, pág. 243) informa ter prestado juramento e tomado posse para que foi nomeado por S. Majestade o Imperador, dizendo que conta com a coadjuvação do subdelegado, o qual "poderá ter a certeza de que o achará sempre prompto para dar as providencias reclamadas a bem do serviço publico, bem como apoia-lo no cumprimento dos deveres que a Ley lhe impõe".

Segue-se um papel de venda de 3 de maio de 1844, em que e signatário, Antônio Ferreira Leme, se declara possuidor de "humas moradias de Cazas na Villa de Lorena, na rua do Rosario" as quais descreve e localiza, declarando que as vende "como de facto vendido tenho ao Snr. Capm. Manoel Pereira de Castro pelo preço e quantia de trezentos e cincoenta mil reis em notas", quantia essa que recebeu e se obriga a pagar a sisa e se necessário passar escritura pública. (Doc. n.º 21, pág. 271.)

No mesmo ano de 1844, em carta dirigida ao Capitão-mor Manoel Pereira de Castro "em sua Fazenda" da Vila de Pouso Alegre, com data de 3 de setembro, João Borges de Almeida diz ter conhecimento dos autos de execução contra seu cunhado José Francisco Porta, por dívidas, e mais rs. 150$000 de Procuratório. Desta dívida já nos ocupamos em carta anterior, em que o Capitão-mor alegava ter dado 72$000 por conta. (Doc. n.º 22, pág. 268.)

Um verdadeiro traslado assinado por Benjamim José Dias (o que recebia os cafés de Parati) datado do Rio de Janeiro, em 12 de setembro de 1844, pede sempre ao Capitão-mor, a quem endereça a carta, apoio nas eleições para Deputado à Assembléia Geral, a favor do Doutor João Evangelista de Negreiros Sayão Lobato "ex-deputado da Câmara ultimamente disolvida". Espera que "protegido por tão digno campeão, seja muito bem aquinhoado na votação do Collegio dessa Vila e n'aqueles em que V. Sia. se exforçar por elle". (Doc. n.º 23, pág. 266.)

Dentre os documentos que nos foram confiados alguns há que não vêm datados, mas, dado o seu assunto, incontestàvelmente relativo à atuação de Manoel Pereira de Castro, vamos enumerá-los. Um dêles é o borrão da carta com que o Capitão-mor, na sua caligrafia característica, escreve em resposta à que já aludimos, de Manoel Rodrigues Jordão, a quem chama "Illmº Snr. Brigadeiro Manoel Rodrigues Jordão" e agradece o conceito com que o honra. Participa que, conformando-se o Brigadeiro com o lançamento da "Receita no Livro", contudo deve dizer-lhe que a maior parte do gado não é conduzido pelos próprios donos e sim por capatazes e escravos, que não sabem escrever para assinarem no Livro. Outros o fazem muito mal e em tal caso deixam vale. Comunica que mora num sítio distante da Vila uma légua, mas assim mesmo já administrou o impôsto um par de anos havendo na Vila pessoa pronta para cobrar e passar as guias que deixa assinadas. Concordando o Brigadeiro, está pronto para servi-lo e não há de haver falta porque tem pleno conhecimento do negócio. Tendo havido falhas no Regimento com outro administrador aconselha muita cautela e recomenda escrever ao Sr. (...) (ilegível) dizendo que não passe uma só rês que não venha acompanhada da guia, etc. etc. Temos nesta carta um atestado evidente do prestígio do Capitão-mor e do respeito de que era cercado.

Segundo borrão de carta é endereçado ao Sr. Francisco de Paula Souza Mello. Trata de política e começa: "Os altos serviços prestados por V. Excia. (é a primeira vez que usa Exa.) para sustentação da Monarchia Constitucional e pela constancia com que sempre tem defendido a causa da liberdade tenho a lhe dar a notícia de que recebi do Capitão João Moreira da Silva que V. Excia. se acha à testa da marcha de nossa administração e isso faz com que tome a liberdade de dirigir-me a V. Excia. certificando que o Governo goza de mui subido conceito na maioria da Nação". Conclui dizendo que prestará apoio franco e leal e espera que tenham maioria nas eleições. As queixas são de que os empregos são dados aos adversários, "aos homens mais abjetos dos Municípios, únicos de que podia lançar mão o Govêrno cahido, **"de execranda memoria"**. Há outras referências no documento, mas é um resumo incompleto da carta que pretendia enviar.

Dirigindo-se ao Juiz Ordinário, que vimos ser o mesmo Capitão, João da Costa Mança **(sic)** e sua mulher, moradores da

Vila de Taubaté, dizem ser donos de terras que receberam em sesmaria e pedem que se faça a sua medição. (Doc. n.º 4-A, pág. 258.)

Uma carta dirigida a Manoel Pereira de Castro por seu genro José Vicente e por João José Rodrigues Ferreira (marido de uma de suas netas, então com mais de 25 anos). O Coronel José Vicente tendo nascido em 1834 e o Capitão-mor falecido em 1846, só podia ser o Comendador seu genro, o único contemporâneo do Capitão-mor; recomendando que não deixasse sair prêto algum, bem como, tendo tôda cautela e prevenção. José Vicente recomenda que "feche a ferramenta toda e tenha todos os escravos debaixo de chave, que é ordem geral". Não há explicação para o caso. — Será rebelião de escravos?

Chegamos ao fim da curta existência de Manoel Pereira de Castro. Assim nos exprimimos porque há um limite para a existência humana individualmente falando, no decorrer do fenômeno biológico que se chama vida. Manoel Pereira de Castro nasceu em 1777 e "deixou a vida presente" como disse sua viúva, por ocasião da abertura do seu testamento, aos 69 anos de idade. Mas, se deixou a vida presente, continuou a viver através de sua descendência, de gerações que sucessivamente demonstraram o mesmo zêlo, a mesma dedicação pela terra que lhes deu o berço.

Como a de sua cidade natal, a sua vida foi uma progressão constante. O menino Manoel, filho do modesto Alferes Manoel Domingues Salgueiro, nasceu onze anos antes da fundação da pequena freguesia de N. S.ª da Piedade, num sítio humilde. Mas em tôrno dêle a produção crescia, as propriedades se estendiam e a família aumentava. Criado nessa escola do trabalho, preparou-se também para a mesma vida, a vida de seus pais, exemplo que legou aos seus filhos, a tôda a sua geração, rodeado sempre do carinho da família que deixou.

Os dois últimos documentos de que vamos dar notícia datam de 1846, ano em que faleceu Manoel Pereira de Castro. O primeiro, a que já aludimos, de 22 de junho, da Secretaria dos Negócios do Império, é assinado pelo próprio Imperador Pedro II e reza: "Querendo Condecorar e Honrar a Manoel Pereira de Castro há por bem nomeal-lo Official" da Ordem da Rosa. Concedida no palácio do Rio de Janeiro em 5 de maio de 1846, vem no verso a declaração de que prestou juramento por procurador em 22 de junho de 1846. Do segundo nos ocuparemos dentro em pouco. (Doc. n.º 24, pág. 272.)

Neste documento, de 1846, datado de 14 de novembro, de que damos cópia, seu genro, o negociante Joaquim José Moreira

Lima, enumerou as despesas por êle feitas, em 7 de outubro de 1846, "para o Deposito, Officio e Missa no Funeral **do Senhor Capitão Mór** Manoel Pereira de Castro". Importaram elas em 470$000, que compreendiam um "Habito de S. Francisco" (naturalmente a Irmandade a que pertencia), um par de meias pretas, material para a confecção do caixão mortuário (tábuas, galões, fazendas), importâncias fornecidas ao Vigário e a vários padres, gratificações, despesas com a música, missas, etc. Um entêrro de grande categoria para a época, em que os funerais não eram ainda comércio. (O documento vai no apêndice.) (Doc. n.º 25, pág. 272.)

A DESCENDÊNCIA DO CAPITÃO-MOR MANOEL PEREIRA DE CASTRO

Recapitulando, vamos repetir os nomes dos nove filhos vivos do Capitão-mor Manoel Pereira de Castro, por ocasião da sua morte, e que já tivemos ocasião de mencionar, à medida que passavam a figurar nas listas de recenseamento. Foram êles:

1.º) — Maria da Guia, a primeira, nascida ainda no século XVIII, em 1798, casou-se aos 16 anos com seu tio Antônio Domingues Salgueiro e enviuvou um ano depois, casando-se em segundas núpcias em Lorena com o Comendador português José Vicente de Azevedo.

2.º) — O Revm.º Padre Manoel Theotonio, nascido em 1803, que figura na lista de 1822 como capitão agregado. Foi presidente da Câmara Municipal, deputado provincial, tendo tido papel de destaque na revolução de 1842, como veremos adiante.

3.º) — Anna Justina, de 1805, que se casou com Chrispim José Gomes, do Embaú, deixando numerosa descendência em Lorena, Piquête e na então Província de Minas Gerais.

4.º) — Carlota Leopoldina, nascida em 1808, que foi casada com o opulento negociante português José Joaquim Moreira Lima, estabelecido em Lorena, e teve numerosa descendência.

5.º) — Mariana Chrispina, de 1810, casada em Lorena com Domingos Ferreira da Encarnação, deixou numerosa prole, de que provêm as famílias Pereira Leite, Castro Godoy e Godoy Bueno radicadas em Caçapava e em São Paulo, e os Ortiz Poppe, de que é representante no Rio, Hilda Poppe de Carvalho, viúva de um diplomata e filha de Esmeralda, neta do Capitão-mor.

6.º) — Isabel, de 1812, que se casou com o rico lavrador Salvador Carlos de Oliveira, sem descendência.

7.º) — Emídia Maria, que nasceu em 1815 e se casou com o português João Baptista de Azevedo, irmão do Comendador José Vicente de Azevedo, marido de sua mana D. Maria da Guia. João Baptista de Azevedo era empregado de uma casa de atacados em Portugal, em 1827, quando resolveu vir para o Brasil, ao encontro de seu irmão. A sua viagem foi muito acidentada e, segundo êle mesmo refere num livro de notas de que Gama Rodrigues nos dá notícia, o navio em que vinha foi aprisionado por "piratas hespanhoes americanos" e ficou detido em Santa Catarina, no Pôrto do Destêrro (1). De lá seguiu para Pôrto Alegre e ali se empregou também como caixeiro, até que, em 1829, incorporando-se numa tropa que ia para Lorena, foi ao encontro do irmão, e lá se casou com outra filha do Capitão-mor. Diz no seu diário que adquiriu a fazenda Baçoural **(sic)** onde passou a residir. Informa ainda, ao se referir aos filhos nas suas notas: "Tivi mais 11 filhos que pouco durarão". Sobreviveram cinco filhas e um só filho, João Baptista d'Azevedo Castro (o Castro era da mãe). Dêle se originaram os Azevedo Castro, Azevedo Bittencourt, Azevedo Hummel e Azevedo Antunes, todos ramificados em Lorena.

8.º) — Manoela, nascida em 1816, que se casou duas vêzes em Lorena, sem deixar descendência.

9.º) — O último, o segundo filho varão, nascido em 1822, Joaquim Honorato, o Tio Quim Mor, como era chamado na família, casou-se com Dona Antônia de Castro, sua prima, dêles descendendo os Castro Pinto, Castro Montenegro, Castro Rodrigues e outros.

Homem opulento e chefe de família numerosa, o Capitão-mor Manoel Pereira de Castro transmitiu êsse poder a seus filhos e genros, que prosseguiram na mesma faina de trabalhar pelo progresso da velha freguesia, vila e hoje cidade de Lorena.

Nascidos nas primeiras décadas do século XIX, com exceção da primeira, que era de 1798, os filhos do Capitão-mor atingiram a maioridade, casaram-se e constituíram família na primeira metade do século XIX.

---

(1) Hoje Florianópolis.

A Freguesia de N. S.ª da Piedade, "huma das mais opulentas e populosas da Capitania", como afirmara a certidão publicada por ocasião da elevação a vila em 1788, continuava em franco progresso. Datam dessa época as principais casas de residência dos fazendeiros, construções sólidas e que resistiram através do século, porque reformadas subsistem muitas, atestando a grandeza da ainda Vila de Lorena.

A produção agrícola aumentava também com a existência do maior número de fazendas, dentre as quais predominavam as de café. Vimos que, já em 1828, o Capitão-mor Manoel Pereira de Castro figurava nas listas do recenseamento com 200 pés de café, tendo colhido 50 arrôbas, que vendeu para o Rio.

E assim coincidia sempre com o progresso da vila a expansão da família do Capitão-mor Manoel Pereira de Castro. Com a sua luta constante de agricultor modesto, que chegou a ser "senhor de engenho" e "fazendeiro em seus prados", com a sua prole luzida, foi o Capitão-mor Manoel Pereira de Castro o verdadeiro construtor da grandeza de Lorena. Como autoridade administrativa e militar, que seu alto pôsto lhe conferiu, estendeu a sua administração na direção do Caminho do Rio, de que foi o primeiro Capitão da Companhia de Ordenanças, abrangendo as novas freguesias de Areias, Piquête, Cunha, Cachoeira, Embaú, que aos poucos foram se desmembrando e constituindo novas vilas.

A partir daí, grande foi o impulso que tomou a vila, até a sua elevação à categoria de cidade, em 1856. Vamos continuar a segui-la no seu desenvolvimento progressivo, sempre através dessa família que tanto concorreu para sua grandeza.

No estudo da descendência do Capitão-mor, torna-se difícil observar a ordem cronológica, porque muitos dos seus filhos e netos tiveram uma sobrevida que ultrapassa um período de meio século.

A sua filha mais velha, D. Maria da Guia, nascida no século XVIII, ainda no Brasil-Colônia, viveu até 1864, em pleno reinado de D. Pedro II. E seu espôso, o Comendador José Vicente de Azevedo, faleceu em 1844, ainda na primeira metade do século XIX. Outros, como seu neto Joaquim José Moreira Lima, posteriormente Conde de Moreira Lima, nascido em 1842, (primeira metade do séc. XIX) alcançou o primeiro quartel do século XX, tendo falecido em 1926.

CAPÍTULO — III

D. MARIA DA GUIA — OS VICENTE DE AZEVEDO

Maria, a primeira filha do Capitão agregado Manoel Pereira de Castro, da 5.ª Companhia de Ordenanças da Vila de Lorena, nasceu, como dissemos, no ano de 1798. Muito jovem ainda, com apenas 14 anos, casou-se com seu tio o Alferes Antônio Domingues Salgueiro, que a deixou viúva um ano depois e sem descendência.

Em 1815, contraiu ela segundas núpcias com um português, natural do Pôrto (freguesia de S. Ildefonso), residente em Lorena, de grande fortuna e origem nobre — o Comendador José Vicente d'Azevedo, que foi juiz municipal da Vila e como tenente fêz parte da Guarda de Honra do Príncipe D. Pedro I e depois do Imperador Pedro II.

Refere Debret, no seu interessante livro **Viagem Pitoresca e Histórica do Brasil** que essa Guarda de Honra fôra criada em atenção ao exemplo e dedicação da cavalaria de São Paulo, que foi a primeira a chegar ao Rio, em 3 de julho de 1822, para defender contra as tropas portuguêsas os direitos do Príncipe D. Pedro, proclamado Defensor Perpétuo do Brasil. Juntou-se a ela logo depois a cavalaria de Minas. Belicosa e digna da sua antiga reputação, veio a cavalaria de S. Paulo a constituir a Guarda de Honra do nôvo soberano.

Como môço fidalgo da Casa Imperial serviu o Comendador José Vicente de Azevedo a D. Pedro I e a D. Pedro II. Sua farda acha-se exposta no Museu do Instituto Histórico e Geográfico de São Paulo, doada pela Autora, que a recebeu de sua avó, D. Angelina Moreira de Azevedo, nora do Comendador José Vicente de Azevedo.

D. Maria da Guia viveu vinte anos mais do que seu marido, vindo a falecer, como vimos, em 1864. Ocupou na sociedade local, e até na Côrte, posições de destaque. Reproduzimos em clichê a fotografia do vestido de sêda lavrada de côr marrom com que assistiu, em 1840, à coroação do Imperador e com o qual se fotografou sua bisneta Maria Vicentina Pereira de Queiroz, falecida em Paris, em 1930. Guardou D. Maria também da mesma época um lenço de Irlanda (cambraia de linho) tendo no centro a efígie do Imperador em "petit point" (ponto de cruz) e de cada lado um versinho (quadra de um sonêto alusivo à data, no mesmo ponto de cruz e que pertence hoje à autora). (Doc. n.º 29, pág. 276.) Completam essas lembranças uma capa de tafetá prêto, três xales ricos de sêda lavrada e um de sêda das Índias, que pertenciam à mesma senhora e constam do arquivo conservado por sua nora D. Angelina. Eram possìvelmente peças importadas de Paris, através de Portugal, pelo seu bom gôsto e distinção. Pertence também à Autora a tabaqueira de ouro lavrado e esmalte que foi de sua bisavó, com as iniciais M. P. G. A. (Maria Pereira da Guia Azevedo). Dadas as obrigações que tinha na Côrte, era o Comendador José Vicente obrigado a se ausentar de Lorena muitas vêzes. E assim é que teve de uma feita de casar ràpidamente suas duas filhas mais velhas — Ana Vicência com 15 anos e Maria Leopoldina com 13 apenas. Foram realizados êsses casamentos à moda antiga, com noivos escolhidos pelos pais, nas seguintes condições: recebera o Comendador uma carta prevenindo que as filhas seriam raptadas na sua ausência (possìvelmente intrigas políticas).

Chamou a espôsa, em quem depositava plena confiança, e a portas fechadas lhe disse: "Senhora!" (tratamento usual entre esposos naquela época) "Acabo de receber esta carta com a denúncia de que vão raptar nossas filhas. Assuntos importantes me obrigam a ir à Côrte dentro de poucos dias. A solução que encontro é casá-las antes da minha partida e só vejo no momento para noivos os meus dois caixeiros." Eram êles João José Antônio Guimarães (português recém-chegado) e o João Catarina (João José Rodrigues Ferreira), natural de Santa Catarina. Môço loiro, e galã da Vila, levava êste vantagem ao seu colega de balcão. E D. Maria Leopoldina, com a curiosidade dos seus 13 anos, vendo a gravidade do momento, tratou de escutar à porta. E quando ela se abriu, já gritou muito depressa "Eu caso com o João Catarina!" (apelido que lhe veio em razão de sua origem, no Estado do mesmo nome). E o português João Antunes foi destinado à mais velha, Ana Vicência. Os casamentos se realizaram sem pompa, na capela da **Fazenda do Campinho,** onde moravam. Eram histórias repetidas através de gerações... Só um momento de grande apreensão justificava essa decisão, quando era hábito casarem-se entre primos, até de primeiro grau, como se deu depois com muitas de suas netas e bisnetas.

Tendo "falecido da vida presente" em 1844, o Comendador José Vicente de Azevedo, como já tivemos ocasião de relatar, deixou viúva D. Maria, a filha mais velha do Capitão-mor Manoel Pereira de Castro, que, desde o casamento, passara a se chamar D. Maria Pereira da Guia Azevedo. O Pereira foi acrescentado em homenagem a seu avô, Antônio Domingues Pereira, o pai de Manoel Domingues Salgueiro, português, nascido em São Salvador de Pereira. Era uso corrente em Portugal tomar como sobrenome o nome da vila natal.

D. Maria da Guia, pelo casamento juntando aos seus nomes o Azevedo do marido, transmitiu-o também, através de gerações, há mais de um século. Oriundos todos dêste tronco, radicaram-se os seus descendentes em Lorena, ali se casaram, espalhando-se também pelas localidades vizinhas e exercendo sempre grande influência na zona.

TESTAMENTO DO COMENDADOR JOSÉ VICENTE DE AZEVEDO

Sentindo-se enfêrmo, em 1844, fêz o comendador o seu testamento, de que possuímos uma cópia, bem como a fôlha de partilha referente aos bens que cabiam a dois filhos de menor idade.

Reza êsse documento que: tendo êle falecido "da vida presente" nesta Vila de Lorena em 8 de janeiro de 1844, com o seu testamento, deixando herdeiros menores, o "Juiz Municipal de Orfans da Vila de Nossa Senhora da Piedade de Lorena, declara aos Desembargadores Juizes de Direito, Chefe de Policia, Juizes Municipais, Delegados, Sub Delegados, Juizes de Paz, Oficiais de Justiça e mais pessôas dela neste Império do Brasil, a todos em geral e a cada um em particular, nas suas respectivas jurisdições, distritos da Comarca da Imperial Cidade de Sam Paulo, que neste Juizo de Orphãos se trataram correram e processaram huns autos civeis de Inventário e partilhas a que se procedeu por fallecimento do Comendador José Vicente de Azevedo".

São as seguintes as suas expressões: "Auto de comesso de Inventário por fallecimento do Commendador José Vicente d'Azevedo, Anno do Nascimento de N. S. Jesus Christo, de Mil oitocentos e quarenta e quatro aos quatro dias do mez de março de dito ano, vigessimo terceiro da Independência e do Império do Brasil, nesta Vila de N. S. da Piedade de Lorena, da Provincia e Comarca do Norte da Imperial Cidade de Sam Paulo, em casa da residência da Viuva Inventariante Dona Maria Pereira da Guia Azevedo, o Doutor Candido Rebello de Araujo Palhares, Juiz Municipal de Orphãos commigo Escrivão Ajudante ao deante nomeado e sendo ally presente a mesma Viuva, elle Ministro ihe deferio juramento dos Santos Evangelhos na forma devida encarregando-lhe que bem servisse de Inventariante dos bens deixados por fallecimento de seu marido Commendador José Vicente d'Azevedo e que descrevesse o dia, mês e anno em que fallecera o mesmo, se com testamento ou sem elle, assim tambem todos os herdeiros que havia deixado."

"Feito por ella o dito juramento, assim prometheu e cumpriu: Do que possa constar fiz este termo em que se assignão. E a rogo da Viuva, assigna seu Pae, o Capitão-Mór Manoel Pereira de Castro. E eu João Baptista Gonçalves da Silva Campos, Escrivão ajudante juramentado deste Juizo de Orphãos que no impedimento este escrevy" — (a) Palhares — Manoel Pereira de Castro.

"Segundo o que assim se continha e era outrossim o contheúdo como está vindo escripto em dito auto de julgamento e comesso do Inventário e depois do que se via e mostrava, dos mesmos autos a declaração de herdeiros do fallecido da maneira, forma e razam e theor seguinte: E logo pela Viuva Inventariante, Dona Maria Pereira da Guia, foi dito que seu marido o Comendador José Vicente de Azevedo fallecera "da vida presente" aos oito de Janeiro do corrente anno com o seu testamento e que deixou os herdeiros seguintes: 1.º) Dona Maria Pereira da Guia, a meação; 2.º) D. Anna Vicencia casada com João Antunes Guimarães; 3.º) D. Maria Leopoldina de Azevedo Ferreira casada com João José Rodrigues Ferreira; 4.º) Dona Jesuina, idade 15 anos, solteira; 5.º) José Vicente de Azevedo, idade dez annos; 6.º) Pedro Miguel de Azevedo, idade nove mezes." E por esta forma e maneira disse ela inventariante ter dado ao escrivão "falecimento e herdeiros do testador".

"Proferido o despacho interlocutorio, intimou o interlocutor aos interessados João José Rodrigues Ferreira e João Antunes Guimarães," (seus genros) "bem como o Curador Geral Reverendo Justino José de Lorena" (vigário da paróquia) "e a herdeira D. Jesuina. Em casa da Viuva Inventariante e perante o Juiz de Orphãos, nos quinze dias do mez de Abril de 1844, anno vigessimo terceiro da Independência e do Império do Brasil, prestaram juramento e assinaram o termo de louvação — pela viuva, seu Pai o Capitão Mór Manoel Pereira de Castro" (que só veio a falecer em 1846) e mais os herdeiros presentes.

Na Vila de Nossa Senhora da Piedade de Lorena, primeira Comarca ao Norte da Comarca de São Paulo, foi feita a "descripçam e avaliação dos bens deixados pelo falecimento do Comendador José Vicente de Azevedo, sendo ali os louvados nomeados e juramentados".

"Era o contheudo escripto e declarado em ditos Autos, depois do que se via e mostrava a descripçam e avaliação da maneira, forma e theor seguinte: "Declarou a Viuva Inventariante ter seu finado Marido deixado uma caixinha lacrada e feichada a qual foi aberta pelo Ministro Juiz e tinha o seguinte escripto pelo proprio punho do fallecido" "Aqui existe os poucos adereços da minha muito amada e querida filha Lina, que a vinte e quatro de maio de mil oitocentos e trinta e quatro foi servido o grande Autor do Univerço leva-la para sua companhia". "Ficam o sentimento terno de seu querido Pae e para lembrança terna do mesmo Pae só será aberta esta vocela por assim ser sua vontade pela morte do mesmo, sendo a herdeira destes adereços a minha primeira neta depois da morte do mesmo para lhe ficar em lembrança de quanto seu Avô queria as filhas."

Aberta a caixinha foi o total avaliado em 73$000, correspondentes aos seguintes bens: "hum cordão de lantejoulas de ouro com o peso de quinze oitavas que foi avaliado em dous mil e quatrocentos reis a oitava, o que fez a somma e quantia de trinta e seis mil reis com que a margem se sáe" (forma adotada nos testamentos da época). Tinha mais um segundo cordão lantejoulado com nove oitavas e meia, orçado em 22$800, um rosario de ouro com o valor de 7$200, um par de botões de ouro de punho por 6$000, um par de brincos de pedras por 5$000". Assinou de nôvo pela viúva seu Pai — o Capitão-mor Manoel Pereira de Castro. Segue-se a continuação da descrição e avaliação dos bens em ouro, pertencentes ao monte do casal e que foram assim discriminados:

Um cordão grosso com 38 oitavas	74$200
Um d^{o} com o pêso de 27 oitavas	76$200
Um relicário com 28 oitavas	55$200
Três rosários de ouro com cruzes (18 oitavas)	43$200
Um par de botões de ouro, um cordão e mais um liso (14 oitavas)	33$600
Um par de brincos e um alfinête de peito, de ouro	60$000
Um par de brincos	6$000
Uma memória com brilhantes e rubis	16$000
Um par de brincos de filigrana	8$400
Uma memória com diamantes	10$000
Um par de pulseiras de pedras	8$000

Uma memória com pedras	4$000
Um par de brincos de grisolita (sic) (crisólitas?)	5$000
Um par de brincos de pedras encravadas em prata	2$000
Um par de brincos de filigrana	12$800
Comenda da Ordem de Cristo	30$000
Uma cruz pendente com pedras	8$000
Um hábito da Ordem da Rosa	4$000
Quatro hábitos da Ordem de Cristo	6$000
Um alfinête de pedras de brilhantes	80$000
Um relógio de ouro com cadeia (pertence ao Desembargador Vicente de Paulo Vicente de Azevedo, seu bisneto. É uma peça de grande valor artístico)	100$000
Um relógio de ouro	50$000
	686$600

Foram estas as declarações da viúva inventariante dos objetos de ouro pertencentes ao monte do casal. Êstes dados não só se prestam a estudos comparativos, razão pela qual os reproduzimos, como revelam ainda a riqueza dêste genro do Capitão-mor, o bem-estar que dava à sua família e até o grau de civilização na ainda vila de Lorena, em 1844, executando tal testamento.

A seguir, vêm citados os objetos em prata:

Um par de serpentinas de prata (460 oitavas a $200 a oitava (não confere)	111$360
Um par de castiçais de prata (300 oitavas a $240)	72$000
Um dito (128 oitavas), idem	30$720
Um dito (248 oitavas) a $200	49$600
Um dito (261 oitavas) a $200	52$200
Um dito (152 oitavas) a $200	30$900
Um paliteiro de prata (26, 5 oitavas) a $200	7$300
Tesoura e salva de prata (124 oitavas)	24$800
Escarradeira de prata (106 oitavas)	21$200
Perfumador de prata (144 oitavas)	28$800
Salva de prata (232 oitavas)	46$400

Dita (688 oitavas)	137$600
Jarro e bacia de prata (884 oitavas)	176$800
Escrivaninha de prata (tinteiro) 364 oitavas a $240	92$160
6 colheres e garfos de prata (176 oitavas) ...	35$200
Faqueiro completo de prata	150$000
Idem, idem	150$000
O total foi	1:217$000

Esta lista é mais uma demonstração da fortuna do testador, do trem de vida desta família, numa Vila da Capitania de São Paulo, na primeira metade do século XIX.

"Seguindo o que assim se continha e outrossim o contheudo dos autos depois do que se via dos mesmos autos a descripção e avaliação dos moveis, louças, gado, carneiros, animaes, escravos e depois do que se via e mostrava o termo de assentada, seguindo-se a avaliação dos mesmos e dos bens de raiz, tirando--se uma certidão da mesma."

Intimados a inventariante e os herdeiros em suas próprias pessoas, deu-se seguimento à precatória em 25 de abril de 1844. Visto o têrmo de assentada do testamento "se via e mostrava o traslado do mesmo, feito no **primeiro dia do mez de Janeiro do Ano do Nascimento de N. S. Jesus Cristo de 1844**, na casa de morada do Comendador José Vicente de Azevedo, onde foi vindo o Tabelião e sendo presente o mesmo Comendador José Vicente de Azevedo por ele reconhecido, enfermo de cama, porém, em seu perfeito juizo e entendimento. Na presença de cinco testemunhas declarou o testador que de sua livre vontade e sem constrangimento de pessôa alguma queria fazer o seu testamento, "para salvação de sua alma". Tendo falecido em 8 de janeiro do mesmo ano precedeu o testamento de uma semana a sua morte. Declarou "que fazia pelo seu motuo próprio, ser natural do Porto, filho legítimo de Luiz Miguel de Azevedo e de Ana da Encarnação Azevedo". Disse mais que era "católico romano e nessa fé protestava viver e morrer", que era casado com D. Maria Pereira da Guia, de cujo matrimônio tinha os seguintes filhos vivos:

1) Anna Vicência do Nascimento (de 1818), casada com João Antunes Guimarães;
2) Maria Leopoldina de Azevedo (de 1820), casada com João José Rodrigues Ferreira;
3) Jesuína Carolina de Azevedo (de 1829);

4) José Vicente de Azevedo Júnior, com 10 anos de idade incompletos (de 1834);

5) Pedro Miguel de Azevedo, com 9 meses, de 1843, todos seus legítimos herdeiros. (Nascidos todos, portanto, na primeira metade do século XIX.)

Nomeou para seus testamenteiros sua mulher e seus dois genros. Queria que o seu funeral fôsse sem pompa e desejava ser conduzido à sepultura embrulhado em rêde e carregado por seus escravos, acompanhado apenas pelo rev. pároco, ao qual pedia que dessem 50$000 para rezar uma missa por sua alma. Deixava a têrça a sua mulher, com a condição de não se casar e caso o resolvesse que reverteria ao monte. Pedia que no dia do seu entêrro dessem de esmola aos pobres 30$000 e às duas filhas de Teodora, sobrinha de Mariana, 400$000 a cada uma, entregues sòmente no dia em que tomassem estado.

Disse que seu irmão, João Baptista d'Azevedo, casado com uma sua cunhada e que como êle tinha vindo de Portugal, lhe era devedor da quantia de dois contos de réis que deixava para a filha do mesmo, Guilhermina — sua sobrinha e afilhada. Pedia ainda que dessem vestimenta preta aos escravos que conduzissem seu cadáver.

Deixava para as obras da Capela de N. S.ª do Rosário dos Homens Prêtos a quantia de 100$000. Destinava ao seu filho José seu relógio de ouro e o alfinête de brilhante. Recomendava que as despesas saíssem de sua têrça.

Declarava finalmente que todos os seus negócios constavam dos seus livros e papéis, estando sua mulher e seus genros a par dêles.

É de assinalar essa afirmação que, além de atestar a responsabilidade de um chefe de família, revelava a confiança por êle demonstrada em sua mulher, o papel que ela já representava na família. E isso em 1844.

Feito o seu testamento, em 18 de janeiro, 8 dias depois, já êle "falecia da vida presente" como declarou a viúva inventariante. Terminava o testador dizendo ser essa a sua vontade e para concluir acrescentava: "Si no testamento faltar alguma cláusula, regra ou ponto de Direito para sua maior validade que as dava por declaradas como se o tivesse feito." Sempre a correção, o escrúpulo, em todos os seus atos. Por sua vez, o tabelião informava que em razão do estado de enfermidade o testador deixava de assinar. Aceito o testamento pela viúva, pagou a taxa de 320 réis de sêlo por fôlha (4 fôlhas) e 160 réis de impôsto adicional.

Continham ainda os autos as dívidas ativas do casal e que pertenciam também ao monte. Havendo bens na vila de Areias, foi dirigida uma precatória ao Juiz de Órfãos naquele têrmo para se proceder à avaliação dos bens ali existentes. Por outro lado, foram os herdeiros intimados a declarar os bens recebidos em dote. Isto feito, procedeu-se à partilha, tendo a viúva desistido da têrça em favor dos herdeiros, bem como do remanescente. Nomeados os partidores, prestaram o juramento de estilo e iniciaram a partilha. Além dos objetos já descritos, figuravam no testamento:

Bens móveis no valor de	1:007$740
Quantia em dinheiro	1:850$000
Bens semoventes	8:858$000
Bens de Raiz	8:340$000
Dívidas ativas	193:606$000
Valor total	213:661$740

Competiriam à viúva a metade dessa parcela mais a têrça, mas foram abolidas as disposições testamentárias. Havia a acrescentar a importância dos dotes conferidos. Tomadas essas providências, o total partível montou a 128:350$645, cabendo a cada um dos cinco herdeiros 21:670$129.

Ao órfão José, de 10 anos (que foi mais tarde o Coronel José Vicente de Azevedo e teve grande atuação na política local) foram destinados mais um par de botões de ouro e dois cordões, dois castiçais de prata, a escrivaninha, uma marquesa com colchão (avaliada em 8$000), parte da chácara e terras (1:500$000 — corresponde ao valor de um escravo!) e dívidas no valor de 19:801$769, das quais a maior parte de uma dívida do Banco Comercial ao testador, no valor de Rs. 13:249$489. Mencionamos com detalhes essas parcelas porque revelam o papel que tinha na praça de Lorena o Comendador José Vicente de Azevedo, genro do Capitão-mor Manoel Pereira de Castro, o qual, ainda vivo e com 67 anos de idade, foi nomeado tutor dos dois menores.

E assim terminou tudo, em 12 de junho de 1844, seis meses após a morte do testador (estamos ainda na primeira metade do século XIX).

Completamos estas notas com três documentos da época, que juntamos no apêndice:

1 — Uma carta enviada da Côrte ao Comendador José Vicente (de 1834) por Joaquim José Dias, em que o destinatário

pede o seu auxílio para que seja efetuada a cobrança de uma dívida, cujo total já excedeu de mais de 60$000 de prêmios, e na qual declara ter o devedor perdido o brio. Dá também notícias da baixa do café e acha que a próxima safra, que se anuncia diminuta, permitirá melhores preços. (Doc. n.º 26, pág. 273.)

2 e 3 — Mais duas cartas da época: uma de D. Jesuína à sua mãe (Doc. n.º 27, pág. 273) e outra de um amigo, que parece ser o diretor ou um dos professôres do Colégio em que está o menino José Vicente, pelos cuidados que demonstra ter com êle, apresentando pêsames a D. Maria da Guia. (Doc. n.º 28, pág. 274.)

Foi na casa da vila, residência da família e que existe até hoje, que faleceu o Comendador José Vicente de Azevedo, ali continuando a residir sua viúva. A entrada era protegida por um grande portão de ferro forjado, com as iniciais M. P. G. A. (Maria Pereira da Guia Azevedo).

Já em decadência, foi por longos anos agência do Correio. Sua última proprietária, D. Maria Theresa Vicente de Azevedo, bisneta de D. Maria da Guia, doou-a a uma Ordem Religiosa que a reconstituiu e lá instalou o seu noviciado.

Uma lembrança de família persiste até nossos dias, proveniente dessa casa. É uma rica e cômoda poltrona, forrada com o veludo original, com orelhas laterais de madeira lavrada (bergère), em que faleceu o Comendador José Vicente de Azevedo e que ficou pertencendo a sua filha D. Maria Leopoldina, depois a seu neto Antônio Rodrigues de Azevedo, Barão de Santa Eulália, cujo filho, Dr. Arnolfo Rodrigues de Azevedo, a ofereceu à Autora, também bisneta do comendador José Vicente. A segunda filha de D. Maria da Guia, Ana Leopoldina, que se casou com o môço caixeiro, natural de Santa Catarina, constituirá um capítulo à parte, dada a sua grande projeção na história de Lorena.

Procuraremos recordar os filhos de D. Maria da Guia, já citados no testamento. Destaquemos primeiramente dos herdeiros a menina de 15 anos, Jesuína, solteira ainda quando perdeu seu pai.

D. JESUÍNA CAROLINA DE AZEVEDO GONÇALVES

Prosseguindo assim no estudo da descendência de D. Maria da Guia (a primogênita de Manoel Pereira de Castro), passemos agora à terceira filha, que era D. Jesuína.

Freqüentando assìduamente a Côrte, o Comendador José Vicente de Azevedo era lá bastante conhecido como homem de grande fortuna.

Dentre os seus amigos estava o Coronel Lázaro José Gonçalves, deputado e secretário da Repartição da Guerra da Capitania de São Paulo, residente no Rio.

O Coronel Lázaro José Gonçalves em 1821 pacificou "os insurgentes que cometião hostilidades na Vila de Santos" e por êsse plausível motivo foi-lhe dedicado um sonêto que incluímos entre os documentos e foi publicado na **Gazeta do Rio.** (Doc n.º 29-A, pág. 248.) Pesaroso com a morte de seu amigo, o Coronel Lázaro escreveu uma carta à viúva, D. Maria da Guia, dizendo que havia entre ambos o compromisso do casamento de seu filho de igual nome com D. Jesuína, a filha do Comendador. Foi portador dessa carta o jovem Lázaro, que chegou em Lorena coberto de luto, montado num belo cavalo com arreios de prata e acompanhado por uma tropa em que vinham vários escravos, carregados de presentes valiosos para a futura espôsa. Devido ao luto, o casamento realizou-se sem pompa, na intimidade, na capela da própria fazenda e a noiva dias depois montou a cavalo e seguiu viagem para o Rio, onde foi fixar residência e tomar o lugar de Dama da Côrte.

Guardava ela, preciosamente, um álbum de lembranças, de nossa propriedade, encadernado em veludo verde com iluminuras douradas, recordações dessa época brilhante de sua vida. Nêle é que figura também o sonêto transcrito da **Gazeta do Rio,** a que já nos referimos.

Na primeira página do álbum vem uma "Canção dedicada aos anos de D. Jesuina Carolina de Azevedo Gonçalves", por J. Nicolau dos Santos, com a data de 1.º-1-1852, dia do seu natalício. É todo êle uma prova do romantismo da época. Embora ultrapassando de poucos anos a metade do século XIX, não poderíamos deixar de incluir aqui êstes documentos, que precedem muitos dêles ainda a fundação da cidade de Lorena (em 1856).

Como Dama da Côrte, D. Jesuína contava que concorreu com uma fôlha de ouro, cravejada de brilhantes, para uma coroa de louros oferecida à cantora Rosina Stoltz, no dia do seu benefício, em 23 de agôsto de 1852. Do programa dessa festa, impresso em cetim, damos um clichê.

Rosina Stoltz, nome que adotou, sendo o seu verdadeiro nome Rosa Niva, nasceu na Espanha e depois de se exibir em várias platéias européias, estreou em Paris, onde cantou de 1838 a 1847, sendo a criadora do papel de Leonora na "Favorita"; chegando ao Rio em 6 de abril de 1852, foi residir na casa do Sr. Ratton, no Catete.

A oferta da coroa devia ser um costume adotado na época para premiar artistas. Do **Jornal do Comércio,** de 1852, extraímos a seguinte notícia:

"Alguns amigos e admiradores do Snr. João Caetano dos Santos querendo dar um público testemunho do quanto aprecião os serviços que o destincto artista tem feito para o progresso da arte dramatica e os sacrificios e empenhos com que lutou para a restauração do theatro de S. Pedro de Alcantara, resolverão offerecer-lhe **uma rica corôa de ouro**, de trabalho primoroso, com 19 pedras de brilhantes de subido valôr, o qual foi apromptado em casa de Mr. Juvanou, Rua dos Ourives..."

Não encontramos outra notícia com referência à coroa oferecida a Rosina Stoltz, cuja narrativa ouvimos da própria D. Jesuína.

No romance **Senhora**, de José de Alencar, que se passa na mesma época, fala-se de um espetáculo lírico na Ópera em que Rosina cantou a "Favorita". Aliás, foi a ópera com que ela estreou no Rio (é ainda o **Jornal**, de 9 de junho de 1852, que nos conta): "Companhia Lyrica Italiana — 18.ª recita de assinatura e 9.ª da serie dos numeros pares: Sabbado, 12 de Junho de 1852 — Estréa da celebre artista e prima donna absoluta a Sra. Rosina Stoltz. Representar-se-ha, pela primeira vez, a opera em 4 actos — A Favorita — Musica de Donizetti."

No dia seguinte, 13 de junho, vinha no mesmo **Jornal** a reprodução da seguinte notícia: "Theatro Provisorio — Volta hoje á scena a **Favorita.** Nenhuma dúvida de que o enthusiasmo que Mme. Stoltz provocou na noite da sua estréa, pela maneira brilhante por que representou todo o quarto acto, redobrará hoje. Passada a commoção tão natural da artista que pela primeira vez vem fazer apreciar seu merecimento, Mme. Stoltz ostentará esta noite tôdas as suas raras qualidades e mostrar-se-ha superior mesmo ao seu renome europeo." O Teatro Provisório que precedeu o Lírico estava situado no Campo de Sant'Ana. Tinha 248 cadeiras de primeira classe, 443 de segunda, com apenas 147 gerais segundo as crônicas do tempo. Foi inaugurado com bailes mascarados em 1852; e Manoel Elpídio, no seu diário de viagem, em 1854, refere ter êle mesmo ali assistido espetáculo de ópera e baile "masqué" no sábado de aleluia. Escragnolle Dória, de quem extraímos estas notas, fala de uma rica coroa oferecida à artista pela Viscondessa de Abrantes no valor de 4 contos de réis, mimo das senhoras fluminenses. De 1856, traz ainda o mesmo álbum uma série de quadrinhas de autor desconhecido, escritas no Rio, dedicadas "à insigne cantora Charton Demeur", exaltando a sua atuação em várias óperas. Dentre elas, algumas de que não se ouve falar no nosso tempo, como **Linda de Chamonix, Ana Bolena, Maria de Rohan, Fidanzata Corsa, Capuletos**, além de outras que permanecem nos cartazes até hoje. Completa essa lista um autógrafo da própria cantora e ainda um acróstico a ela dedicado, em que se sente a sua rivalidade com alguma outra atriz que não conseguiu ofuscá-la e que não vem citada.

Tanto a Rosina Stoltz como a Charton Demeur estiveram no Rio, portanto, e ambas figuram no Larousse. Da Charton Demeur (1821 1892) vem a seguinte nota: "Sua energia dramática e apaixonada, seu grande sentimento poético, o brilho e a fôrça de sua voz de soprano lhe valeram imenso sucesso pessoal."

De Rosina Stoltz (1815-1903), da qual reproduzimos também o acróstico publicado no álbum, diz o Larousse que "em 1854 reapareceu na Ópera de Paris, depois de fazer "tournées" na Província e no Estrangeiro. Estreou em Paris em 1837 e desempenhou brilhantemente grandes papeis."

ACRÓSTICOS

A Mme R. Stoltz

Rosina!... Tu és da natura um portento!...
O ser, em que se diviniza o seu poder
Seguindo de teu gênio mago impulso
Imita dos Anjos delicioso canto
No tirocínio da cena não receia
A tua frente altivo êmulo visar:

Se de Brasílio Palco e primo Ator
Te ofertou cordas de louros colhidos
O amador, de teu talento, encantado
Leva ao cúmulo entusiasmo seu
Tecendo-te de cantores a coroa que
Zumbrindo-se reverente te oferece.

CHARTON DEMEUR

O. D. C.

Contrária embora ao Diapasão modesto
Horrenda vil calúnia se conspire,
Atroz injúria espume brando infecto,

Retorça-se a rival, frema, delire:
Tudo embalde será, que há de constante
O fiel Diapasão bradar: — Vitória!
Não tens rival, Charton! avante, à glória!...

E mais êste sonêto vem transcrito no álbum:

Quando da purpurina lêda rosa
O perfume se entorna deleitoso,
Pra distinguir o aroma voluptuoso
Podes acaso ver a flor mimosa?

Quando do sol fulgura radiosa
Flama que à terra manda dadivoso
Precisas ver o Astro portentoso
Pra sentir de quem parte a luz formosa?

Assim também se ouvires dúlio canto,
Meigo trinar de terna Philomella,
Gemidos d'alma, que te movem pranto;

Nada inquiras, que o Gênio se revela:
É sòmente Charton quem pode tanto!
Voz e canto celeste só tem ela!...

Rio de Janeiro, 1855.

Um documento precioso incluído no mesmo álbum é um sonêto, com as seguintes palavras, em nota à margem e caligrafia diversa dos documentos anteriores: "Escripto por S. M. o Imperador no Teatro Francez", e de que damos clichê. Provàvelmente, môço fidalgo da Côrte, o jovem Lázaro recolheu êsse manuscrito no Teatro, ao acompanhar o Imperador. A caligrafia é muito semelhante à de D. Pedro II e sabemos que o nosso Imperador tinha a sua veia poética... Deve ser da mesma época das outras lembranças teatrais, mostrando que o prestígio do lírico era grande na Côrte. Não encontramos, porém, no Larousse, notícia dos nomes citados no sonêto do Imperador, embora de um Teatro Francês. (Damos clichê.)

Completando êsse curioso álbum há várias gravuras com assuntos bucólicos, paisagens, desenhos, cenas infantis, um retrato de Pedro II jovem militar (na guerra do Paraguai), retrato de Carlos Gomes, uma reprodução da estátua de João Caetano, assim como fotografia e lembranças de uma cantora de época mais recente, a Borghi Mamo, de 1882, com um sonêto laudatório de Rosendo Muniz.

São recordações tôdas que revelam o elevado nível cultural da sociedade brasileira do século XIX e a vida opulenta de uma jovem lorenense, que deixou a sua pequena vila para pertencer à Côrte.

OS PEQUENOS ÓRFÃOS

Tendo os filhos do Comendador José Vicente de Azevedo nascido ainda na primeira metade do século 19, época que estamos revivendo, é justo que dêles nos ocupemos aqui também, para retomá-los mais tarde, em outras fases de sua vida, quando Lorena já era cidade.

A filha Lina, falecida, à qual o Comendador, num gesto tocante de amor paternal, legou aquêle pequeno cofre lavrado, com ricas lembranças, nasceu em 1827. Depois dela teve o casal D. Jesuína, em 1829, e mais dois filhos varões, dos quais muito teremos de nos ocupar pelas grandes atividades políticas, sociais, culturais e administrativas que exerceram. Eram ainda menores, como vimos, em 1844, por ocasião da morte do comendador, mas sua mãe, D. Maria Pereira da Guia, que viveu até 1864, já os deixou bem situados na vida.

Foram êles: José Vicente de Azevedo Júnior, que foi mais tarde o Coronel José Vicente de Azevedo, nascido em 1834, e Pedro Miguel de Azevedo, que veio a ser o Dr. Pedro Vicente de Azevedo, nascido em 1843 (ainda na primeira metade do século), figura de relêvo social e político no Brasil-Império e depois da proclamação da República.

Por uma cópia tirada do que coube a êsses dois filhos por morte de sua mãe, em 1864, verificamos que D. Maria da Guia, a filha do Capitão-mor Manoel Pereira de Castro, viúva do Comendador José Vicente de Azevedo, mantinha a vida de opulência de seu defunto marido.

Cortando o fio dessa narrativa, vamos incluir aqui uma notícia sôbre a elevação de Lorena à condição de cidade, em 1856, o que se deu no interregno entre o nascimento dos filhos de D. Maria da Guia e a sua morte, em 1864.

LORENA-CIDADE

No período que se segue, da fundação da Vila, em 1788, à elevação a Cidade em 1856, tomou Lorena grande impulso. Ao lado de outras culturas desenvolveu-se, como vimos, a lavoura de café.

Através da vida documentada de Manoel Pereira de Castro (1777-1846), já sentimos essa grande expansão.

Em 1836, vinte anos antes da elevação a Cidade, Müller informa existirem em Lorena 62 fazendas de café.

Foi a vila fundada em 1788 (contemporânea de Manoel Pereira de Castro — 1777-1846), que se transformou em 1856 na opulenta cidade do Império. O progresso iniciou-se exatamente no decorrer da sua vida de administrador enérgico e laborioso, continuada depois pelos descendentes, como teremos ocasião de estudar também através de numerosos documentos posteriores ao seu desaparecimento do cenário da vida.

INVENTÁRIO DE D. MARIA PEREIRA DA GUIA AZEVEDO

Ultrapassamos de alguns anos a primeira metade do século XIX, mas estudaremos a personalidade de D. Maria da Guia, a filha mais velha do Capitão-mor, em tôda a extensão de sua vida, bem como os seus filhos, que faleceram todos depois de 1850.

Tanto para um filho como para outro vêm citados na partilha numerosos objetos de ouro e de prata, alguns dos quais ainda se conservam em poder de descendentes.

Vimos no testamento do Comendador a grande soma em dinheiro que representavam dívidas. A quinta parte dessas dívidas, bem como de outras consideradas perdidas, figuram ainda nestes legados.

Na parte que coube ao órfão José, as dívidas perdidas montam a rs. 998$302 e mais 7:621$928 de outras ativas, além da dívida ao falecido de 3:150$970, do Banco Comercial, de que o filho ficou sendo credor. E na do filho Pedro, já formado pela Faculdade de Direito de São Paulo (o que revela o quanto se esmerou a mãe viúva em dar instrução a seus filhos), somam as dívidas perdidas a mesma quantia, além de 18:433$505 de outras que vêm citadas nominalmente.

Couberam a cada filho quarenta e três contos e fração. Pelo preço dos objetos de ouro e prata podemos julgar da valorização em relação ao testamento do Comendador.

A lista completa dos bens móveis e imóveis, além de animais e escravos, que figuram nos documentos, dão uma idéia da vida na Fazenda do Campinho, onde nasceram, se criaram e casaram os filhos do Comendador José Vicente de Azevedo, netos do Capitão-mor Manoel Pereira de Castro.

HERANÇA DO CAPITÃO JOSÉ VICENTE DE AZEVEDO

Em ouro recebeu o já Capitão José Vicente (estamos em 1864), por morte de sua mãe D. Maria da Guia:

4 pares de brincos, 1 pulseira e 3 memórias de pedras	7$000
1 relicário e cordão	104$000

Em prata:

1 espevitadeira com bandeja	30$720
1 paliteiro	18$960
1 salva	168$000
1 faqueiro	200$000
1 par de jarros de porcelana	12$000
Meio aparelho de jantar	20$000
1 aparelho para chá	30$000
Jarro e bacia de louça	2$000
8 castiçais de Casquinha	28$000
1 caldeira de Cobre	10$000
1 bacia de Cobre	7$000
1 dita de arame	10$000
2 taxos piquenos **(sic)**	21$000
316 oitavas de prata velha	63$200
4 colxões **(sic)**	8$000
4 marquesas envernizadas	20$000
1 suciável **(sic)** com bêsta	250$000
4 cadeiras baixas	6$000
1 oratório com imagem de pedra	20$000
1 cálice e paramentos de missa	50$000
1 sino	14$000
2 mesas de jantar (na fazenda)	12$000
2 d.ªª envernizadas (na fazenda)	10$000
1 relójo **(sic)** de parede	12$000
1 marquesa	6$000
1 cama de cabiuna **(sic)**	4$000
4 bancos compridos	4$500
6 catres	12$000
1 mesa com gavetão	6$000
1 gavetão	12$000
1 d.º mais pequeno	10$000
3 ? (ilegível)	20$000
1 fole	20$000
3 coxos de guarapa **(sic)**	16$000
8 cangas	12$000

4 castiçais de casquinha	1$000
1 carretão velho	8$000
339 arrôbas de café	1:356$000

Começam agora os animais que têm nomes pitorescos e por isso vamos mencionar (todos da fazenda):

1 boi de nome Ligeiro	22$000
2 d.os (Malacara e Ódio)	32$000
2 d.os (Cravino e Galhardo)	36$000
1 Garrote, fusco	8$000
3 Novilhas (Laranja, Mansinha e Andorinha)	48$000
2 Novilhas (Cabana e Cabiuna)	44$000
2 d.as (Combuca e Veludinha)	40$000
1 d.a Bahia	24$000
2 d.as (Pintadinha e Estrella)	36$000
2 d.as (Malacara Vermelha e Malacara Amarella)	20$000
1 Novilha fusca pequena	8$000
1 Novilha Pintada	12$000
1 Macho, Peitudo (arreado)	25$000
2 d.os (Veludo e Chibante) (arreados)	60$000
1 Bêsta Pimpona	30$000
1 Macho Baio Galante	40$000
1 Bêsta Redonda	20$000
1 Dita Paciência	30$000
1 Dita Serena	40$000
1 Macho Tordilho	20$000
29 animais ao todo.	

Há ainda as seguintes parcelas de grande interêsse numa fazenda:

Metade no engenho de socar .... (para fazer farinha, nota pessoal)	550$000
Metade na morada de casas na fazenda (engenho de cana, tulhas, senzalas e mais benfeitorias)	1:400$000
Idem nos cafèzais	1:300$000
Idem das terras	3:200$000
Dinheiro em casa, do Bahia	3:314$277
Um aparelho de chá com duas bandejas ..	16$000
Metade de um moinho	25$000

Agora os escravos, que são em número de 24. Não estão discriminados os preços e nem as idades. Vamos dar apenas os nomes e os valôres comparados. Na lista que possuímos há quatro casais, Belisário e Paula, José e Juliana, Caetano e Dionísia, Adão e Joaquina. Dêste consta que cabe ao Capitão José Vicente, filho da finada, e órfão por ocasião da morte de seu pai com 10 anos de idade (e nessa época já com 20) a quinta parte, porque são cinco os filhos vivos. (Três dos oito filhos morreram pequenos.) O preço dos casais de escravos, avaliados em conjunto, varia muito: um par por Rs. 2:400$000, dois casais por 450$000 cada e a 5.ª parte do último 300$000. Dos restantes, apenas uma do sexo feminino — Carlota — e os mais Miguel, Ignácio, Bento, Camilo, Luiz, Matheus, Luiz Évora, Bernardo, Onofre, Marciano, **Romão**, Joaquim Aleijado, João Criolo, Aleixo, Agostinho, Cesário e Antônio.

Um apenas, o **Romão**, que sublinhamos na lista, foi avaliado em 1:800$000, dois em 1:500$000, um em 1:400$000, um em 1:300$000, um em 1:200$000, a Carlota por 660$000, Agostinho também por 600$000, dois por 450$000, dois por 350$000, um por 300$000, um por 200$000, dois por 150$000 e o Joaquim Aleijado por 30$000. A variação de preços estava ligada à idade, aptidões para o trabalho e defeitos físicos, provàvelmente. O total da escravaria legada ao Capitão José Vicente por morte de sua mãe importou em Rs. 18:310$000. Muitos dêsses escravos não abandonaram seus senhores após a libertação e viveram livremente junto da família. O passamento de D. Maria da Guia deu-se em 1864; supondo que êles tivessem de 20 a 40 anos, em média, alguns alcançaram o século XX. Assim é que conhecemos o Agostinho, negro africano, com o linguajar típico, que nunca chegou a falar bem o português, tocando a bomba d'água da casa de D. Angelina, a viúva do Coronel José Vicente, e nora de D. Maria da Guia. Ali morreu centenário êste escravo nos primórdios do nosso século. Dionísia, liberta, terminou seus dias como cozinheira do Conde de Moreira Lima, filho de D. Carlota Leopoldina, irmã de D. Maria da Guia. O Onofre, mulato habilidoso, veio para São Paulo e aqui viveu muitos anos em casa da viúva do mesmo Capitão José Vicente, a quem fôra legado e onde morávamos também. Quando jovem contava-nos que fugiu da fazenda uma vez e se incorporou a um Circo de Cavalinhos ambulante, como eram freqüentes pelo interior, dando muito trabalho para ser recapturado. Era cozinheiro, marceneiro, carpinteiro, pedreiro, músico e se gabava de ser capaz de fazer uma casa sòzinho. Tinha verdadeira inclinação para a música. Tocava e cantava ao violão, entoava a sanfona e o serrote na perfeição, chegando a fabricar êle próprio alguns instrumentos para seu uso. Os seus talentos eram múltiplos e terminou os dias como empregado do Museu do Ipiranga, onde foram aproveitadas as suas habilidades.

O ESCRAVO ROMÃO

O escravo mais valioso, o Romão, era pedreiro e como tal alugado para serviços em Lorena e localidades vizinhas. Nas contas que constam do arquivo há uma do ano de 1858, em vida, portanto, ainda, de D. Maria da Guia. Trata-se de serviços prestados pelo Romão em casa de seu cunhado, Joaquim José Moreira Lima, o marido de D. Carlota Leopoldina, genro também do Capitão-mor Manoel Pereira de Castro. Estêve alugado a 1$280 por dia e trabalhou 162 dias, o que rendeu 194$400 para o seu senhor (22-11-1858 a 7-11-1859). (Doc. n.º 31, pág. 278.)

Outro documento reza: o Romão escravo do Senhor José Vicente de Azevedo começou a trabalhar na minha obra na razão de 1$280 por dia, 32 semanas, de 19-10-1857 a 24-7-1858 — 186 dias — total rs. 232$960. (Damos clichê). Foi êsse escravo legado ao filho do Comendador que tinha igual nome.

Documento muito mais interessante, e talvez único, consta também do arquivo. É uma carta escrita em época posterior pelo próprio Romão, prestando contas a sua senhora, que era então a nora de D. Maria da Guia, dos serviços para que fôra alugado. Essa carta de que damos clichê está ainda no envelope original e vem sobrescritada do modo seguinte:

"Minha Sinhá e Sra. D. Anjilina viúva do Finado José Vicente de Azevedo." E em baixo:

"Sd^e de Lorena."

Não ficaria completa esta crônica do passado se não incluíssemos o clichê dêste precioso documento, em que êle repete o enderêço e data: "Itajubá 5 de Julho de 1869".

O texto, por demais curioso, vai também reproduzido em parte e o clichê que o reproduz na íntegra mostra o capricho da assinatura, em que diz "Rumão Pedreiro, hum Seu Escravo".

Copiamos um trecho, aí vai: "pello o Coreio Nanha tinha mandado dizer que Eu tinha De hir em Lorena que Era para fazer hum Serviço como Eu tenho uns trato a Comprir poriço hé o motivo que Eu não fui logo em midiato poriço hé o motivo que Eu mando participar-lhe a Vmce. por morde ficar Sabendo Se Eu faço nesta Viagem me atrazava em Seis Sentos ou oito

Sentos mil rs. por iço hé que me obrigo a Escrever para Nanha para ficar Siente", etc. etc. E termina: "Sou seu Escravo que muito lhe estima e muitas recomendação a todos que for de Caza".

Na sua simplicidade, esta carta é um atestado eloqüente do nível de instrução, da fidelidade, do respeito e da amizade dos escravos pelos seus senhores e reciprocamente da bondade e atenção com que eram tratados.

O FILHO CAÇULA PEDRO MIGUEL

Não podemos deixar de assinalar a energia dessa mãe que, viúva, com 46 anos, e tendo ficado com dois filhos menores, um de nove anos e outro de nove meses (provàvelmente ambos com o futuro garantido pela grande fortuna que lhes coube e pela situação de destaque da família), conseguiu educá-los para continuarem a tradição dos seus ancestrais. O caçula veio para São Paulo com o fim de estudar Direito e o seu nome figura no livro de Spencer Vampré **História da Academia de S. Paulo.**

No apêndice, o que coube a êste filho caçula (Doc. n.º 30, pág. 277) Pedro Miguel, que ficara com 9 meses quando morreu o Comendador, e já é, na época da partilha, após a morte de sua mãe, o Dr. Pedro Vicente de Azevedo, formado em 1862 pela Faculdade de Direito de São Paulo. Além de bacharel em ciências jurídicas e sociais defendeu tese perante a Congregação da mesma Faculdade em 1878 e fêz-se doutor de borla e capelo.

SUA FORMATURA NA FACULDADE DE DIREITO DE SÃO PAULO

Sua formatura como bacharel foi um grande acontecimento na família Vicente de Azevedo. Do mesmo ramo Vicente de Azevedo o primeiro bisneto do Capitão-mor e neto do Comendador, Antônio Rodrigues de Azevedo, já se havia também formado bacharel em Direito pela mesma Faculdade.

Teve assim D. Maria da Guia a grande alegria de ver formado seu filho mais môço, que ficara com 9 meses por ocasião da morte do marido.

O caso se traduz elegante e eloqüentemente no convite que seu irmão, oito anos mais velho do que êle e já chefe de família depois da morte do pai, mandou imprimir caprichadamente, em tipo manuscrito, para enviar aos amigos, e de que damos clichê.

Eis a sua reprodução: "Illmº Sr. Tendo meu mano Pedro Vicente de Azevedo concluido com distinção sua carreira litteraria, tomando o grau de Bacharel em sciencias juridicas e sociaes pela Faculdade de Direito de S. Paulo, e sendo isso para a nossa familia um justo motivo de jubilo do qual pretendo dar-lhe uma demonstração, desejava reunir para esse fim todas as pessoas que me honrão com sua amisade, convidando-as para um jantar e soirée campestre em minha Fazenda no dia...... do corrente; e como n'esse numero eu teria o maior prazer em considerar V. S., tomo a liberdade de o convidar, esperando que se dignará concorrer com sua ... para que se torne completa essa festa de família.

A aceitação por parte de V. S. d'este meu apello, importará para mim uma prova que muito apreciarei de que é correspondida a estima e subida consideração com que tenho a honra de assinar". (Os trechos em branco provàvelmente seriam completados de acôrdo com as circunstâncias.) Publicamos o clichê.

Pela morte de sua mãe, em 1864, recebeu o bacharel Pedro Vicente de Azevedo os mesmos 43:087$567 da partilha. De ouro, um cordão; e um rosário com cruz de prata, um faqueiro e 2 pares de castiçais — jarras, marquesas, cadeiras de palhinha, uma cômoda, a mobília da chácara, dois carros ("um em bom estado"), a mobília da cidade, lampião de querosene, um par de canastras, utensílios do engenho, a metade dos cafèzais e, nas terras, o arrozal, o canavial, o mandiocal, uma roça de milho, 100 alqueires de feijão, 50 de arroz e parte nas dívidas. De animais constam um cavalo, 2 bêstas, três machos, 4 éguas, 11 vacas, um touro, 20 bois, todos com nomes curiosos. Os escravos foram 10, dos quais 2 casais: de um dêles, Adão e Joaquina coube-lhe a 5.ª parte, como para seu mano José. Os valôres dos outros variavam de 200$000 a 1:200$000. É de notar que uma escrava era provàvelmente africana porque era chamada de Anna da Nação, para diferençar de uma outra, Ana parda.

O mesmo se deu em relação aos animais, que eram 36 (em muito maior número): onze vacas, tôdas com crias (Cambraia, Faceira, Tourina, Araçá, Laranjinha, Fusca, Boneca, Mulatinha e outras) que regulavam de 20 a 25$000 cada. Sòmente um touro, Caracu, dezesseis bois, todos com nomes originais como Pé de Prata, Marimbondo, Castello, Lambugia etc. Consta também a quinta parte das dívidas perdidas e mais algumas outras mencionadas. Os objetos de ouro, prata e adôrno equilibram-se e assim devia ser para todos os filhos. Apenas nota-se que aqui figura também um tapête aveludado e a mobília da casa da cidade. Môço e formado, iniciou sua vida de advogado em Lorena, onde ocupou como seus antepassados cargos de destaque. A sua vida profissional e política desenvolveu-se na segunda metade do século XIX, a época de maior expansão do ramo Azevedo.

Para finalizar a notícia sôbre D. Maria Pereira da Guia Azevedo, temos a referir que consta do seu arquivo um pequeno e modesto livrinho de orações, impresso em 1846, na Livraria Francesa da Côrte, à Rua de S. José n.º 64, com a declaração de que se encontrava à venda na casa de Agra e C., Rua da Quitanda n.º 70.

Foi uma oferta consoladora à viúva, feita por sua amiga Joaquina F. Oliveira, que o dedica e assina. Era mais uma prova de cultura feminina, a ofertante escrevendo para uma amiga.

O texto reza na parte final: "Esta Oração quem a trouxer com Fé vive preservado de tentações, de inimigos, de testemunhos, de morte repentina, de ataque de gota coral, de mordeduras de animais peçonhentos, quaesquer que elles sejão; livra de justiça e nas casas em que estiver nada acontecerá; a mulher que estiver em parto, será bem succedida, lançando-lhe ao pescoço, e se faz digna de crédito por ser aprovada pelos Inquizidores."

A humanidade foi sempre a mesma. Provàvelmente o abatimento moral pela morte de seu marido justificou essa lembrança.

Possuímos, também, da mesma época uma carta de pêsames enviada da Côrte a D. Maria da Guia, que incluímos nos documentos (Doc. n.º 26, pág. 246) e devemos igualmente, à gentileza do Desembargador Vicente de Paulo Vicente de Azevedo. Nela refere-se o missivista à presença do filho do Comendador — o José Vicente Júnior — no Rio de Janeiro e pelos cuidados que teve de vesti-lo de luto e distraí-lo, como refere a carta, parece ter sido do diretor do Colégio em que seu pai o matriculou ou de um dos seus professôres.

Vamos prosseguir ainda no estudo dos filhos do Capitão-mor, tendo-nos ocupado apenas da primogênita, D. Maria da Guia, e de seus filhos. Passemos ao segundo, o primeiro varão, Padre Manoel Theotônio.

CAPÍTULO – IV

PADRE MANOEL THEOTÔNIO

Continuando a enumeração dos filhos do Capitão-mor Manoel Pereira de Castro, passamos ao primeiro filho varão — o Padre Manoel Theotônio. Trataremos da atuação que teve na política de Lorena, na primeira metade do século XIX, reservando para ulterior estudo o seu papel na segunda metade do século.

Manoel, êsse segundo filho do Capitão-mor, que revelam as fôlhas de recenseamento ter nascido em 1803, foi até 1819 o único varão da família e seguiu a carreira eclesiástica como era hábito freqüente nas famílias católicas da época. A propósito, citamos Gilberto Freyre, em **Vida Social no século XIX** quando diz: "Entre as famílias mais religiosas não ter filho religioso ou padre constituía omissão ao mesmo tempo social e moral".

A REVOLUÇÃO DE 1842

Apesar de sacerdote, foi o Padre Manoel Theotônio político influente do Império, pertencente ao Partido Liberal e, como seu pai, o Capitão-mor, exercendo grandes atividades, o que despertou fortes lutas na pacata Lorena, em que o Partido Conservador tinha como chefe o seu cunhado, o opulento fazendeiro Comendador José Vicente de Azevedo, genro do Capitão-mor, marido de sua filha Maria.

Essa tendência liberal da família do Capitão-mor Manoel Pereira de Castro provinha dêle próprio. Uma circular que lhe foi endereçada de Ouro Prêto, Correio Geral de Minas, pelos liberais, em 20 de dezembro de 1842, traz o carimbo do Correio Geral da Côrte, de 28 de dezembro de 1842. Era um pedido para que concorresse com um ou mais exemplares para a divulgação de uma obra de que faziam propaganda, mas que não vinha mencionada.

Eram os seguintes os seus têrmos: "Certos dos sentimentos patrioticos que o distinguem e de que S. Sia. avalia a utilidade que deve resultar da vulgarisação de semelhante obra onde em quadro resumido se apresentão os mais notáveis acontecimentos que tiverão lugar durante a terrível revolução que enlutou a Provincia de Minas Geraes, etc. etc...." Não traz assinatura mas pede resposta aos Srs. Manoel João Cardoso e João Pedro da Veiga "este morador na Rua de S. Pedro e aquele na Rua do Ouvidor, em o Rio de Janeiro". É uma confirmação nítida das idéias do Capitão-mor, abraçadas por seu filho e mais tarde por alguns de seus netos, como veremos oportunamente (incluímos clichê).

Daí ter sido Lorena, ainda Vila, sede de acirradas lutas políticas que se transformaram em lamentáveis ódios de família entre os descendentes do Capitão-mor, o que relataremos oportuna e detalhadamente.

Iniciaram-se ainda na primeira metade do século XIX (em 1842), e tiveram grande repercussão em todo o norte da Província de São Paulo, que muito se destacava pela sua cultura, pela sua riqueza, em conseqüência da situação da proximidade da província de Minas e da própria Côrte, com a qual tinha maior intercâmbio, dados os meios de comunicação mais acessíveis ao transporte da época, que eram a tropa e os animais de sela. Somos aqui obrigados a retrogradar e relatar alguns acontecimentos da primeira metade do século, início das atividades do Padre Manoel Theotônio.

Os homens de fortuna da zona de Taubaté em diante, comerciantes, lavradores, não tinham ainda negócios com São Paulo, capital de paupérrima Província. Tudo era com a Côrte, por terra ou por mar, através de Parati, por onde saía o café. E por êsse motivo as idéias liberais ali encontravam mais aceitação, mesmo sem o espírito de partido.

A política começou a ferver no Brasil, depois da abdicação de seu primeiro Imperador, Pedro I. Muitos eram os partidários de sua volta ao País e compunham o partido restaurador. Outros, mais radicais, já sonhavam com a extinção da monarquia, o que só se concretizou num partido muito mais tarde, em 1872, com a realização da Convenção de Itu — o partido republicano. Mas uma corrente se opunha a essas duas ideologias e defendia a antecipação da maioridade do jovem Pedro II e a reforma da Constituição de 1823. Foi a origem do Partido Liberal. Um outro partido surgiu na regência de Araújo Lima, denominado Conservador, e que contrariava essas idéias. E as lutas entre os dois mantiveram em constante agitação o país, até a proclamação da República, em 1889.

O Partido Liberal, que predominou no início, caiu logo depois e foi vencido em várias províncias. Só em 1844 subiu de nôvo ao poder, o que justificou essa revolução de 1842.

Decretada pelos conservadores a lei de 12 de março de 1840 (lei de interpretação do ato adicional), provocou ela forte reação nos liberais de Minas e São Paulo. A lei provincial n.º 12, de 1842, elevou várias freguesias à categoria de vila, dentre as quais a de Silveiras, por decreto de 28 de fevereiro do mesmo ano, a qual pertenceu a Lorena até essa data. Foi esta a causa próxima do descontentamento nesta vila e a origem da luta em São Paulo.

Aclamada Lorena, a 31 de maio de 1842, capital revolucionária, foi o Padre Manoel Theotônio, político, violento e intransigente, feito presidente. Era o filho do Capitão-mor Manoel Pereira de Castro, o qual ainda permanecia na função do seu pôsto. "Enquanto isso o Barão de Caxias, comandante das fôrças do govêrno nomeava comandante militar na Vila de Lorena ao Comendador José Vicente de Azevedo, o chefe conservador, casado com a irmã do Padre Theotônio." (De **A Gazeta** de 10-12--53, publicado por David Jorge.)

A VILA DE SILVEIRAS

Eleito comandante das tropas revolucionárias, começou o padre por ordenar ataque à nova Vila de Silveiras, até então em franco progresso e passagem obrigatória para os viajantes que demandavam os portos das Províncias do Rio e de São Paulo. A elas aderiram os liberais da zona.

Havia sido nomeado subdelegado dessa vila, em 3 de dezembro de 1841, um fazendeiro rico do local, Manoel José da Silveira, conservador, e que diante da sua posição foi a Lorena com amigos, apossou-se da situação e demitiu em massa funcionários do outro partido.

Depois de tomar posse, foi avisado por Antônio Bicudo de que na Fazenda do chefe liberal Anacleto Ferreira Pinto (aliado do Padre Manoel Theotônio) conspiravam os liberais, reunindo fôrças para atacar Silveiras.

O padre começou por enviar um emissário à Côrte pedindo que fôsse deposto o nôvo subdelegado de Silveiras. Não tendo sido atendido, a reação foi o ataque à Vila, do que foi incumbido seu amigo Anacleto Ferreira Pinto, que levava 400 homens. Silveiras se achava desprevenida e ficou logo deserta. Apenas o subdelegado, entrincheirado com 60 homens na sua casa, procurou resistir, mas não tinha armas. Dois padres procuraram servir de intermediários para acomodar a situação. Os companheiros retiraram-se e o subdelegado foi traiçoeiramente alvejado por três homens, morto e atirado à rua. Arrebentaram-lhe a cabeça, roubaram a sua japona e o corpo foi enterrado por seu próprio filho. (Carlos da Silveira — **Revista do Arquivo Municipal** — 1935 — Ano II, vol. 13.)

Silveiras muito sofreu com êsses acontecimentos, tendo sido antes um grande centro econômico e cultural. Do Rio foram enviados fortes destacamentos de infantaria e cavalaria para invadir a província.

Foi devido à sua convicção liberal que Manoel Elpídio Pereira de Queiroz, ao passar por Lorena, em 1855, chamou-a no seu diário de viagem "briosa e heróica Lorena" pela resistência que ofereceu. Aludindo por sua vez a Silveiras, prosseguindo a sua viagem, cognominou-a a "desgraçada Silveiras".

Em Lorena, a poderosa família do Capitão-mor Manoel Pereira de Castro estava cindida. Êle próprio, mais seu filho, o Padre Manoel Theotônio e posteriormente o seu neto Antônio Moreira de Castro Lima, filho de D. Carlota Leopoldina, pertenciam ao Partido Liberal, enquanto que era chefe conservador o Comendador José Vicente de Azevedo, genro do Capitão-mor, marido de D. Maria da Guia, acompanhado mais tarde nas mesmas idéias por seus filhos José Vicente e Pedro Miguel, menores por ocasião do seu falecimento.

O CHEFE CONSERVADOR COMENDADOR VICENTE DE AZEVEDO

De volta a Lorena, depois do ataque a Silveiras, os guardas do Padre Manoel Theotônio tinham ordem de trazer à sua presença vivo ou morto o chefe conservador, que era seu cunhado, o Comendador José Vicente de Azevedo, residente numa chácara de sua propriedade nas proximidades de Lorena. Era fato repetido na família o que ouvimos de D. Angelina, sua nora, a quem devemos êste arquivo, que foi seu sogro escondido por sua mulher, D. Maria da Guia, irmã do padre, numa trouxa de roupas usadas, atirada no sótão da casa em que residiam, em Lorena. Violentamente invadiram os guardas a casa e varejaram a propriedade tôda, sempre acompanhados por D. Maria da Guia, que corajosa e dignamente os atendeu. Contava ela aos descendentes, o que atravessou gerações na família, que, ao passarem pelo sótão, um dos guardas deu um ponta-pé na trouxa e exclamou: "é roupa suja", prosseguindo na procura, sem resultado. Disfarçado, foi o comendador para a fazenda de um amigo, em Guaratinguetá, onde ficou homisiado.

Depois da revista infrutífera resolveram os guardas repousar, o que facilitou a fuga do chefe conservador. Na visita feita à casa procuraram por todos os modos amedrontar D. Maria da Guia com notícias falsas, a que ela, com o ânimo sempre forte, resistiu calada.

Vencida a causa do govêrno voltou José Vicente para o seio da família, com a incumbência de apaziguar os ânimos ainda exaltados, o que procurou fazer até com a oferta de auxílios pecuniários à Coroa, bastante abalada. Tendo presidido com grande isenção de ânimo o processo contra os revoltosos, recebeu como prêmio a nomeação para comendador da Ordem de Cristo, a que se seguiu em 1844, pouco antes da sua morte, a da Ordem da Rosa, a que aludimos.

Em seguida a êsses fatos o pai de D. Maria da Guia, o Capitão-mor Manoel Pereira de Castro, de convicções liberais, e ainda no exercício de suas funções de capitão-mor, colocando-se acima das dissensões políticas, foi buscar sua filha na casa da vila e levou-a para a Fazenda do Campinho.

Apaziguada a revolta e vitorioso o Partido Conservador, que defendera o govêrno, foi ordenado em Lorena o seqüêstro dos bens pertencentes aos cidadãos que haviam tomado parte na intentona, acompanhando os rebeldes.

As lutas entre os dois partidos continuaram por longos anos, ultrapassando, como dissemos, a metade do século XIX, com um desfecho trágico para a família, e de que nos ocuparemos oportunamente.

Foi grande a repercussão que teve no país essa revolução de 1842, a qual nem a antecipação da maioridade de Pedro II conseguiu abafar. A própria denominação de "Revolução Liberal" já denuncia os seus anseios. Minas revoltou-se contra os atos do Ministério de março de 1841, que diziam ferir a Constituição.

Talvez até hoje os nossos partidos políticos não adotem denominações que traduzam tão bem os seus próprios ideais, como os do Império. Mas, como em tôda a política, as contingências humanas fizeram com que as paixões dominassem os seus respectivos membros. E, de embates em embates, de rivalidades em rivalidades, prosseguiam uns e outros defendendo não só os seus ideais, mas os seus correligionários. Abuso de poder, arbitrariedades, filhotismo, parcialidade foram os vícios que predominaram desde a época do Império, com as sucessivas subidas e descidas de Ministérios de um e outro partido, com repercussão em todo o país, mesmo nas províncias mais remotas. Acusações, demissões injustas, imposições de novas autoridades eram a prática corrente no administrativo, no judiciário e até no setor militar, em que foram substituídos comandantes e subordinados.

Foi o que se deu em Lorena e Silveiras, com violências e depredações. Fazendas foram saqueadas, a matriz de Silveiras profanada, seus livros queimados. Sua população, depois de resistir com coragem, foi derrotada e a vila caiu em poder dos que se intitulavam defensores da ordem e da liberdade.

Rocha Pombo, na sua **História do Brasil**, refere-se a êsses acontecimentos nos seguintes têrmos: "Em Lorena, o violento e destemperado Padre Manoel Theotônio continuava a imperar por muitos dias, enquanto os seus asseclas traziam as imediações em grande alarme. A Fazenda de Joaquim José da Silva Breves tornou-se famosa como centro dos conciliábulos dos revoltosos que, **dispondo de muitos recursos**" (o grifo é nosso), "puzeram em grande perigo a ordem em tôda a região limitrophe com os Estados do Rio e de Minas. Fizeram repetidos assaltos a fazendas e povoações, tendo os insurgentes ido combater em Arêas o batalhão de fuzileiros, que do Rio marchára por terra contra os sublevados de São Paulo". O Padre Manoel Theotônio, comandante geral das tropas revolucionárias, figurou na primeira relação de prisioneiros, com êle Antônio Clemente e outros como o chefe supremo Rafael Tobias de Aguiar.

Na opinião de Rocha Pombo, "o espírito de independência nessa zona era mais suscetível do que no Sul devido à maior riqueza". Discordamos, porém, porque, em Lorena, por exemplo, as duas facções pertenciam à poderosa família do Capitão-mor Manoel Pereira de Castro, que concentrava o poderio e a riqueza da zona. O chefe liberal era seu filho e o chefe conservador seu genro, o opulento Comendador José Vicente de Azevedo. Com o correr dos anos, descendentes de um e outro lado se filiavam a êste ou àquele partido e a luta continuava.

O órfão José Vicente Júnior, que o Comendador deixou com nove anos, foi mais tarde Coronel José Vicente, chefe conservador, defensor das idéias de seu pai e acabou assassinado em conseqüência das mesmas lutas políticas, na segunda metade do século XIX, o que será assunto de um capítulo especial.

Para prosseguir no estudo do meio século final do século XIX, vamos continuar na enumeração dos descendentes diretos do Capitão-mor Manoel Pereira de Castro, figura principal do estudo retrospectivo que fazemos da atual cidade de Lorena.

Dentre os seus filhos já mencionamos dois, D. Maria da Guia e o Padre Manoel Theotônio, cujos estudos biográficos estão intimamente ligados à história de Lorena. Passemos agora à quarta, D. Carlota Leopoldina.

CAPÍTULO – V

DONA CARLOTA LEOPOLDINA

(Viscondessa de Castro Lima)

A sétima filha do Capitão-mor, Carlota Leopoldina, a quarta sobrevivente, nasceu como os demais na Vila de Lorena, a 13 de dezembro de 1808, início do século XIX, portanto, mas ultrapassou, também, a sua segunda metade.

Destacamo-la aqui devido ao papel proeminente que também teve na história de Lorena.

Criada num ambiente patriarcal, na tradicional Fazenda do Campinho, propriedade de seus pais, ali só recebeu exemplos de bondade, de caridade, de amor ao próximo e ali formou a sua personalidade de mulher forte. Com a mesma têmpera das espôsas dos velhos bandeirantes, ela soube se sobrepor às vicissitudes da vida, para só se ocupar do bem-estar de sua família, do progresso de sua vila natal, amparando da miséria e do infortúnio a população pobre, com o seu grande coração, com atos de benemerência e com donativos generosos a igrejas e casas de caridade.

A paixão política nunca a desviou dos deveres que se impôs. Provinda de um ramo da família conhecido pelas suas tendências liberais, filha do Capitão-mor Manoel Pereira de Castro, irmã do Padre Manoel Theotônio e por outro lado de D. Maria da Guia, casou-se D. Carlota com o abastado comerciante português Joaquim José Moreira Lima, um dos maiores proprietários de terras na vila, natural de São Miguel de Baltar, em Portugal, e teve na sua descendência políticos exaltados de um e de outro partido. Um de seus filhos, Antônio Moreira de Castro Lima, tornou-se chefe liberal de prestígio, acompanhando o tio, Padre Manoel Theotônio. E, como êle, outro, Joaquim José Moreira Lima Júnior, que foi depois o Conde de Moreira Lima, nascido em 1842, também simpatizante da causa e genro de seu irmão, o chefe Antônio Moreira de Castro Lima, mais tarde Barão de Castro Lima.

Duas filhas de D. Carlota Leopoldina casaram-se com primos, chefes conservadores, um dêles filho de sua mana D. Maria da Guia, e outro de sua sobrinha Ana Leopoldina, descendentes ambos (filho um, e outro neto) do Comendador José Vicente, e que prosseguiram na defesa dos mesmos ideais. Êsses acontecimentos serão relatados no decorrer desta narrativa, quando tratarmos da atuação dos chefes conservadores.

Vivendo num ambiente de dissensões políticas, D. Carlota Leopoldina colocou-se acima delas e foi sempre respeitada e venerada por todos os da família.

Foi tão grande o seu prestígio e os benefícios que fêz à vila que o próprio Imperador D. Pedro II concedeu-lhe, mesmo depois da morte de seu espôso, o título de Viscondessa de Castro Lima. Foram apenas sete as titulares do sexo feminino agraciadas por D. Pedro II e dentre elas a Viscondessa de Castro Lima,

> "Carlota Leopoldina, a Viscondessa,
> que ergueu igrejas, distribuiu esmolas,
> acudiu aos aflitos e foi mãe
> de novos titulares."

Péricles Eugênio da Silva Ramos
Lua de ontem — pág. 40

Seus restos mortais repousam em rico mausoléu na Capela de S. Miguel, Cemitério de Lorena.

Esta a história singela de uma grande dama lorenense, cujo nome é até nossos dias recordado com gratidão e respeito na cidade para cujo progresso tanto concorreu.

JOAQUIM JOSÉ MOREIRA LIMA

Conta Gama Rodrigues, sobrinho afim e testamenteiro do Conde de Moreira Lima, no livro **Gens Lorenensis,** que encontrou no seu arquivo um velho documento em que o negociante português Joaquim José Moreira Lima, o Seu Moreira, o marido de Carlota Leopoldina, rico fazendeiro, proprietário de sessenta fazendas em 1860, figura como dono apenas de um pequeno terreno no "Becco do Porto", que não era bastante grande para edificar "huma propriedade sufficiente" visto se declarar casado e com prognóstico de grande família (em 1831). Casara-se em 1827 com

Carlota Leopoldina, tendo já nessa ocasião dois filhos. Dizendo-se desarranchado (sic) solicitou da Prefeitura "mais dez palmos de frente desse terreno, propriedade municipal, o que em nada prejudicaria o Público nem o Município". Daí se depreende que a frente era para o Beco; e o fundo, muito grande, dá hoje para a rua que tem o nome de Viscondessa de Castro Lima.

Êsse documento torna-se muito curioso devido às razões apresentadas pelo velho Moreira Lima, o marido de D. Carlota Leopoldina. Dizia êle ter tido conhecimento de que a Prefeitura deliberara reservar o beco para uma quitanda (hoje chamaríamos de bar ou botequim) e que só existindo na vizinhança "famílias honestas, honradas, todas pessoas de bem e a quitanda base e órgão de pessoas rasteiras, barulhos e discordias, conversações deshonestas e indecorosas, desatinos e absurdos improprios de familia, bebedeiras de todos que se impregão neste vício e o maior que o Supplicante calla por modestia, tratando-se de terreno muito pequeno e muito perto da Parahyba" (sic) (1). Argumenta que "causaria amiassa e maior ruina ao Publico e aos Senhores de Escravos, que com o barulho da quitanda, e bebedeiras nella formadas, estão no risco de próximas e funestas consequencias de mortes afogadas". Que prejuízo daria aos "Senhores de Escravos" a construção nesse terreno! A licença foi concedida com a condição de deixar o beco com a largura de 20 palmos. A casa era já um sobrado, situado perto da Ponte do Paraíba, construída ainda na primeira metade do século XIX.

OS FILHOS DO CASAL

Foram os seguintes os filhos dêste casal, todos netos do capitão-mor Manoel Pereira de Castro, nascidos também em Lorena, na primeira metade do século XIX:

1) Antônio, nascido em 1828, que, além de destacado membro do Partido Liberal, como já dissemos, ocupou posições de relêvo na administração local. Foi Tenente-Coronel, Chefe do Estado Maior e Comandante Superior da Guarda Nacional. Em 1884 foi agraciado com o título de Barão de Castro Lima. Em junho de 1889 foi nomeado Vice-Presidente da Província de São Paulo, tendo chegado a assumir a presidência, substituindo Couto de Magalhães, pouco antes da proclamação da República.

---

(1) MANOEL ELPÍDIO **(Um Fazendeiro Paulista do Século XIX)** chama também o rio **"a formosa Parahyba"** no seu diário de viagem.

Foi casado com a filha de um opulento fazendeiro de Jacareí, Alferes João da Costa Gomes Leitão.

Citaremos repetidas vêzes no relato das lutas políticas travadas em Lorena o nome de Antônio Moreira de Castro Lima e dêle vamos nos ocupar mais detalhadamente no decorrer dêste trabalho.

2) A segunda filha do casal foi Ana Leopoldina (de 1830), casada com o Comandante Joaquim José Antunes Braga, forte comerciante português em Lorena, com descendência, tendo sido nove os netos do Capitão-mor provenientes dêsse casal, nascidos todos na segunda metade do século XIX e dos quais se originou também numerosa prole. Dos seus filhos varões, netos da Viscondessa, o primeiro foi agraciado com o título de Visconde de Antunes Braga pela Coroa Portuguêsa. O segundo, Theóphilo, bacharel em Direito pela Faculdade de São Paulo, foi vereador e Presidente da Câmara, deputado provincial e geral, tendo feito parte da Constituinte republicana de 1891.

Mais um, Arlindo, foi vereador e Presidente da Câmara em Lorena, tendo sido um dos fundadores de um grande engenho de açúcar na localidade. Destacou-se ainda o Dr. Alcino Braga, nascido em 1867, formado em medicina no Rio de Janeiro e que foi do corpo clínico da Santa Casa de Misericórdia de São Paulo.

As filhas casaram-se tôdas com personalidades de destaque, membros das principais famílias das localidades próximas, mantendo sempre devotado amor à sua terra natal. É seu bisneto o Dr. Lycurgo de Castro Santos Filho, conhecido historiador.

3) A terceira filha de Joaquim José Moreira Lima, Angelina, nascida em 1835, foi a nora do Comendador José Vicente de Azevedo, nora, portanto, de sua tia, tendo-se casado com o Coronel José Vicente de Azevedo, chefe conservador, o qual teve mais tarde, como veremos, destacada atuação nas lutas entre os partidos.

4) A filha Eulália, Baronesa de Santa Eulália, é citada mais adiante neste trabalho por ter se casado com seu primo Antônio Rodrigues de Azevedo Ferreira, Barão de Santa Eulália, filho de sua prima-irmã D. Maria Leopoldina e bisneto também do Comendador Vicente de Azevedo.

O CONDE DE MOREIRA LIMA

5) Teve atuação destacada em Lorena mais um filho de D. Carlota Leopoldina pelos grandes benefícios que prestou à cidade e à população, Joaquim José Moreira Lima Júnior. Nasceu em

1842 (diziam que ao repicar dos sinos que anunciavam uma vitória liberal). Casou-se com sua sobrinha, Risoleta, filha de seu mano Antônio, o futuro Barão de Castro Lima. Agraciado com o título de Barão de Moreira Lima, em 1883, de Visconde com grandeza em 1884 e finalmente Conde nas mesmas condições em 1887, foi digno herdeiro do nome e da fortuna dos seus pais e avós, ocupando lugar de grande destaque na sociedade e na administração local pela sua distinção, pelas suas qualidades de espírito e de coração. Grande protetor da população e da cidade onde sempre residiu, concorreu com grandes donativos para seus melhoramentos, para a fundação de casas de caridade e várias obras de assistência, dentre as quais a centenária Santa Casa local, casas para órfãos e velhos, estabelecimentos de educação, tudo, enfim, que veio contribuir para o engrandecimento de sua terra: monumentos, igrejas, além da sua suntuosa casa, antiga residência de seus pais no beco do Pôrto, já mencionada por nós, onde viveu uma vida de fausto e de elegância, como o requintado fidalgo nato que era. A sua atividade desenvolveu-se em pleno século XIX e por êsse motivo apreciaremos aqui também atuação. Foram seus contemporâneos seus irmãos Bráulio e Getúlio, os dois últimos filhos de Joaquim José Moreira Lima e de D. Carlota Leopoldina, que adiante mencionaremos.

A CASA DO CONDE DE MOREIRA LIMA

Reformado o prédio de residência de Joaquim José Moreira Lima, que já era de sobrado, foi a residência apurada de seu filho, o Conde de Moreira Lima, onde êle recebeu em 1884 os Imperadores do Brasil. Vamos descrevê-lo, tal como o conhecemos, já no século XX. A entrada, na Rua Viscondessa de Castro Lima, como dissemos, era ladeada por dois lindos lampiões de bronze embutidos na parede. A escada era em mármore de Carrara, bem como a grade lateral, guardada por uma coluna de cada lado, em que assentavam duas ricas cestas de mármore com frutos tropicais. A parte baixa da casa reservava o conde para seus escritórios e ali recebia a pobreza, distribuindo esmolas, roupas e mantimentos.

A residência da família foi sempre o sobrado. Provàvelmente na época de seus pais, abrigar-se-iam no pavimento térreo os escravos ao serviço da casa. Na parte de trás e que dava também para a rua da Viscondessa, em baixo de um imenso terraço, iluminado "a giorno" nos bailes e dias festivos, com rica balaustrada de mármore de Carrara, ficavam as cocheiras, para carros e cavalos. Foi atravessando a linha da Estrada de Ferro na sua vitória, que o rápido paulista colheu a carruagem do Conde e êle sofreu a fratura, causa da sua morte, em 1926. Tinha 84 anos.

Continuemos a descrição da casa do Conde de Moreira Lima, como a conhecemos. Transposta a escada de peroba que levava ao sobrado, um largo corredor, cujo chão era de pedacinhos de madeira (pau cetim, pau rosa e outros) de várias côres, formando um mosaico caprichoso, dividia a parte da frente da enorme sala de jantar. Esta era guarnecida com uma rica mobília de carvalho com entalhes de estilo, rodeada permanentemente de 24 cadeiras, a cuja cabeceira se sentava o conde, servido mesmo depois da libertação dos escravos, que foi quando o conhecemos, com tôda a etiquêta, por um criado bem pôsto, em bandejas, baixela e bules de prata. A mobília constava de cristaleira, quatro "buffets" e cinqüenta cadeiras, com mesa elástica. O aparelho de jantar brasonado tinha 48 pratos rasos, 48 fundos e 48 de sobremesa, além dos serviços de chá e café. A velha cozinheira, que não o deixou, a Dionísia, era uma fiel escrava. Do outro lado do corredor estavam o salão e a sala de música, com sacadas que davam para o pôrto, guardadas por grade de ferro forjado. Os vidros das janelas eram também brasonados. A mobília, tôda dourada, forrada de tapeçaria Aubusson. O tapête. do tamanho exato da sala, 7 x 8 ms, encomendado especialmente em Paris, na fábrica Aubusson, tinha um centro florido, ladeado por quatro motivos de música. Na outra sala, em puro estilo colonial, havia mobília do estilo colonial, de medalhão com entalhes e "dunkerkes" com espelhos. Foi um resquício que ainda alcançamos e em que pudemos sentir o bom trato, a finura e o confôrto luxuoso dos fazendeiros do Vale do Paraíba.

No seu elaborado testamento, escrito do próprio punho, numa caligrafia que era um traslado, em 1922, aos oitenta anos de idade, deixou êle essa casa para um estabelecimento de educação destinado a "meninas orfans brancas de 7 a 14 anos, pertencentes a famílias honestas, tendo preferência as descendentes do finado Capitão-mor Manoel Pereira de Castro, que foi o chefe da grande família a que pertenço". Deu o nome de Instituto Santa Carlota, em homenagem a sua mãe. Com dez contos que seu pai, Joaquim José Moreira Lima, deixara para os parentes pobres em Portugal, construiu casas para pobres em Lorena, pela dificuldade de cumprir a vontade paterna.

Aos sobrinhos-netos deixou preciosas lembranças de prata. Destacamos a oferta do seu relógio de algibeira ao sobrinho-bisneto Carlos Coelho de Castro, recentemente falecido, e de que declara "objeto que muito estimo porque além de sua especial qualidade e tel-o usado muitos annos, representa o meu ordenado de caixeiro no começo da vida". À autora, sua sobrinha-

-neta, deixou as suas veneras de Comendador da Ordem de Cristo do Império do Brasil", como uma simples joia de lembrança" e que é a cópia fiel do original em diamantes e pedras preciosas. E a comenda de S. Gregório Magno, do Vaticano, para sua sobrinha-neta D. Maria Teresa Vicente de Azevedo.

A SANTA CASA DE LORENA

A Santa Casa foi fundada em 1867 graças aos seus esforços. Foi a menina dos seus olhos, tendo sido secretário da Mesa desde o início da fundação da Irmandade. Os seus maiores benfeitores foram sempre os descendentes do Capitão-mor Manoel Pereira de Castro, tanto do lado Moreira Lima como do ramo Vicente de Azevedo; quando se tratava de melhoramentos para a cidade, não havia dissensões políticas, todos cooperavam.

Reeleito secretário da Irmandade até 1878 serviu o Conde de Moreira Lima como Provedor interino, cargo para que foi eleito e reeleito até sua morte, em 1926.

O seu testamento é uma demonstração de sua grande fortuna e do espírito caritativo que o caracterizava.

A maior parte de seus bens constituiu um patrimônio para a Santa Casa, de que era grande benfeitor, e para ela reverteram alguns legados em usufruto. Além de numerosas casas, deixou cinco fazendas à mesma instituição, situadas em Areias, Pindamonhangaba e Bocaina. Aos Padres Salesianos legou o Prédio do Ginásio S. Joaquim por êles mantido em Lorena, junto à igreja de S. Benedito, como dissemos, e a Fazenda do Campinho, antiga propriedade de seu avô (o Capitão mor, Manoel Pereira de Castro), com 703 alqueires e à qual já tivemos ocasião de nos referir muitas vêzes nestas narrativas. Pedia como retribuição de seus donativos que se rezassem doze missas perpétuas cada ano pela alma de seus pais e avós. Mais oito fazendas destinou a pessoas da família, bem como numerosas casas da cidade. Os castiçais de prata que deixou para as capelas das obras que fundou, autorizava que cedessem por empréstimo à Capela do Cemitério de Lorena, onde se acha o rico mausoléu em mármore de Carrara de sua mãe, D. Carlota Leopoldina, Viscondessa de Castro Lima. No dia de Finados ali devem rezar anual e perpètuamente os padres salesianos uma missa por alma de seus avós maternos, o Capitão-mor Manoel Pereira de Castro e sua mulher, nas quais devem servir também uma banqueta de prata, oferta do seu primo Barão de Santa Eulália, e um cálice de ouro ofertado por sua neta D. Maria Leopoldina de Azevedo Ferreira, filha de D. Maria da Guia, sobrinha da Viscondessa de Castro Lima.

Mais dois filhos teve D. Carlota Leopoldina, como dissemos, mais moços do que o conde que já citamos, os quais passamos a enumerar:

6) Bráulio, o penúltimo, nono da série, nasceu em Lorena, em 19 de janeiro de 1844, e casou-se com sua prima Clementina, filha de Joaquim Honorato, o Quim-Mor da família, segundo filho varão do Capitão-mor Manoel Pereira de Castro;

7) Getúlio, o caçula, nascido em 18-3-1846, na primeira metade ainda do século XIX. Foi, como todos os seus irmãos, natural de Lorena e o único filho de D. Carlota Leopoldina bacharel em Direito, tendo se formado na Faculdade do Recife e lá se casado em primeiras núpcias com Ana Seródio, da qual teve uma filha, Durvalina, que se casou em Lorena com o Dr. Carlos Machado Coelho de Castro. Voltando para Lorena, depois de viúvo, casou-se Getúlio em segundas núpcias com sua prima Jesuína Antunes de Azevedo Guimarães, filha de Ana Vicência, primogênita de sua tia D. Maria da Guia.

Continuando a atividade e a energia do Capitão-mor, tornando-se com suas mulheres os troncos de novas gerações, prosseguiram os genros de Manoel Pereira de Castro no afã de fazer de Lorena a cidade aristocrática da segunda metade do século XIX. Estamos atingindo aqui essa segunda metade do século passado. No período que vai da fundação da Vila, em 1788, à da Cidade, em 1856, tomou Lorena grande impulso. Ao lado de outras culturas desenvolveu-se, como vimos, a lavoura de café. Através da vida documentada de Manoel Pereira de Castro (1777 — 1846) já sentimos essa grande expansão.

A Freguesia de N. S.ª da Piedade, sendo "uma das mais opulentas e populosas da Capitania", como dizia a certidão de publicação, por ocasião da elevação a Vila (em 1788), continuou em franco progresso até a sua elevação a cidade.

Datam dessa época as principais casas de residências de fazendeiros, nas suas terras e na própria vila, muitas das quais resistem ao tempo e reformadas subsistem, atestando o poderio e a importância da antiga vila, hoje cidade de Lorena.

O progresso iniciou-se exatamente no decorrer da vida dêsse administrador enérgico e laborioso, continuada depois por seus descendentes, como veremos através de numerosos documentos posteriores ao seu desaparecimento do cenário da vida.

CAPÍTULO – VI

OS NETOS DO CAPITÃO-MOR MANOEL PEREIRA DE CASTRO

Já citamos os filhos do Capitão-mor Manoel Pereira de Castro e fizemos uma ligeira apreciação sôbre cada um dêles.

Passando agora à sua terceira geração, veremos como, com seus netos, Lorena seguiu na mesma linha de progresso. Nascidos todos ainda no comêço do século XIX, continuaram a tradição da família, esforçando-se por dotar a cidade de 1856 — a antiga Freguesia de N. S.ª da Piedade — de todos os melhoramentos que na época exigia uma cidade civilizada.

Foram êles os Vicente de Azevedo, descendentes em linha direta do Comendador José Vicente de Azevedo, e os Moreira Lima, do ramo de sua filha Carlota. Dos primeiros descendem os Rodrigues de Azevedo, os Azevedo Antunes, os Antunes Guimarães, os Azevedo Castro e os Azevedo Ferreira, os Azevedo Bittencourt; e dos Moreira Lima, os Castro Lima, os Moreira Lima, os Braga, os Castro Santos, ramos todos oriundos dos casamentos de suas numerosas filhas e netas e que constituem uma grande prole.

Embora muitos dêles tenham ultrapassado o século XIX e atingido o século XX, nossos contemporâneos, portanto, não poderíamos deixar de mencioná-los neste estudo retrospectivo pelo papel de destaque que representaram na história da cidade. Bisnetos e trinetos do Capitão-mor Manoel Pereira de Castro, por novas alianças, têm-se espalhado pelas localidades vizinhas, pela Capital da província, hoje do Estado, por outros Estados, e até pelo estrangeiro, razão pela qual muitas vêzes não são citados aqui.

Vamos continuar o estudo dos descendentes do Comendador José Vicente de Azevedo, que se casou com Maria da Guia, a filha mais velha do capitão-mor, cujas atividades se iniciaram na Vila de Lorena e atingiram o período em que já era cidade.

Contemporâneos do Conde de Moreira Lima, seu neto, que nasceu no ano da famosa revolução liberal (1842), tiveram também papel de destaque: seu primo e cunhado José Vicente de Azevedo Júnior, nascido anteriormente, em 1834, e que foi mais tarde o Coronel José Vicente de Azevedo, chefe político local, casado com D. Angelina, filha do velho Joaquim José Moreira Lima e de D. Carlota Leopoldina; e o Dr. Pedro Vicente de Azevedo, irmão de José Vicente, nove anos mais môço, natural também de Lorena (os pequenos órfãos contemplados no testamento do Comendador), e Antônio Rodrigues de Azevedo Ferreira, mais tarde Barão de Santa Eulália, bisneto do Capitão-mor e neto também do Comendador, do qual nos ocuparemos no próximo capítulo.

D. MARIA LEOPOLDINA DE AZEVEDO FERREIRA

Já vimos em que condições se casaram as duas filhas mais velhas de D. Maria da Guia, com os caixeiros de seu marido. A mais velha, Ana Vicência, nascida em 1818, casou-se com o português João José Antunes Guimarães. São fatos a que já aludimos e que se passaram na ainda Vila de Lorena, atingindo o período de sua elevação a cidade.

D. Maria Leopoldina, a menina de 13 anos, Titia ou Tia Marica, como era conhecida na família, marcou época na vida de Lorena, não só pelas suas excelsas qualidades como pela sua descendência, que muito ilustrou a cidade.

Filha do Comendador e de D. Maria da Guia, recebeu em herança por morte da mãe, como seus irmãos, grande patrimônio em ouro e prata, mantendo sua casa com a opulência a que fôra habituada. Seu marido, o negociante João José Rodrigues Ferreira, o caixeiro do Comendador, escolhido para genro, nasceu no Estado de Santa Catarina e era por êsse motivo cognominado o "João Catarina" na cidade e o "Tio João Rodrigues" na família. Dêsse consórcio provêm os Rodrigues de Azevedo.

BARÃO E BARONESA DE SANTA EULÁLIA E SEUS FILHOS

O filho mais velho do casal, Antônio Rodrigues de Azevedo Ferreira, nascido em 1838, contemporâneo, portanto, de seus tios José Vicente Júnior e Pedro Miguel, filiou-se como seu avô ao Partido Conservador e foi político de grande prestígio na velha Monarquia. Ocupou os mais altos postos na administração de sua vila natal, onde foi Juiz de Paz e Presidente da Câmara Municipal. Eleito deputado provincial em várias legislaturas, era Vice-Presidente da Província em 1889, quando veio a falecer. Depois de agraciado com a Ordem da Rosa recebeu, em novembro de 1888, o título de Barão de Santa Eulália, ao qual pouco sobreviveu, mas que muito honrou sua espôsa, D. Eulália, sua prima, a 2.ª filha de D. Carlota Leopoldina, nascida em 1837.

Pertencia D. Eulália ao ramo da família de convicções liberais, o que fêz com que grande oposição se fizesse a êsse casamento, do qual Aroldo de Azevedo, no seu estudo sôbre **Arnolfo Azevedo — Infância e Adolescência**, nos conta da pompa com que se realizou. Tratando-se de uma neta do Capitão-mor cabe aqui o estudo da sua personalidade.

D. Eulália — a Baronesa — como se tornou conhecida em Lorena, pela sua distinção, pelos seus altos dotes de inteligência e coração, pelo seu espírito caridoso, guardou êsse título até falecer, em 1921, em pleno regime republicano.

Vemo-la ainda, sentada naquele canto social que as velhas casas coloniais mantinham nas imensas salas de jantar, com a indefectível rêde de um lado e de outro o sofá de palhinha, ladeado por poltronas e cadeiras de balanço, numa das quais, rainha do seu solar da Praça da Matriz, recebia as visitas dos principais da localidade ou entretinha-se ora com seu bastidor de bordar fazendo rendas e crivos, ora com um estôjo de homeopatia, atendendo à população que ali vinha, certa de receber o auxílio ou o confôrto de uma palavra animadora.

Completava o quadro uma mesa repleta de iguarias, permanentemente à espera dos convivas, desde o café da manhã, acompanhado de bolos, biscoitos, sequilhos, feitos por suas próprias mãos, até os almoços e jantares, com a casa sempre repleta de hóspedes e familiares, em que tomavam parte freqüentemente o vigário e as autoridades locais.

Ao atravessar o Largo da Matriz chamava logo atenção aquela casa assobradada, com um portão senhorial, em que se viam as iniciais dos proprietários e que dava entrada a uma rua calçada de paralelepípedos, luxo que a cidade ainda não conhecia. Por ali deslizava, imponente, o faéton de seu filho, fazendeiro nas proximidades, com o fiel cocheiro, ora na boléia, ora no banco de trás (1).

---

(1) Essa casa, reconstruída, vinha dos primitivos tempos, pois já é citada por ZALUAR em 1860 como uma das principais da época, pertencendo ao grande político do Império ANTÔNIO CLEMENTE DOS SANTOS.

DR. ARNOLFO RODRIGUES DE AZEVEDO

Era o carro do filho mais velho, único varão, o Dr. Arnolfo Rodrigues de Azevedo, nome de grande destaque na política nacional. Formado em Direito pela Faculdade do Largo de S. Francisco, como seu pai, foi vereador, Prefeito e Presidente da Câmara na sua cidade natal. Promotor, deputado estadual pela zona, e depois muitos anos deputado federal, ocupou a presidência da Câmara dos Deputados e foi senador federal até 1930. Era membro destacado do antigo Partido Republicano Paulista, com grande prestígio no cenário federal.

Além da sua veia política, tinha notáveis talentos poéticos e musicais. É de sua lavra, quando ainda estudante, uma polca, "Seu Calouro", que atravessou gerações na tradicional Faculdade do Largo de S. Francisco. E também a canção "Às Armas", composta por ocasião da grande guerra, em 1914, em colaboração com um filho e um sobrinho, hoje executada por quase tôdas as bandas militares do país.

Uma comovente e original homenagem prestou êle aos seus ancestrais, bem como aos descendentes e demais membros da família, organizando uma frondosa árvore genealógica, cujos galhos se entrelaçam com os numerosos casamentos consangüíneos.

Na sua passagem pelos cenários políticos, estadual e federal, teve o Dr. Arnolfo Azevedo, bisneto do Capitão-mor, filho de D. Eulália, e neto de D. Carlota Leopoldina, o pensamento sempre voltado para a sua querida Lorena, dotando-a de grandes melhoramentos e promovendo muitas realizações que a beneficiaram. Casado em primeiras núpcias com a filha Dulce do Dr. Ignácio Wallace da Gama Cochrane, casou-se em segundas núpcias com uma cunhada, D. Zaíra. Do primeiro casamento, deixou numerosa descendência, que se dispersou por outras localidades e capitais do país, onde continuam honrando a cidade natal de seus antepassados, tetranetos que são ainda do comendador José Vicente de Azevedo, bem como a quinta geração do Capitão-mor Manoel Pereira de Castro.

Quando a família cresceu vieram o trole e a vitória substituir a carruagem primitiva, guardando sempre aquêle mesmo ar de nobreza. Os filhos aumentavam, os carros iam aumentando e a instalação também, pois carregavam até mesas e cadeiras para maior confôrto durante a curta travessia de Lorena à velha Fazenda da Conceição.

Uma produção literária incluímos inspirada nessa época. É da lavra do Dr. Ignácio Wallace da Gama Cochrane, sogro do

Dr. Arnolfo e cujo estudo biográfico acaba de ser publicado na Brasiliana, sob o título **Os Cochranes do Brasil**, por seu neto, o Prof. Aroldo de Azevedo. Publicamos alguns trechos dêsses versos, "Fazenda da Conceição da Boa Vista", escritos em 1910, descrevendo essa propriedade, residência de Arnolfo Rodrigues de Azevedo, marido de sua filha Dulce, à qual o pai dedicou a poesia.

FAZENDA DA CONCEIÇÃO DA BOA VISTA

(À MINHA DULCITA)

"Da cidade pouco dista
O teu retiro saudoso
Donde, franca, minha vista
S'expande, além no horizonte:
....
Atravesso o magestoso
Parahyba, galgo o monte
Em terras da bela herdade:
Atraz, deixo a cidade
Me julgo num Paraizo,
Donde não longe a diviso.
....
No alto duma colina,
Que tudo e todos domina,
Ergue-se, bela a ermida,
Que a todos, alterosa
Garbosa ali se ostenta!
Belo jardim a enfrenta
....
Aqui, ali, inda além,
Virentes canavlaes
Mais longe um pouco também,
Tapetes aveludados,
Em canteiros alinhados
De verde côr de esperança,
Prenunciando a bonança!
....
Neste grato concerto
De perfeita harmonia,
Preside em seu altar,
A virgem Santa Maria
Da Imaculada Conceição!"

Lorena, 14 de junho de 1910
Ignácio Wallace da Gama Cochrane

DONA FIUTA

Voltemos aos "filhos da Baronesa".

Em frente à porta de almofadas, encimada por artística grade, mas que não se fechava nunca, ficava a Capela, sob a invocação de N. S.ª de Lourdes, com uma soberba imagem encomendada em Roma. Feita para cumprir uma promessa, tinha a altura certa da filha da Baronesa.

Ali se rezava todos os anos, com devoção fervorosa, o mês de Maria, ao som de órgão com coros formados pela própria família, em que sobressaía a voz de D. Fiuta, como era conhecida D. Odila, filha também da dona do solar, cantora exímia, que se aperfeiçoara com os melhores professôres de São Paulo e do Rio. Nascida em 14-1-73, ela ultrapassou a segunda metade do século XIX, falecendo em 1933, em São Paulo, já no século XX·

Era assim, sob todos os aspectos, o lar da Baronesa de Santa Eulália, um centro social de alta cultura, em que se reuniam as figuras mais representativas da cidade. Consta da documentação uma poesia da autoria de uma sua neta, D. Celina de Azevedo Castro Santos, residente no Rio de Janeiro, que, com a sua fina sensibilidade de artista, fêz uma descrição primorosa, em versos, dessa residência. (Doc. n.º 32, pág. 279.)

A filha da Baronesa, D. Odila Rodrigues, D. Fiuta, como se popularizou na região, pelo seu espírito caritativo, não se tendo casado e tendo recebido uma instrução aprimorada, dedicou-se à pobreza de Lorena. Assim foi que, com uma visão nítida das deficiências locais, fundou estabelecimentos gratuitos de instrução para a população, desde jardim de infância até ginásio e escola normal, sem esquecer uma escola profissional, com aulas de costura, de arte culinária e de educação doméstica, com que muito beneficiou as môças pobres da cidade.

Foi uma herança preciosa que deixou para Lorena e que, sob a direção de uma ordem religiosa, por ela fundada, continuou prestando serviços inestimáveis, mesmo após a sua morte.

Na Revolução de 1932, foi D. Fiuta a organizadora do maior serviço de retaguarda da Zona Norte, agasalhando e alimentando milhares de voluntários paulistas.

AS FILHAS DE D. MARIA LEOPOLDINA

Voltemos à geração de D. Maria da Guia, a primogênita do Capitão-mor.

Mais três filhas teve D. Maria Leopoldina, netas também do Comendador José Vicente de Azevedo e bisnetas, portanto, do Capitão-mor Manoel Pereira de Castro. A primeira da série, Ambrosina, nascida em 1840, foi a última que se casou. Foi seu marido o Conselheiro José Bento da Cunha Figueiredo, natural de Pernambuco, filho dos Viscondes de Bom Conselho, e possuidor de uma linda chácara na Gávea, onde ela foi morar e veio a falecer.

Desejando D. Maria Leopoldina dar grande realce à festa de tão pomposo casamento, pediu a seu marido que contratasse no Rio um dos melhores confeiteiros da época, no que êle concordou. Veio o profissional com as despesas tôdas pagas e o ordenado de 20$000 por dia (!). Era preciso dar grande brilho à festa nupcial. Muito prestimosa, D. Maria Leopoldina, a Tia Marica, como todos a chamavam, aprendeu com o confeiteiro o segrêdo das novas iguarias e deliciava netos, bisnetos e sobrinhos com as balas e passarinhos recheados de licor, frutas cristalizadas, "fondants", folhados, coscorão, trouxas de ovos, fatias do céu e muitas iguarias desconhecidas até então na indústria caseira.

Os dois casamentos que antecederam o de D. Ambrosina e se realizaram com o mesmo requinte, foram os das duas outras filhas de D. Maria Leopoldina, D. Zemira, nascida em 1848, e D. Adelina, nascida em 1852. Quando se casaram, a cidade de Lorena estava no esplendor da sua grandeza.

D. Adelina teve como marido um médico formado na Côrte, o Dr. Henrique da Ponte Ribeiro, filho dos Barões da Ponte Ribeiro.

A vinda dos Barões para assistir ao casamento do filho foi um grande acontecimento social em Lorena. Foram esperados e hospedados com muita pompa, dada a situação de grande relêvo que tinham.

Para a Baronesa não se cansar com a longa viagem a cavalo, D. Maria da Guia, avó da noiva, e que ainda vivia, mandou para conduzi-la da Côrte a Lorena a sua carruagem de luxo o "suciavel" (**sic**), que figurou na herança ao seu filho José, por ocasião de sua morte, em 1864, avaliada, então, em rs. 250$000.

Se era grande a expectativa, maiores foram os preparativos para receber os Barões. Depois de longa viagem chegam êles envergando os seus guarda-pós de palha de sêda, cobertos de terra. Traziam grande cortejo, escravos e escravas a cavalo e mais a mucama da Baronesa, todos carregados de ricos presentes para a noiva e do necessário para instalar confortàvelmente os seus senhores: mantas, colchões de penas, canastras com as roupagens etc.

Embora acostumados ao confôrto de seus senhores, os escravos da casa, boquiabertos, admiravam e comentavam tôda aquela riqueza. Ficou tradicional nas recordações da família que constava da bagagem dos Barões uma coleção de bacias de prata de todos os tamanhos, desde as pequenas para "toilette" até às de tamanho usual, na época, para banho.

A Baronesa, muito extrovertida, cansada da longa viagem, exclamou ao chegar: "Chamam isto de "suciavel" mas na verdade é uma caranguejola." Grande desaponto dos donos da casa que, indo ao encontro dos hóspedes, ouviram calados a observação. Provàvelmente o "suciavel" era suficientemente cômodo para conduzir os seus donos da fazenda à cidade ou à capela, pela estrada batida, mas nunca para viagens longas como a da Côrte até Lorena.

A filha Zemira casou-se em 1875 com o Delegado de Polícia Dr. Francisco Machado Pedrosa, natural de Pernambuco, que foi antes Juiz de Direito e depois Desembargador no Tribunal de Justiça de São Paulo.

CAPÍTULO – VII

LORENA DE ZALUAR

E assim vimos, através das novas gerações, ultrapassando a metade do século XIX, sem que os hábitos se tenham modificado, na família do Capitão-mor e na já cidade de Lorena. Foi nesse período que a terceira geração do capitão-mor Manoel Pereira de Castro mais se expandiu. Aparecem no cenário os filhos e netos de D. Maria da Guia, de D. Carlota Leopoldina, de D. Emídia Maria e de Joaquim Honorato, que permaneceram sempre em Lorena, além do próprio Padre Manoel Theotônio, sobrevivente, que ainda militava na política.

É a Lorena de 1860, tão bem descrita por A. E. Zaluar, no seu livro **Peregrinação pela Província de S. Paulo.** Dizia êle: "quem visita as povoações de S. Paulo, desde o Bananal até Silveiras, não encontra em seus usos e costumes diferença alguma das províncias do Rio de Janeiro. Os hábitos de vida, as relações e natureza do comércio, o gênero de cultura são os mesmos."

E assim descrevia: "O solo, montuoso até êste ponto, principia a desdobrar-se daqui em diante em ligeiras ondulações, descobrindo ao viajante uma larga zona de planícies limitadas no horizonte pela majestosa Serra da Mantiqueira."

"A cidade", (Lorena) "edificada em uma planície mais baixa que a estrada, não ressalta à vista do caminhante."

É esta situação num vale, que distingue Lorena das outras vilas. O próprio Zaluar já o havia verificado.

Vamos dar ainda a palavra a Zaluar: "Entrando porém, na povoação descobrem-se extensas e bem alinhadas ruas, soberbos e elegantes prédios, abundantes lojas, e o movimento já denuncia a atividade de um importante centro. A posição topográfica de Lorena não podia ser melhor escolhida e tem todos os elementos para vir a ser uma das maiores cidades do interior."

E tudo isso na segunda metade do século XIX!

Essa observação coincide com a de Manoel Elpídio Pereira de Queiroz, em 1854, no seu "Diário de Viagem de Jundiaí à

Côrte", de que transcrevemos trechos, em que se refere a Lorena, quando disse "He em terreno plaino, com ruas as mais bonitas possiveis ... Lorena é uma linda villa, comprida, podendo ser ainda uma rica cidade."

Menciona, ainda, Zaluar na sua crônica várias residências da cidade, já elevada a essa categoria desde 1856. Dentre elas as dos Moreira Lima (a antiga residência de João José Moreira Lima); as dos Azevedos (de D. Maria da Guia, de João Baptista de Azevedo, filha e genro do Capitão-mor Manoel Pereira de Castro); a de Antônio Clemente dos Santos, o conhecido chefe liberal, deputado provincial e geral (casa que descrevemos como pertencendo mais tarde à Baronesa de Santa Eulália); a de D. Angelina Moreira de Azevedo, neta também do Capitão--mor, e que é hoje sede do bispado, fim para o qual foi doada por seu filho e herdeiro Dr. José Vicente de Azevedo; a de Joaquim Honorato (o filho mais môço do Capitão-mor, sogro de Bráulio); a do Major Antônio Bruno de Godoy Bueno (cunhado do capitão-mor); a do "João Catarina", marido de D. Maria Leopoldina, filha de D. Maria da Guia; a de Antônio Moreira de Castro Lima, o futuro Barão de Castro Lima, filho de D. Carlota Leopoldina, neto do Capitão-mor, e que foi mais tarde chefe liberal apaixonado. E, finalmente, a do próprio Padre Manoel Theotônio de Castro, filho do Capitão-mor Manoel Pereira de Castro, em cuja casa Zaluar estêve hospedado, sede que era do Partido Liberal e provisòriamente da própria Câmara Municipal, destruída por um incêndio. Com exceção da de Antônio Clemente, cujo neto veio a se casar ainda com Leonor, neta do Capitão-mor, filha de seu genro José Joaquim Antunes Braga, as grandes residências de Lorena eram tôdas de seus descendentes e colaterais.

Zaluar afirmava que eram edifícios dignos de figurar em quaisquer das ruas da Capital; e completava dizendo que existiam na cidade mais de setenta lojas, tôdas bem fornecidas e girando com avultados capitais.

Das casas citadas destacamos ainda a de João Baptista de Azevedo, que ali residiu e era irmão do Comendador José Vicente de Azevedo, casado também com uma filha do capitão-mor Manoel Pereira de Castro. Caprichosamente reformada mas conservando o caráter de construção colonial, pertence hoje ao seu bisneto, Dr. José Pinto Antunes, professor das Faculdades de Direito de Belo Horizonte e de São Paulo. É um verdadeiro museu de lembranças da época, especialmente de objetos que pertenceram à família; é residência hoje de seu mano João Pinto Antunes.

Cita ainda Zaluar como existentes na cidade a loja de um relojoeiro, uma fábrica de chapéus, uma indústria de couros manufaturados, além de hábeis artífices em ouro e prata.

Vemos que, mesmo depois de abalada a vila com a repercussão violenta da Revolução de 1842, prosseguiam os lorenenses numa atividade incessante, não poupando esforços. De um lado, procurando engrandecer a sua cidade, dotando-a de grandes melhoramentos, mas de outro mantendo sempre o espírito de luta, de rivalidade entre os dois partidos políticos que competiam, querendo cada qual ultrapassar o outro.

"As enormes fazendas de café e de cana produziam", como muito bem disse Maria Isaura Pereira de Queiroz, em relação ao Vale do Paraíba, no seu trabalho "A estratificação e a mobilidade social nas comunidades agrárias do Vale do Paraíba entre 1850 e 1888" (**Revista de História** — Ano 1, n.º 2). Com sua observação atilada, ela diz: "colheitas fartas que autorizavam luxo nababesco e despesas quase ilimitadas". O fator riqueza, a proximidade da Côrte, meios de comunicação fáceis para a época, com estradas transitáveis, ajudavam êsse progresso.

Os casamentos entre os dois ramos abastados da família, o dos liberais sob a chefia dos descendentes diretos do Capitão-mor Manoel Pereira de Castro, e dos conservadores, dirigidos pelo Comendador José Vicente de Azevedo, concorreram também para que as riquezas se acumulassem, embora provocando discórdias e separações.

A crônica de Zaluar já nos deixa sentir a vida de largueza, de luxo e de opulência que mantinha a família do Capitão-mor, mesmo depois de êle ter "falecido da vida presente".

No **Jornal do Comércio** do Rio de Janeiro, Affonso Taunay, em 1936, publicou uma série de crônicas sôbre o Vale do Paraíba. Na de 27 de dezembro, ocupa-se do trecho de Lorena a Bananal e faz uma apreciação sôbre a descrição de Zaluar, tecendo considerações próprias.

Diz êle que "quatro estradas importantes cruzavam-se em Lorena. A geral, de São Paulo a Lorena; a de Mambucaba a Parati, por onde se fazia o comércio de Lorena; e a de Silveiras, ambas em lastimoso estado, por serras escarpadas e péssimos caminhos; e a de Minas, de tal importância que, segundo constava, por ali passavam por ano mais de 20.000 animais, fazendo o comércio com a Côrte. Zaluar, na sua crônica de viagem de 1860, já cita a igreja matriz, de taipa socada, ainda por terminar mas que chama de "templo grandioso", situada numa velha praça, em frente ao pôrto Guaipacaré e donde se avista uma velha ponte sôbre o Rio Paraíba, ponte essa que acabou em ruínas, até desaparecer devido ao deslocamento no leito do Rio.

Ao referir-se a Joaquim José Moreira Lima, o genro do Capitão-mor, afirma Zaluar "que era português e juntara enorme fortuna". Passou, em certa época, por ser o maior capitalista da Província de São Paulo, possuindo como proprietário e como credor mais de sessenta fazendas de café e cana, entre outras a do Campinho, em Lorena. Faleceu em 1879, e sua espôsa, dona Carlota Leopoldina de Castro Lima, foi, depois de viúva, agraciada por Dom Pedro II com o título de Viscondessa de Castro Lima.

Conta ainda Zaluar que havia na época em Lorena quatro escolas, das quais só uma particular.

ESCOLAS DE LORENA

Prova do zêlo dos lorenenses pelo progresso de sua vila temos na notícia de que, pela Lei n.º 7, de 4 de março de 1843, foi criada uma cadeira de primeiras letras para o sexo feminino e em 20 de fevereiro de 1866 uma segunda cadeira para o sexo masculino e outra para o sexo feminino, completadas por uma terceira para cada um dos sexos em março de 1874 (publicadas no **Repertório das Leis de S. Paulo de 1835 e 1875**, por João Carlos da Silva Telles).

Em 1849 já havia sido criada também uma cadeira de Gramática Latina (Lei de 21 de março).

São numerosas as leis publicadas relativas a melhoramentos na cidade, dentre as quais destacamos a de abril de 1868, em que a Câmara Municipal estava autorizada a contrair um empréstimo de 4:000$000 para encanamento de água potável, no que serão aplicados os produtos de rendas municipais.

Sôbre as escolas podemos acrescentar alguns detalhes: numa escola régia funcionava uma aula de latim e francês, curso criado pelo Padre Manoel Theotônio. Sempre o mesmo zêlo da família, promovendo tudo que pudesse trazer progresso para a população. Damos a seguir o resumo do quadro de freqüência nessa escola, em 1865, há mais de um século, portanto, bem como da aula de latim e francês.

São de admirar êsses resumos que acusam todos os movimentos dessas escolas. A particular era dirigida pelo professor Francisco Gonçalves Ramos, de Lorena, documento com data de 30 de setembro de 1865. O mapa acusa 27 alunos, dos quais um de 9 anos de idade, neto de D. Carlota Leopoldina, bisneto, portanto, do Capitão-mor — Arlindo Theóphilo Antunes Braga — nascido em 1856, e que foi mais tarde vereador, Presidente da Câmara em Lorena, Comendador da Ordem da Rosa e diretor de um grande engenho central, instalado na cidade, de sociedade com vários primos. Dos outros alunos, dois eram seus parentes do ramo Godoy Bueno, sete eram filhos de pais incógnitos, e um de côr parda, revelando tudo isso o espírito liberal da família. Quanto ao adiantamento dos alunos, assinala o progresso em Caligrafia, Leitura, Doutrina Cristã, Aritmética, Gramática Nacional e Procedimento. É de salientar que um já vem apontado como conhecendo "Regras de juros e câmbio". Quanto ao comportamento, todos têm assinalado "BOM". (Doc. n.º 33, pág. 280.)

O outro mapa que possuímos, de 1860, é um inventário dos "móveis e utensis" (sic) que se dão para as "cadeiras de Latim e Francez e de primeiras letras do sexo masculino na Freguezia do Embaú e da Capela da Caxoeira, do Distrito de Lorena".

Da "Cadeira de Latim e Francez da Cidade de Lorena", que foi criada pelo Padre Manoel Theotônio, como vimos, constam uma mesa de cinco palmos em quadro e uma cadeira para o professor, orçadas em 40$000, mais 2 bancos de dez palmos de cumprido (sic), por 9$000. Um tinteiro e areieiro (com areia para secar a escrita), por 1$600. Para a "Cadeira de primeiras letras", como diz o mapa, os mesmos objetos, sendo três os bancos, uma campainha, um canivete fino e um ordinário (para o aparo dos "lápis de pedra"), esponjas, lousas, canetas de latão (hoje seriam plásticas e esferográficas...), 30 traslados surtidos (sic) (não havia ainda cartilhas impressas na época). Em resumo, importava tudo em rs. 209$320 e trazia a assinatura do conferente Manoel Francisco da Costa Silveira da "Secretaria da Inspetoria Geral de Instrução Pública de São Paulo", em 20 de setembro de 1860. Havia já fiscalização por um órgão central do govêrno, há mais de um século.

A apreciação dessa época, feita através de documentos autênticos, melhor deixará sentir o espírito de realização dos lorenenses.

Dedicamos um capítulo especial ao estudo da personalidade do Coronel José Vicente de Azevedo, filho do Comendador e neto do Capitão-mor Manoel Pereira de Castro, dada a sua grande projeção na política e na vida social de Lorena, durante a sua curta existência.

CAPÍTULO – VIII

CORONEL JOSÉ VICENTE DE AZEVEDO

Nascido em berço de ouro, tinha José Vicente 10 anos incompletos, como vimos pela fôlha de partilha dos bens que lhe couberam, por ocasião da morte de seu pai, o Comendador português José Vicente de Azevedo (guarda de honra da Casa Imperial de Pedro I e fidalgo da Casa Imperial de Pedro II), "falecido da vida presente", em Lorena, em 1844.

"Menino da Casa Grande", neto do Capitão-mor, iniciou José Vicente seus estudos na Côrte, ainda em vida de seu pai, entrando para um dos colégios de maior fama da época, o "Colégio de Instrução Elementar", na Rua do Lavradio. Encontramos no **Jornal do Comércio** de 1850 uma referência a êsse colégio que, apesar da denominação, de Colégio de Instrução Elementar, ensinava Álgebra, Geometria, Gramática Portuguêsa, Francesa, Latina, Alemã e Grega, Retórica e Filosofia. Os pensionistas pagavam 30$000 por trimestre, meios pensionistas 15$000, e externos 6$000. Mantinha cursos extra de piano, dança, desenho, italiano, escrituração mercantil. Mostrou José Vicente desde jovem grande inclinação para o desenho, e possuímos trabalhos seus, feitos nesse Colégio, em 1847, com 13 anos de idade, depois do falecimento do Comendador, portanto. Donde concluímos que sua dedicada mãe, D. Maria da Guia, a filha mais velha do Capitão-mor, não se descuidou da educação de seus filhos. Chegou mesmo o seu filho José Vicente a ingressar no tradicional Colégio Pedro II, no Rio, mas teve de assumir muito cedo o papel de chefe de família, sendo êle o filho mais velho e tendo quase nove anos mais do que o único irmão, Pedro Miguel.

Assim é que, em 1850, com 16 anos de idade, julgou-se na obrigação de voltar para a companhia de sua mãe, em Lorena. Tendo falecido em 1846 o seu avô materno, o Capitão-mor, que lhe servia de tutor, tornou-se chefe da família. Com compreensão da situação veio assumir o seu papel. Dotado de peregrina inteligência, com um temperamento vibrante, tendo assistido desde criança as lutas políticas de seu pai e as perseguições que sofrera, prosseguiu na mesma senda e serviu com tôda a dedicação o Partido Conservador.

SUAS LUTAS POLÍTICAS

Desde 1840, por ocasião da maioridade de Pedro II, o Partido Liberal, sob a direção do Padre Manoel Theotônio de Castro, tomou grande impulso em Lorena e pleiteou as eleições, conseguindo vencê-las. A política fervia. Quedas de Ministério, subida de partido contrário, dissolução da Câmara, perseguições, prisões, tudo isso ocupava aquêle cérebro exaltado. Com 8 anos apenas fôra testemunha da revista em sua casa, da fuga do Comendador seu pai, que se abrigou numa fazenda amiga, em Guaratinguetá. Homem sensato, foi por tudo isso naturalmente que o Comendador José Vicente levou o filho para o Colégio, na Côrte. Mas as circunstâncias da vida trouxeram-no de volta, como vimos, de nôvo para o foco das lutas, em plena adolescência. Arrastado pela paixão, toma decisões, reorganiza o Partido Conservador, fazendo frente ao poderoso chefe liberal, seu tio, o Padre Manoel Theotônio de Castro.

Desde 1842, Lorena tornara-se um reflexo do que se passava na Côrte. Rebentara nas Províncias de Minas e de São Paulo um movimento revolucionário. Em São Paulo era chefe Raphael Tobias de Aguiar, que de Sorocaba marchava com as fôrças rebeldes em direção à Capital da Província.

Em Lorena era grande a exaltação dos ânimos. Ao chefe liberal Padre Manoel Theotônio opunha-se como vimos seu cunhado o Comendador José Vicente, chefe do Partido Conservador, falecido em 1844.

O foco permaneceu; debaixo das cinzas o fogo crepitava, até que, abandonando seus estudos na Côrte, o filho do chefe conservador resolveu vingar-se e tomar seu lugar na luta. Na sua biografia lemos que a sua primeira nomeação para cargo público foi de 2.º suplente de subdelegado de Polícia, por decreto de 10 de dezembro de 1852.

Em 4 de maio de 1852, anteriormente, portanto, casara-se, com apenas 18 anos, com sua prima Angelina, neta também do Capitão-mor Manoel Pereira de Castro, filha do liberal José Joaquim Moreira Lima. Eram mais dois netos do Capitão-mor que se consorciavam: êle, filho de D. Maria da Guia e ela de D. Carlota Leopoldina, filhas ambas do Capitão-mor.

O Capitão e depois Coronel José Vicente, nome com que se popularizou o jovem conservador, encetou também a sua vida pública na cidade e graças às suas excelsas qualidades tornou-se um adversário temível.

Em 10 de dezembro de 1852, com 19 anos incompletos, a sua nomeação para segundo suplente de subdelegado provocou, como era de esperar, grande indignação por parte de seus inimigos. Apesar da pouca idade, José Vicente já se revelava político combativo. Não esmorecia, mas os seus adversários continuavam implacáveis.

Lorena, embora em tranqüilidade aparente, continuava sob o domínio dos adversários de seu pai, muitos dos quais os mesmos que o tinham feito chorar nos dias sinistros de 1842.

Era preciso não descansar no trabalho a que se propunha o jovem José Vicente. Alimentou por muitos anos êsse ideal e foi pouco a pouco adquirindo terreno. "A política foi tôda a sua esperança, sua vida, sua glória e finalmente seu calvário" (Biografia anônima do Coronel José Vicente de Azevedo, impressa em São Paulo em 1883).

Desde setembro de 1853, com apenas 19 anos, foi nomeado pelo Presidente da Província, Dr. Josino do Nascimento Silva, Delegado de Polícia da Vila de Lorena (Decreto de 22-9-1853). Haviam recomeçado as lutas políticas. Os seus adversários liberais tramaram contra êsse ato com enérgico protesto. (Doc. n.º 35, pág. 128.) (Outros documentos vêm confirmar essas lutas no apêndice do livro.)

O Dr. José Antônio Saraiva, que era então Presidente da Província, e ex-Presidente do Conselho de Ministros, a 4 de dezembro de 1853 escrevia ao Delegado José Vicente: "A presidência o separa dos partidarios exagerados, confia na sua illustração, e folga de ver, por seus actos, que se compenetra da necessidade que temos de subordinar as affeições politicas, ao interêsse do partido, à punição do crime e à conveniência de moralizar-se o paiz." Como delegado eletivo de Polícia, serviu até 25 de agôsto de 1854, quando pediu demissão.

O Conselheiro Antônio José Henrique referiu-se à sua "robusta actividade, dedicação e intelligência" nos negócios que empreendia.

Em 18 de maio de 1854, quando promovido a Capitão da Guarda Nacional, foi o principal animador do renascimento do Partido Conservador em Lorena. Além dessa atividade, teve papel saliente em tôdas as iniciativas sociais e assistenciais da cidade, continuando na trilha de seus antepassados.

Em 2 de agôsto de 1853 foi nomeado inspetor da instrução pública do distrito, lugar que ocupou até a sua morte, "sempre com muito zelo e intelligencia", como por vêzes atestou o Inspetor Geral, Dr. Diogo de Mendonça Pinto. Encontramos no arquivo um envelope com os seguintes têrmos:

"S. P.

Illm.º Sr. Cap.º José Vicente d'Azevedo.

Inspector da Instrução Publica do Districto de Lorena

(Do Inspector Geral da Instrução Publica)

São Paulo, 27 de Março de 1857", o que confirma a sua função de Inspetor da Instrução Pública em Lorena.

Foi eleito deputado provincial na legislatura de 1854 a 1855, com 20 anos incompletos, tendo tomado assento e prestado relevantes serviços a diversas localidades do norte da Província, principalmente a Lorena, que foi então bem aquinhoada pela Assembléia e atendida pelo govêrno nas suas pretensões. Por portaria do Presidente da Província, de 18 de maio de 1854, foi também nomeado suplente de Juiz Municipal e de Órfãos de Lorena, por um quatriênio. A 1.º de junho do mesmo ano teve a patente de Capitão da Guarda Nacional.

Afastado por algum tempo das funções policiais, voltou a ser Delegado mais tarde, por nomeação de 23 de março de 1861, e conservou-se no cargo até 1864, quando deixou a presidência da Província o honrado paulista Conselheiro Vicente Pires da Motta, seu amigo dedicado.

Em contraposição ao que informavam seus adversários, nos três anos em que exerceu novamente as funções de Delegado (1861-1864) foi sempre muito elogiado. "Garantia a tranqüilidade pública, efetuando prisões de criminosos, que continuavam perturbando a vida da população. Como Comandante da Guarda fardou, deu armas e sustentou à sua custa um corpo policial contratado, concorrendo assim com seus bens para encargos de ordem pública." (Tôda essas informações foram extraídas da sua biografia, publicada em 1883, pág. 14.)

Diante dêste testemunho, o govêrno provincial, em datas de 21 de maio de 1861, de 24 de setembro de 1862, de 16 de maio e de 15 de junho de 1863, elogiou-o pelo Juiz de Direito da Comarca, Dr. Antônio Carneiro de Campos. A própria Câmara Municipal de Lorena, liberal, sob a presidência do Padre Manoel Theotônio de Castro, por ofícios de 28 de setembro e 29 de dezembro de 1861, entre outros, salientou os serviços por êle prestados à causa pública, com "zelo e actividade" que o tornaram sempre "digno de louvor por todos os seus actos de autoridade". (Pág. 14, Biografia.)

Dos presidentes da Província, sob a administração dos quais serviu, recebeu sempre as melhores provas de aprêço, distinção e estima.

O Dr. João Jacintho de Mendonça, a 4 de setembro de 1862, disse que, durante tôda a sua administração, José Vicente, Delegado de Polícia de Lorena, cumpriu os deveres de seu cargo de modo digno dos maiores elogios.

O Conselheiro Vicente Pires da Motta, instado por inimigos políticos de José Vicente, que empregavam os maiores empenhos para a sua demissão, defendendo o Partido Liberal, respondeu que "prouvera a Deus a presidência contasse com muitos auxiliares como êle, sempre solícito no cumprimento de seus deveres e notável especialmente pela energia empregada na perseguição do crime, no que sua dedicação o levava até a despender não pequenas quantias"; — e não consentiu nunca nas imposições que a êsse respeito se lhe pretendeu fazer, apesar de repetidas solicitações de José Vicente para deixar a delegacia e não criar embaraços à administração.

Nunca Lorena foi tão bem policiada como no seu tempo. Cessou o uso ostensivo de armas proibidas; as posturas municipais eram observadas; os criminosos não se atreviam a passear como em outras épocas pelas ruas da cidade, pois eram perseguidos nos seus próprios esconderijos. É assim a sociedade lorenense pôde passar melhores dias. As estatísticas do crime diminuíram, coincidiu com isso a abertura de novas escolas e o desenvolvimento do gôsto pela instrução.

Apesar disso, enviou a Câmara de Lorena ao Presidente uma consulta informando: "se verifica que este homem é menor de 21 annos de idade, tanto que não foi ainda qualificado votante", motivo pelo qual se achava "em dúvida se devia ou não conferir-lhe a posse e juramento" baseado nos artigos 26 do Regulamento de 21 de janeiro de 1842 e 928 — 1.º da Constituição do Império. Indaga "o que deve com acerto proceder neste caso à vista d'um documento" que transcreveu juntamente com o seguinte requerimento (Doc. n.º 34-A):

> "Nuno José Olivas, Secretario da Camara Municipal d'esta Villa, em cumprimento d'ordem da referida Camara percisa que V. Rma. em face dos Livros de assentos de Baptisado n'esta Parochia passe por Certidão o inteiro theor do assento de Baptismo de José Vicente d'Asevedo, filho do finado José Vicente de Azevedo, pelo que
>
> R. M.".

E a resposta.

"Certifico, que a fls. 42 do livro 11.º de assentos de baptisado de brancos e libertos desta Parochia de Lorena acha-se o assento do theor seguinte — José. Aos desesseis de Fevereiro de 1852 [por extenso] autorisado abro o assento seguinte — Aos seis de Abril de 1834, [idem] nesta Matriz de Lorena o Padre Manoel Theotonio de Castro [!!!] baptisou e poz os Santos Oleos a José, filho legitimo de José Vicente de Azevedo e de Dona Maria Pereira da Guia: forão Padrinhos o Capitão-mor Manoel Pereira de Castro, hoje fallecido e Dona Anna Vicencia de Azevedo, todos fregueses desta Parochia. O Vigario Candido José de Castro — Nada mais continha o dito assento ao qual e ao Livro respectivo me reporto e afirmo por Sancta Dei Evangelia. Lorena, 22 de Julho de 1854. O Vigario Justino José de Lorena."

O ofício enviado pela Câmara trazia as assinaturas de vários membros do Partido Liberal, dentre os quais o Coronel Marciano Máximo Franco, que o Coronel Manoel Elpídio Pereira de Queiroz, no seu Diário de Viagem, cita juntamente com o Padre Manoel Theotônio, Antônio Clemente e o Padre Justino como pessoas com quem estêve em Lorena, por ocasião da sua passagem, em 1854.

Protestando ainda contra a primeira nomeação para 2.º suplente de Subdelegado, do qual já se achava em exercício o jovem José Vicente, diz êsse ofício que a Câmara "em outra occasião — irrefletidamente — defferio juramento a este homem, sem que tivesse conhecimento do documento que ora tem a honra de levar ao conhecimento de V. Excia." E prossegue: "Cumprindo esta Câmara com huma de suas obrigações determina pelo art. 58 da Lei de 1.º de Outubro de 1828 e faz chegar ao conhecimento de V. Excia. os gravissimos veixames e perseguições acerrimas que continuamente soffrem os pacificos habitantes deste Municipio com as arbitrariedades, violencias e prevaricações d'este Empregado Publico, desde que assumiu a jurisdição de 2.º Supplente, afim de que, tomadas na devida consideração digne-se V. Excia. dar as providencias que julgar convenientes a bem da justiça e da tranquilidade d'este Município."

Estava acesa a luta entre os dois partidos, um dos quais sob a direção de um jovem de 19 anos.

Para provar as suas alegações referem ainda os signatários da acusação que "em Agosto p. p., por ocasião das festividades da Padroeira n'esta Villa" (tradição que dura até nossos dias) "forão tantas as arbitrariedades d'este **Empregado,** já com insultos e individuos no recinto do Templo, já com prisões sem motivos legaes, e até finalmente com estridor d'armas pelas praças de Permanentes aqui estacionadas que com alarme percorriam as ruas a toda hora, obrigaram ao Delegado de então, Ignacio Monteiro de Noronha, a assumir a jurisdição não ainda bem restabelecido de sua saude". E continua: "grande foi a magua que sofreo o povo deste Município quando vio exonerado do emprego este Cidadão honesto e substituido por aquelle bajoujo sem habilitação alguma para tão importante emprego."

Outra perseguição "desvairada" diziam estar êle desenvolvendo contra o povo, que é o recrutamento sem ordem e sem prudência, prendendo indivíduos pacíficos, cujos nomes mencionava, provocando pânico na população. O recrutamento era uma pena imposta aos inimigos políticos, aos simpatizantes da oposição, com o fim de evitar votos contrários. Alegavam ainda ter êle feito prisões à porta do Templo, à saída do povo, por soldados ali postados, além de outros que percorriam as ruas, com escolta. Diziam que, devido a isso, o comércio estava quase paralisado, havia falta de víveres e sofrimento de todos, especialmente da pobreza. Acusavam-no também de exigir que um guarda policial ingressasse no destacamento da cadeia quando se achava doente, prendendo-o à fôrça pela escolta e negando admissão ao seu substituto. Um outro civil pacífico, Daniel Gonçalves, havia sido prêso arbitràriamente pela mesma escolta em sua casa; e como resistisse descarregaram-lhe golpes e pancadas, ficando mortalmente ferido e alcijado se sobrevivesse. Completavam dizendo: "A Camara se tornaria enfadonha se propusesse a descrever as arbitrariedades e violencias que tem este homem desenvolvido com a influencia da jurisdição que serve." Acabavam pedindo providências e assinavam:

"Sessão extraordinária de 31 de outubro de 1853.

(a) Joaquim Honorato Pereira de Castro.
Antonio Bruno de Godoy Bueno
Marciano Maximo Franco
José Joaquim da Silva Caldas
João Baptista da Silva Viado."

Nôvo ofício enviou ainda a Câmara ao mesmo presidente informando que, pretendendo "aquelle menor se conservar no emprego de que se achava empossado", declara falsa a certidão "por meio de uma ephemera justificação promovida no Juizo Municipal" e pediu "que se exijam do Vigário minuciosas explicações a respeito".

Alegavam que a dita pessoa não tem capacidade alguma, "não só por ser menor como por se ter tornado um accelerado desordeiro, que com sua bravuras insolitas e desregradas tem anarquisado o Municipio". Para evitar "scenas de horror e desgraça" e para "a conservação da paz e da tranquilidade publica", "experam que as providencias sejam dadas". Referem muitas arbitrariedades dentre as quais as agressões sofridas por um adverçario (sic), João Rodrigues Junqueira, homem pobre, casado, com sete filhinhos e que, ao apresentar queixa ao Delegado, teve ordem de prisão e foi depois atingido pela escolta de permanentes em sua própria casa, vindo a falecer em conseqüência. Surgiu daí uma altercação entre os soldados da Guarda e o Juiz, ao qual não reconheceram autoridade e alvejaram com armas. Perguntavam então: "O Delegado que assim procede póde ser conservado no emprego que exerce? E a pobre Lorena, que antes de tal escolta vivia em completa paz, espera que a representação da Camara faça com que esses males sejam remediados". Para prova da idade de José Vicente pediram certidão do título de herdeiro do inventário do Comendador José Vicente. Continuava a luta entre os dois partidos e Lorena alvoroçada.

Eram tôdas essas informações caluniosas levantadas pelos liberais. Do lado dos conservadores as informações eram bem diversas, como provam os documentos.

Ouçamos o que diziam: "A primeira nomeação de José Vicente foi por portaria de 10 de dezembro de 1852. E, tendo de exercer autoridade, por tal modo se houve, sobretudo nos meios que empregou para a extinção de uma quadrilha de ladrões de escravos existente no Embahú, — sendo muitos dos ladrões prezos, processados e condenados", que o presidente da Província expediu uma portaria, em data de 18 de julho de 1853, louvando-o "por sua inexcedível diligencia, atividade e zelo."

Nôvo ofício da "Camara Municipal da Villa de Lorena" foi enviado em 24 de julho de 1854, ao Presidente da Província, Dr. José Antônio Saraiva, em que assinavam também os chefes Liberais Antônio Clemente dos Santos e Antônio Moreira de Castro Lima (irmão de D. Angelina, a espôsa do próprio José Vicente), além dos signatários do primeiro. (Doc. n.º 35.)

Escrito num papel de ofício que já não se usa, com 50 cm. de comprimento por 30 de largura, começava implorando uma decisão para a representação anterior. Declarava ser "principio incontroverso que nenhum cidadão, posto que casado, possa exercer direitos políticos, ser delegado de polícia quando não tenha completado vinte e um anos." "Ora, esta Camara provou perante o antecessor de V. Excia. que o cidadão José Vicente de Azevedo não tinha idade." Alegam que a decisão foi tomada perante um tribunal "com todas solenidades legaes e assistencia do Dr. Promotor da Comarca". Esperavam, chegadas as coisas "a este subido ponto", tivesse a questão uma solução ampla, como chamam, em tudo conforme a verdade.

Em portaria de 18 de maio o Presidente anterior da Província, Josino do Nascimento Silva, já havia determinado à Câmara de Lorena que nomeasse e deferisse juramento ao cidadão José Vicente na qualidade de "Suplente de Juiz Municipal e de Orfãos da Vila, por um quatriênnio". A Câmara protestou noutro ofício: "Cônscia como está da falta absoluta de experiência e pouca idade do cidadão, teme conflitos de jurisdição entre as primeiras autoridades do municipio" e "receia que se repitam os fatos que angustiarão e ainda agora contristão os corações dos pacificos e ordeiros habitantes desta Villa por esta falta de idade, ficando os seus pleitos eivados de inçanaveis nullidades". E logo adiante: "Sendo V. Excia. delegado d'um Governo que tanto tem promettido fazer executar as leis com fidelidade, approximar os espiritos, fazer cessar os sofrimentos que pesão desgraçadamente ha annos sobre uma numerosissima parte da população do paiz, não póde deixar de attender benigno a uma tão justa reclamação. (Alusão clara à fôrça momentânea do Partido Conservador, a que pertencia "o individuo de pouca idade".) E chegavam a ameaçar o próprio Presidente da Província, dizendo que esperavam que pautará os seus atos pela justiça, única maneira de não comprometer "o futuro de V. Excia., que, por assim dizer, dá os primeiros passos na carreira publica".

Numa representação que enviou em resposta, ao juiz de Direito da Comarca, a respeito da sua designação para juiz municipal, assim se expressa José Vicente (cópia de um documento que possuímos, do seu próprio punho): "Quando um empregado publico serve um cargo com o unico fim de prestar seu fraco contingente a bem do Serviço Público, é sobremaneira doloroso que a baba peçonhenta da calunia pretenda tocar seus atos para desvirtua-los e dar-lhes um carater criminoso." Aceitou, dizia êle, o cargo de 1.º suplente de juiz municipal da cidade porque desde os primeiros anos de sua vida pública acostumou-se a não recusar qualquer sacrifício em bem do seu município e entendia ser um dever sujeitar-se ao pesado ônus de um cargo para que não tinha as necessárias habilitações, prometendo tudo fazer para corresponder à Alta confiança que o Govêrno da província havia nêle depositado.

A respeito de uma questão de medição de sesmaria de João Antônio Nogueira e sua mulher, Feliciana Joaquina do Amor

Divino, que apelaram depois do ato da demarcação, dizia que "a apelação era uma chicana, uma estratégia, um ardil empregado para protelar o ato". Esperava tranqüilo a decisão final do processo; "e seja qual fôr respeita-la-á como a decisão de um Juiz competente, guardando bem no fundo da consciencia a satisfação de ter bem agido". (Doc. n.º 36, pág. 291.)

Era êsse o homem que o Partido Liberal pretendia anular, o que só por meios violentos conseguiu finalmente. Apaixonado, exaltado êle era, mas amante da justiça.

Da sua correspondência política consta ainda uma nota enviada em 30 de março de 1854 à redação do jornal **Ipiranga**, a respeito de trechos de uma carta sua publicada naquela fôlha, endereçada a um seu amigo já falecido e que o fazia em têrmos jocosos, dada a intimidade que com êle tinha ("Sendo êle um homem, de 80 anos e eu uma criança [tinha 20 anos] já se pode avaliar da confiança que entre nós havia". "O meu fim era unicamente achincalhar a oposição de Lorena", diz noutro trecho. "E si as razões não bastassem seria obrigado a faltar ao respeito devido às cinzas d'um amigo verdadeiro, embora d'um partido contrario" ao seu e um de seus chefes, publicando as cartas que motivaram tais respostas. "Não pensem os Snrs. do "Ipiranga" que é minha intenção dar-lhe satisfações e ainda menos aos **mandões** [grifado] de Lorena". "O que mais sentem é nunca terem podido me bigodear...". A que ponto tinha chegado a repercussão da luta em Lorena!

Como vemos, era só de rixas, disputas e injúrias o clima da cidade. O caso é que a luta não atingiu o seu fim porque o filho do Comendador José Vicente de Azevedo continuou galgando novas posições, depois de permanecer nos postos para que havia sido nomeado.

Era o prestígio do Partido Conservador que o mantinha sempre, com indignação dos liberais, chefiados por seu tio, o Padre Manoel Theotônio de Castro, que também já havia sido por sua vez eleito deputado provincial anteriormente, como representante do povo de Lorena, enquanto imperou o Partido Liberal.

E a luta entre liberais e conservadores não conseguiu toldar o prestígio de Lorena, que, justamente nessa época (24-4-1856), foi elevada à categoria de cidade.

Sendo a crônica de Zaluar posterior, de 1860, vemos que o progresso continuava. O prestígio do Capitão José Vicente era inegável.

Veio a Guerra do Paraguai. Voluntários foram chamados. E a Guarda Nacional foi convocada. O Partido Liberal, que estava no poder, incrementava o alistamento, usando de meios ilícitos. Compravam escravos para alistar e davam títulos nobiliárquicos aos seus senhores como recompensa. "As veneras e os títulos se trocavam por soldados", diz uma crônica da época, e isso provocou grande revolta. Em conseqüência, caiu o Partido Liberal e o grande chefe conservador Visconde de Itaboraí, compôs nôvo gabinete.

O BARÃO DE ITAÚNA

O Barão de Itaúna, Presidente da Província, incumbiu José Vicente d'Azevedo de assumir o comando geral da Guarda Nacional e da polícia. Os seus adversários continuavam irredutíveis e cada vez mais agressivos. Possuímos um ofício dêsse presidente, datado de 6 de outubro de 1860, ao ex-Presidente da Câmara Municipal, solicitando informações sôbre um ofício do ex-Comandante Superior da Guarda Nacional e relativo ao atual Comandante que era José Vicente. O ex-Comandante signatário a que se refere é ainda Antônio Moreira de Castro Lima, posteriormente Barão de Castro Lima, filho de D. Carlota Leopoldina e irmão de D. Angelina, a mulher de José Vicente d'Azevedo, o acusado. É um palavrório de seis páginas de papel almaço em que começa dizendo que não pretende reclamar a sua reintegração no Comando, conferido a um de seus capitães (José Vicente) e de que fôra "injustamente suspenso"... Acusa o seu "Capitão" de ter sido inoperante, e que se não fôsse a sua benevolência já estaria êle dispensado. Queixa-se das tropelias e irregularidades do nôvo comandante, "êsse homem para quem nunca houve lei nem justiça". (Doc. n.º 37, pág. 293.)

São amargas as suas queixas, injustas, falsas e muito inexpressivas: "Quero porque quero", diz êle ser a regra do nôvo comandante. Conta perseguições feitas por êle aos da Reserva, além de injustiças cometidas para com adversários, velhos e aleijados. Começou afixando a ordem do dia "como um pasquim em tôdas as esquinas, achincalhando o ex-comandante, que era o próprio cunhado".

José Vicente rebateu essas acusações com altivez, num documento de que nos deixou cópia. A respeito da alegação de seu cunhado Antônio Moreira de Castro Lima, de que não conseguira ver os livros da Guarda, conta que enquanto êle foi comandante superior os trazia trancados na sua casa e nunca os cumpriu. (Doc. n.º 38, pág. 296.)

Apoiado em tudo pelo Padre Theotônio, seu tio, então Presidente da Câmara, Antônio Moreira de Castro Lima chegou a negar o ato da nomeação do nôvo comandante, que era José Vicente.

Não entramos nos detalhes que eram de interêsse puramente regional e com brigas de campanário, mas o caso é que o nôvo comandante superior enumerou as irregularidades de seu antecessor, as nomeações e condecorações concedidas e termina dizendo que "na sua consciencia ele próprio deve reconhecer não ter prestado serviço de qualidade alguma em relação à guerra, embora condecorado por um governo com interêsses directos no pleito do distrito". Terminava a Guerra do Paraguai e a propósito temos um documento interessante e bastante original. À falta de jornais e à vista da dificuldade de informar a população, do que o rádio hoje se incumbe, o comandante superior José Vicente de Azevedo fêz espalhar pela cidade boletins impressos de que encontramos no arquivo um exemplar e juntamos aos documentos. (Doc. n.º 39, pág. 299.) Em manuscrito, com a caligrafia típica de D. Angelina, sua mulher, estão as seguintes palavras: "Quinta-feira 17 as ave marias", isto é, seis horas da tarde, como se diz até hoje.

As provocações continuaram de parte a parte, agitando mais uma vez o ambiente da cidade. Diz o ex-comandante que, além de perseguir os inválidos, o seu sucessor dissolveu os Conselhos de Qualificação, dispensando-os caso não votassem com êle em janeiro. Cita nominalmente os guardas perseguidos.

"É assim que esta pacífica cidade", como conclui, "digna de melhor sorte, jaz num estado de alarma. Ninguém conta com justiça, muita gente já se tem refugiado para as rossas e muitos já fallão em sua mudança do município para fóra, taes são as tropelias e arbitrariedades do novo chefe. A bem do socego desta pobre gente que desespera é que tenho a honra de dirigir-me a V. Excia. para pedir providencias. Será o maior serviço que V. Excia. pode prestar aos Lorenenses na actualidade calamitosa por que estão passando." E quem assim se exprimia? Seu cunhado, Antônio Moreira de Castro Lima. Era isto a política no interior, ameaças, perseguições e calúnias.

Mas os ouvidos dos conservadores eram surdos para as denúncias de liberais. E José Vicente saiu vencedor nas eleições municipais e depois nas gerais, sem violências, num ambiente de tranqüilidade absoluta. Ficou firmada a sua situação política e os Conservadores no poder.

Com isso, a sua influência crescia, espalhava-se pelas vilas e cidades próximas, estendia-se até a Côrte. Era grande o seu realce no partido. E; num gesto de nobreza, muito condizente com o seu belo caráter, com a superioridade do seu espírito, procurou fazer uma política de conciliação. São suas as seguintes palavras: "Não há mais vencidos, sejamos todos bons conterrâneos, parentes e irmãos e tenhamos uma só bandeira — a da prosperidade da nossa querida Lorena". Mas, nem assim quiseram ouvi-lo. Os ódios partidários sobrepunham-se ao amor da terra. E os liberais não perdoavam o grande chefe conservador que, com pouco mais de 30 anos, era um dos homens de maior prestígio na zona, estimado e admirado por todos pela sua distinção, pela sua cultura, pelos benefícios que proporcionou à cidade e aos seus conterrâneos.

A guerra servia de pretexto para os maiores abusos, como dissemos. As perseguições revoltavam o povo, que era o único atingido.

As autoridades, os nobres, os poderosos, nada sofriam. Mas a situação não podia continuar. E em 16 de julho de 1868 formou nôvo gabinete o Visconde de Itaboraí — um dos chefes conservadores. Estavam de nôvo os conservadores no poder.

Na **Galeria dos Presidentes de S. Paulo,** vol. I, Eugênio Egas, ao tratar da gestão do Barão de Itaúna (26 de agôsto de 1868 a 25 de abril de 1869), referindo-se ao relatório por êle apresentado ao terceiro vice-presidente, Antônio Joaquim da Rosa, a 25 de abril de 1869, quando se ausentou do país acompanhando o Imperador, assim relata:

"**Tranquilidade Publica** — Apesar das duas eleições populares, setembro de 1868 e janeiro de 1869, a ordem publica não foi alterada em qualquer localidade. Este resultado foi devido ao caracter pacifico dos paulistas que não ouviram conselhos imprudentes da opposição systematica que chegou a recommendar desobediencia e resistencia armada. O presidente assegurou plena liberdade eleitoral, não enviando força para nenhuma localidade e recommendando todo o respeito ao direito de voto.

"A opposição (que era o Partido Liberal) absteve-se do pleito allegando violencias e arbitrariedades do governo no recrutamento para o Exercito e designação de guardas nacionaes para o serviço de guerra.

"O presidente discordava dessas allegações que para elle eram infundadas. Durante a administração do presidente José Tavares Bastos, em 1867, foram remettidos para o theatro da guerra 1.331 homens, sendo 693 recrutas e 419 designados. Durante a administração do presidente Itaúna foram remettidos, antes e depois das eleições, apenas 25 guardas nacionaes designados e 72 recrutas.

"**Segurança Individual** — Os attentados contra a vida e bens tinham diminuido e muito em relação aos annos anteriores, o que provava, no entender do presidente, augmento de civilisação. Em 1867, foram commetidos 386 crimes na Provincia toda, e em 1868, apenas 270, dos quaes 10 publicos, 254 particulares e 6 policiaes. O presidente assignalava como prova de moralidade publica provincial o facto de serem raros os crimes contra a propriedade. Os demais delictos tinham por motivo a ignorancia, ciumes ou questão de terras porque a depravação de costumes era desconhecida da Provincia.

"**O presidente registrou o gravissivo attentado do dia 19 de fevereiro de 1869 contra o prestante cidadão, Coronel José Vicente de Azevedo,** que, em caminho para a sua fazenda, municipio de Lorena, foi assassinado por dois tiros desferidos de emboscada. A importancia social da victima tornou o crime ainda mais horroroso e profundo o abalo em todos os circulos das suas relações publicas e particulares. O chefe de Policia partiu para o lugar do delicto e conseguiu descobrir os autores e cumplices do barbaro attentado. Foram presos e pronunciados no artigo 192 do Codigo Criminal, como mandantes: O padre Manoel Theotonio de Castro, Vicente Jose de Luna, o commendador Antonio Moreira de Castro Lima, o commendador Antonio Bruno de Godoy Bueno, o Dr. Antonio Justino da Silveira Machado, o bacharel Fernando Lourenço de Freitas e João Alves Bueno; como mandatarios, o escravo Vicente e João José da Silva Moreira; e como cumplices João Petronilho Ferreira e Joaquim Luiz dos Santos. Conseguiu evadir-se o cumplice Joaquim Luiz dos Santos.

"A importante diligencia foi feita pelo chefe de Policia, Dr. José Ignacio Gomes Guimarães pessoalmente." É incontestàvelmente um documento histórico de grande significação.

Prova ainda das lutas locais temos uma carta enviada por Antônio Avelino d'Oliveira Fleury em que um de seus irmãos, possìvelmente chamado à ordem por êle, faz um exame de consciência e diz: "Não posso duvidar que fui e sou obrigado ao Sr. José Vicente; porém, as intrigas, que entre nós se têm suscitado, têm dado motivos de ter usado de termos que nem eu para mim devia d'elles usar e muito menos para elle devia eu lançar mão." Devia ser um português recém-chegado porque confessa: "Eu, novo no paiz, sem conhecer aquellas pessôas de quem me podia fiar d'alguns gracejos, nunca n'elles desacatando pessôa alguma..."

É um atestado do meio em que viviam, com as rixas políticas. E que prestígio devia ter êsse adversário para provocar tais reações? Termina o missivista dizendo: "Retiro o meu fito e espero que elle obrará commigo pela mesma forma e se esquecerá do passado..."

É de notar a correção com que encerrava: "Espero que Vmcê (o irmão) entre mim e elle deixará harmonia".

CAPÍTULO IX

A FIGURA SOCIAL DO CORONEL JOSÉ VICENTE

Passemos agora a um estudo mais completo da personalidade do Coronel José Vicente e dos melhoramentos que trouxe para a sua cidade.

A vizinhança da Côrte facilitando o intercâmbio, as transações comerciais, as viagens eram mais freqüentes e daí um grau de civilização mais avançado.

José Vicente foi incontestàvelmente um supercivilizado para o meio e a época em que viveu. Possuímos cartas de família, cartas que lhe eram enviadas por amigos e correligionários, borrões e cópias de cartas suas, guardadas como era de uso freqüente na época em que não havia datilógrafos nem carbono e arquivadas num "borrador". E também notas comerciais da Côrte, onde se supria e supria a sua família, fazendo despesas com os melhoramentos para a própria cidade, em tudo deixando sentir o seu espírito de escol.

O TEATRO DE LORENA

Dentre os benefícios com que dotou a sua cidade destaca-se a construção de um teatro feito com esmêro e capricho, a ponto de rivalizar com os teatros da Côrte.

Do recorte de um jornal, provàvelmente da Côrte, da mesma época, cujo título não temos, extraímos a seguinte notícia, que transcrevemos na íntegra:

Assim se exprime: "**Escrevem-nos de Lorena**"

"Procurámos ver há dias o theatro que a expensas suas está o Sr. Capitão José Vicente de Azevedo mandando edificar em um dos melhores logares do centro da cidade e é incontestável que em seu tamanho, apropriado ás necessidades do logar, nada deixa a desejar assim como no capricho e commodidades com que tem de ser acabado esse verdadeiro padrão de civilisação, tão importante para o adiantamento deste logar.

"No estado em que se acha já se póde ver que não foi sòmente attendida a conveniencia da reunião do maior numero de espectadores, pois qualquer companhia que tiver de se utilizar do theatro, alem de outras muitas commodidades, encontrará a de um bello salão unido ao scenario e rodeado de excellentes camarins, talvez nada inferiores aos de alguns theatros da Côrte.

"Realmente o distinto proprietario do theatro de Lorena é digno dos encomios de seus patricios, aos quaes cumpria agora, esquecendo-se por um instante ao menos de tantas divergencias, reunirem-se e esforçarem-se por conseguir a vinda e residencia neste logar de uma companhia, embora pequena porém digna dos seus habitantes e do theatro que vão possuir; tanto mais quando isso seria muito facil e de reconhecida vantagem para qualquer companhia, que residindo aqui estaria em um importante centro para poder dar espetaculos em nove cidades, e quatro villas vizinhas, todas do norte da provincia, sem contar as de beira-mar, transportando-se a qualquer desses pontos mais distantes em menos de quatro dias. São as cidades Jacarehy, Pindamonhangaba, Taubaté, Guaratinguetá, Parahybuna, S. Luiz, Cunha, Arêas, e Bananal, Vilas de S. José, Caçapava, Silveiras e Queluz".

Vamos completar esta crônica com alguns documentos autênticos da época, que vão no apêndice, pág. 298.

Concluído o teatro, foi aberta uma subscrição pública com mais de quarenta assinaturas em que vinha a seguinte declaração:

"Os abaixo assinados concorrem com a quantia de 5$000 cada um para um espetaculo de grande galla no dia 2 de Dezembro p. futuro, em applauso ao aniversario de S. M. o Imperador."

Traz a data: "Lorena, 14 de Novembro de 1858".

Os primeiros signatários são chefes liberais nossos conhecidos: Antônio Clemente dos Santos, Joaquim José Moreira Lima (sogro do Capitão José Vicente), Antônio Moreira de Castro Lima (seu cunhado); em sexto lugar vem a assinatura autógrafa José Vicente de Azevedo e entre parênteses ("O theatro gratis").

Possuímos outros documentos relativos a essa festa. O pagamento de 100$000 feito no Rio por Joaquim Antônio Fernandes Pinheiro, de quem José Vicente foi posteriormente sócio numa casa comercial, declarando "ter pago essa quantia por um transparente com a efigie de S. M. I., em 27 de Setembro de

1858". O recibo é passado por Joaquim Lopes de Barros Cabral. Anteriormente, em 2 de agôsto, o Capitão José Vicente já havia encomendado e pago aos mesmos Srs. Pinheiro e Irmão, instalados na Rua da Quitanda, 91, com nota de despesa, em papel timbrado, o seguinte:

"Um panno de bôca de Theatro	150$000
10 Arandelas bronzeadas de 2 luzes	130$000
2 Caixões para as mesmas	2$000
2½ varas de galão de ouro extra fino	4$000
3 Covados de damasco de lã e seda azul ..	28$000
2½ varas de franja de ouro extra fino	5$800
2½ franjas idem	7$500
8 varas de fitas largas superiores	20$000
2 varas de fita amarela	6$000
Encerados, cordas etc.	8$040

Importa tudo em 361$340."

Uma nota manuscrita do mesmo Capitão José Vicente (sua caligrafia era inconfundível), com a data de 2 de dezembro de 1858, nos dá o total das despesas da festa de aniversário do Imperador, que orçavam em 260$730 e de cujos detalhes não queremos privar o leitor.

"DESPENDIDO

19 lb. de velas a 850	pg.	16$150
4 massos de taxas a 500	pg.	2$000
72 resmas de algodão 220 rs.	pg.	15$840
3 pares de fichas a 200	pg.	$600
2 massos de taxas — 500	pg.	1$000
½ lb. de cinzas azues	pg.	$500
4 lb. de colla a 560		2$240
300 pregos a 24	pg.	$720
4 massos de taxas a 500	pg.	2$000
		41$050
abate — Algodam		3$520
		38$530
4 dias do Chico — 2$000		8$000
5 lb. de gesso — $100		$500
		47$030

1	par de sapatos p.ª Ernesto	pg.	4$000
400	cartões a 3$		12$000
4	dias do pintor a 2$		8$000
	Ao latoeiro	pg.	1$000
	Bebidas no Snr. Moreira	pg.	29$200
			101$230
10	lbs. de vellas a $900	pg.	9$000
1	dz. de botões para casaca do Polca a 60r	pg.	$720
1	corte de calças para o contra regra	pg.	10$000
1	par de meias para Nuno	pg.	$680
	vermelhão	pg.	$490
	foguetes	pg.	40$000
			162$120
	Machinista		2$220
	com os doces		9$000
			173$340
6	covs. ganga		2$220
2	garrafas de vinho $800		1$600
			177$160
	abater as bebidas que sobrarão e 6 lb. de vellas		22$000
			155$160
	1 — Custo do Retrato		100$000
			255$160
	dinheiro que pediu o contra regra		3$000

1.858 — 2 de Dezembro".

A propósito do pano de bôca possuímos mais detalhes. A firma Pinheiro & Irmão, estabelecida à Rua da Quitanda, havia contratado por 150$000, em 26 de julho de 1.858, a confecção do mesmo com o Sr. João Caetano Ribeiro (o célebre ator brasileiro era João Caetano dos Santos). Êsse pano devia obedecer às dimensões do modêlo e ficar concluído "impreterivelmente" no dia 21 do mês corrente, que era julho, e o preço ajustado incluía o encaixe "para seguir viagem para a Província de São Paulo".

"Fica entendido que a pintura será a cólla, fingindo uma cortina escarlate apanhada pelos lados por cordões e borlas imitando ouro e ao fundo uma vista qualquer de efeito agradável.

Deverá também ser incluido uma bambolina [parte do cenário que faz de teto] separada, que sirva para atravessar o arco e esconder o pano na parte superior quando levantado."

O pagamento tendo sido feito pela mesma firma, em 2 de agôsto de 1858, é de supor-se que a encomenda satisfizesse. Assina o recibo João Inácio da Silva Freitas, na ausência do Sr. João Caetano.

Curiosa é a nota de H. Naderman, estabelecido à R. da Assembléia, 80, com papel impresso, acusando a encomenda de 15 letras de zinco douradas que formam "Theatro de Lorena". Essa nota vem datada de 18 de maio de 1859.

Mais documentos existem relativos ao teatro. Um recibo passado por Francisco Teixeira da Cunha Machado que declara ter recebido "do Capm. José Vicente d'Azevedo a quantia de vinte mil reis proveniente de aluguel da caza que occupa a companhia dramática de São Paulo", datado de 13 de agôsto de 1858 (anterior à festa em homenagem ao Imperador).

A companhia lírica, que se achava na Côrte, foi convidada pelo Coronel José Vicente a dar algumas récitas no nôvo teatro de Lorena. Transportados em cargueiros e carros de bois chegaram artistas, guarda-roupa e cenários, para umas noitadas que marcaram época na cidadezinha do Vale do Paraíba.

Mas, tudo tem seu reverso.

Com data de 12 de janeiro de 1860 José d'Almeida Cabral escrevia de Lorena ao Cap. José Vicente (o que nos faz supor que se tratasse de um empresário).

Dizia êle que, tendo ido pessoalmente a sua casa, o Capitão José Vicente, "em presença da Snra. Candiani e do ponto Snr. Manoel, havia declarado que enquanto desse ele espectaculos no seu theatro, nada levaria pelos alugueis, tanto mais perdendo eu como tenho perdido 470$000 e isto somente porque quiz satisfazer ao pedido e ao offerecimento que me fez em duas cartas, de 5 e 10 de Dezembro, o que confirmou na presença daquelas pessoas e do Snr. Lima". (1) Diz estar certo que foi engano de recado, sendo o fiscal do seu teatro surdo e também porque não ignora "qual a posição que V. Sia. ocupa na sociedade e seu reconhecido cavalheirismo e por certo não daria semelhante

---

(1) Provàvelmente seu primo e cunhado, futuro Conde de MOREIRA LIMA, que contava na ocasião 18 anos.

passo vindo pessoalmente à minha casa". Alega ainda o signatário da referida carta que José Vicente lhe havia oferecido "pannos, bastidores e até dinheiro" se precisasse, afirmando que "hiria a todos os espectaculos em Guaratinguetá [donde a nossa suposição de que fôsse empresário] para dar-me uma prova de que não acompanhava os sentimentos de certa gente desta cidade...". Até nesse terreno a política local influía... não seriam manobras da oposição? "Se V. Sia não me tivesse offerecido gratis o seu theatro já ha mto teria partido e não me teria sugeitado a recitas que darão em resultado 50$ a 60$000." Pede ao capitão que lhe dê uma resposta (que desconhecemos). E a ser verdade, o que duvida, que "mande dizer quanto exige pelas tres noites, para nesse caso saldar-mos nossas contas".

O que se deduz de tudo isso é que a célebre Candiani deu três récitas em Lorena e que o empresário foi José D'Almeida Cabral, o qual termina sua carta dizendo que é levado a êsse procedimento devido ao grande aprêço em que tem a reputação que com grandes sacrifícios adquiriu "em todos os lugares onde tenho hido, não só dos homens do commercio como dos particulares e para merecer a estima de todos tenho me comportado com toda a cautela nos meus deveres".

Assina-se

"Sou com a maior veneração
José d'Almeida Cabral".

E está aí em breves palavras a história do esfôrço de um lorenense para dotar a sua cidade em 1857 (!!!) de um teatro capaz de receber grandes companhias. Das narrativas feitas nos serões familiares ouvimos que tinha duas ordens de camarotes e em frente ao palco o grande camarote da família, para o qual os escravos transportavam poltronas nobres e cadeiras estofadas. E nos intervalos bandejas de prata circulavam com iguarias de tôdas as espécies, além do indefectível chocolate com broas, sequilhos e bolos fritos. Além da platéia havia varandas (corredores laterais), onde hoje há freqüentemente frisas.

Não cessava aí o interêsse do Capitão José Vicente, pelo assunto de teatro; não era mera ostentação.

De uma nota de venda com o recibo da "Typographia de F. de Paula Brito, impressor da Casa Imperial" (com a respectiva coroa) estabelecido à Praça da Constituição 64, constam em 17 de maio de 1859 peças de teatro brasileiro por M. Penna, "O Noviço", "O Primo da Califórnia" e outras. Ei-la:

"Deve o Ilmº Snr. o seguinte:

7 peças do theatro brasileiro por M. Penna, a 640	4$480
7 ditas do theatro moderno, a 500	3$500
Quinta série	2$000
Noviço, comedia	1$000
Hollandez "	$500
Primo da California comedia	$500
Rs.	11$980

Recebi esta conta
Pelo Sr. Paula Brito
Manoel Pinto Lisboa."

O COMÉRCIO DA CÔRTE

Homem de ação, combativo, desenvolvendo grande atividade em prol da sua cidade, o Capitão e depois Coronel José Vicente estendeu seu prestígio até a Côrte, mantendo relações constantes de amizade e de prestígio no ambiente nacional. Tendo grande fortuna, mantinha negócios com muitas firmas comerciais da "Côrte", através das quais sentiremos o conceito em que era tido. Era seu procurador na Capital Manoel José da Rocha, de quem possuímos cópias das contas que lhe prestava. Mantinha igualmente negócios com a firma Mauá Mac Gregor, onde depositava quantias para suas despesas. Do seu arquivo consta também uma ação do valor de Rs. 5:000$000 que subscreveu em 1854, da sociedade de seu cunhado Lázaro José Gonçalves, e cuja firma era "Lazaro, Pimenta e Cia."

No verso vem a declaração de mão própria de que recebeu em 3 de junho de 1856 um conto de réis como primeiro dividendo. Disso tudo nos dá prova incontestável a fértil documentação que possuimos da sua passagem pela vida pública e particular, através de cartas de família e de um borrador de cartas políticas e de negócios, que deixou, do ano de 1860, quando, além de relações comerciais com a praça de Lorena, foi sócio de uma firma importante da Côrte, estendendo assim a sua popularidade, mas nunca se esquecendo de sua vila natal. Êsse período corresponde ao fastígio do partido liberal, em que, por fôrça de circunstâncias, afastou-se da política.

Das notas comerciais poucas são de São Paulo e algumas de Lorena mesmo, de casas mantidas quase tôdas por membros de sua família. A inclusão dos trechos de algumas no texto representa uma documentação preciosa para o estudo dos costumes da época e por isso não deixamos de mencioná-las.

As contas da Côrte, que damos em primeiro lugar, são muitas delas de casas comerciais citadas por Joaquim Manoel de Macedo nas **Memórias da Rua do Ouvidor,** quadro fiel da vida que ali se levava no decorrer do séc. XIX. (Doc. n.º 41, pág. 300.)

Muitas dessas notas, de que damos alguns clichês, trazem impressa a Coroa Imperial e a declaração: "Fornecedor de S. S. M. M. Imperiais", licença especialmente concedida pelo Imperador Pedro II.

A nota de venda mais antiga do arquivo é de 14 de julho de 1853, (quatorze meses após o casamento do Capitão José Vicente). É da Casa da Estrêla, de Féraudy e Cia. à Rua do Ouvidor, 106, com a Coroa Imperial no cabeçalho, em papel de linho timbrado e a indicação da casa impressora em Paris — Prévost, 5 rua Jacquelet. Anunciava tudo, aparelhos de porcelana, candelabros, perfumarias, confecções e acrescentava "Grande Sortimento de Fazendas e artigos diversos, recebidos directamente de Pariz".

As compras efetuadas pelo Coronel José Vicente foram:

"12 Covºs de chita franceza a 320 .... 3$840
1 Gravata de setim preto .... 2$500
1 Alfinete de pintura .... 3$000
1 Panno de meza de Cashimir .... 9$000
1 Duzia de Lenços Brancos .... 5$000
1 Pente de Buffalo e 1 escova de cabello .... 2$000
1 Lamparina de porcelana .... 4$000"

De 1854, juntamos uma compra feita na casa Lázaro, Pimenta e Cia., do seu cunhado Lázaro José Gonçalves, o marido de D. Jesuína. São fardas e seus pertences na maior parte e importam em Rs. 112$940.

Destacamos:		Deve
"1 Espada de metal	Rs.	18$000
1 Selim e pasta dehroada e molla .	"	14$000
1 Fiador d'anta com passadeira de metal	"	2$000
1 Banda com franja de retrós	"	12$000
1 Par de platinas	"	5$000
1 Boné com galão	"	9$000
1 Par de braçadeiras	"	3$000
1 Par de esporas douradas	"	6$000
		69$000

69$000

Para Antonio Joaquim Barbosa

1 Banda com franja de retros	Rs.	12$000	
1 Par de Platinas	”	5$000	
1 Par de Braçadeiras	”	3$000	
1 Fiador d'anta com passadeiras de metal	”	2$000	
1 Boné com galão	”	9$000	
1 Selim d'anta e mollas	”	9$500	
			40$500”

Pertencente a J. José Roiz & Irmãos

“1 Lv. da Guarda Nacional	$		
1 Livro em branco	$ (não constam os preços)		
1 Dicionario (!)	$		
1 Caixão		1$600	
Encerado para o mesmo		1$600	
Despesas de embarque		$240	3$440
		Rs.	112$940”

Uma outra lista de artigos figura aqui com preço declarado, como: uma cama francesa com colxão (sic), cortinado e cúpula por 148$000, um "colxão" de cabelo, meia peça de linho para lençóis por 48$000 (com 15 pés a 2$200), uma cadeira de balanço de palhinha, oito libras de palhinha para cadeiras, uma bandeira brasileira (10$000) e outros objetos de uso, indicando uma vida confortável. Depois de dizer "reformar o meu selim", compra um nôvo para a Sra. e um muito pequeno para o menino (24$000). (O seu primeiro filho tendo nascido em 1856, provàvelmente o selim era para o seu cunhado José Joaquim Moreira Lima Júnior, futuro Conde de Moreira Lima, que tinha na ocasião 12 anos, nascido que fôra em 1842). Constava ainda da lista um freio (3$000); um par de estribos, uma porção de esponjas grandes para lavar cavalo, um chicote para passeio, "uma cabeçada para o meu animal, muito reforçada, que possa servir de cabresto, sendo separada a corrêa que prende o freio e mais um chapéu amazona, encommenda do compadre Manoel Resende". Outros objetos denunciavam uma vida de trato, como dois pares de sapatos de bezerro ou botinas inglêsas, uma capa impermeável (30$000) e um par de sapatos de borracha (4$000), um sobretudo francês, uma bengala de unicórnio para o João Rodrigues (João Catarina, seu cunhado) e mais uma caixinha com 2 navalhas superiores para o mesmo (10$000). Seguem-se: Chá da Índia, um cento de cartões de visita 3$000 (já é requinte!),

"Um talher de prata para o menino", "um pente de tartaruga para minha mãe" (7$000), binóculo de teatro, **papel marcado e envelope** e finalmente uma botica homeopática com um livro (o recurso das fazendas).

Os cartões de visita, o papel marcado, o talher de prata, o pente de tartaruga, revelam as exigências dêstes provincianos.

Dos objetos destinados ao Teatro, destacamos ainda:

"Uma mobilia de jacarandá simples com marmore (240$), um lustre de cristal para 5 luzes (até 120$), uma taboleta **para o teatro** ou só as letras douradas, cópos, calices e compoteiras de cristal lapidado, algumas vistas **para o theatro,** ganga escarlate e azul clara, 4 quadros ovaes com molduras, 2 espelhos de 4 e 6 p. de largo com moldura, uma tipografia pequena para pequenos trabalhos" (68$) (provàvelmente, para impressão dos programas) e finalmente um tapête para o sofá (R. da Carioca, 118). Segue-se uma lista mais completa com a enumeração das lojas.

Mais uma nota, essa já de 18 de maio de 1859 (a que já nos referimos), menciona "15 letras feitas de "zinc" e douradas formando "Theatro de Lorena" a 2$000 cada, total 30$000" (Papel timbrado de "H. Naderman, R. da Assembléa n.º 80 — Rio de Janeiro, pintor de casas, forrador e forrador de papeis"), que passa o recibo ao Sr. José Vicente de Azevedo, e ao qual já aludimos. Completando, há duas assinaturas do **Almanaque Laemmert** para 1856 por 5$000 e do **Correio Mercantil** de S. Paulo por 20$000.

Além dessas encontramos no arquivo preciosamente guardado por sua viúva mais 61 notas de compras, tôdas da Côrte. Na impossibilidade de reproduzi-las na íntegra no texto vamos classificá-las cronològicamente.

Procuraremos reproduzir em clichê algumas mais interessantes, com cabeçalho característico.

Uma das notas mais curiosas, indicando a predominância das casas francesas, vem manuscrita em papel comum com as seguintes anotações:

"2 Pots de pommade porcelana	6$000
2 dito vidro	4$000
2 vidro eau de cologne	4$000
2 cache de sabonete	2$000
Recebi o importe	16$000

ass. Semajous

Le 10 Octobre 1857"

Era incontestável a influência francesa.

Dos anos de 1857, 1858 e 1859 são numerosas as contas. Mencionamos como mais originais as que se referiam a lenços de cambraia de linho, calças de brim branco, peitos de camisa de linho, um flaque (sic) e colête, colêtes de sêda preta e de veludo de côr, um lustre com oito mangas e uma salva, um par de óculos de prata dourada, um par de bichas de coral, um dito de brilhantes, um talher pequeno de prata com letreiro (sic), abotoaduras de ouro, chapéu de veludo prêto, brinquedos, remédios e outras de que damos cópia além de algumas no apêndice.

Vamos reproduzir também:

Contas avulsas, de 1857

1 — "Manoel Olegario Abranches, fornecedor da Caza de S.M.I. [com a respectiva coroa] — Importador de generos norte-americanos [já tinham prestigio...] francezes, inglezes e alemães, R. da Alfandega n.º 10 defronte do Banco do Brasil", como vem impresso, comprado pelo Sr. José Vicente d'Azevedo, em 10 de outubro de 1857, por .... 20$000
1 Carrinho de vime fino e mais "objetos de importação" .... 7$000

27$000

Devia ser o carrinho para o seu filho Francisco de Paula (depois Barão da Bocaina) nascido em 8-10-1856. Além da Corôa Imperial, a nota tem reprodução de instrumentos agrícolas, arados, pás, enxadas, carrinhos de mão e a declaração de que tem "objetos tendentes à agricultura". Impressão do Rio-Lith. de Menezes e Cia. à Rua do Carmo, 105.

2 — Em papel timbrado, com a data de 24 de outubro de 1857, comprou também (provàvelmente para o seu filho):
"A José Ferreira Pires, ruas do Hospicio n.º 11 e Rozario n.º 42 esquina do becco das Cancelas,
1 cavalo de Pau .... 12$000
1 Caixão para o mesmo .... 1$000"
Com o devido recibo.

3 — Em 12-10-1857 comprou a Joaquim Ribeiro Pedroso, com armazém de calçados, chapéus,

bonés, etc. estabelecido à Rua do Carmo, 28
[papel timbrado, impresso no Rio]
"1 Par de Botinas para senhora .... 5$000

45$000
1 D.º com salto .... 5$000
1 Par de chinellos de ourella .... 2$000

52$000"

Com o devido recibo.

4 — Ainda de 1857, num armazém de chá, papel e outros gêneros [papel timbrado], comprou a Adriano Gabriel Côrte Real
"5 lb. de chá superior a 2$300 .... 11$500
e 1 Folha para o dito .... $500"

5 — A Mme. Eug. Doll, em 24-10-1857, o Sr. Vicente de Azevedo:
"Feitio e morim por 4 Camisas .... 12$000"
Com a declaração "Receby o importe"
a) Eugenie Doll (24-10-57)
Essa firma existe até hoje na R. do Ouvidor.)

76$000

6 — "O Snr. José Vicente de Azevedo a Manoel Joaquim da Rocha e Cia. deve
16 Trancas de 9 palmos para janella a 1$600 ... 25$600
1 Fechadura sup.ºr para Porta de rua"
(Talvez fôssem ainda para o Teatro...)

7 — Na Casa Comercial de Machado, Belfort e Cia. que tomava as incumbências na "Côrte", José Vicente remeteu dinheiro em várias parcelas, que destinou a compras, algumas para escravos, como anotou:
"½ dz. de lenços de cambraia de linho .... 5$000
12 mantas escuras de algodão .... 9$360
10 esteiras grandes .... 2$800
Entregues ao Banco Alemão .... 1:000$000
1 Guarda vestido e 1 meza .... 128$000"
Pagos a José Nicolau dos Santos (o autor da poesia oferecida a sua mana D. Jesuína) .... 50$000
Pela compra de um escravo,
"que remettemos .... 2:000$000
Passagem do mesmo para Paraty .... 120$000
Passaporte do mesmo .... 6$000

3:422$760"

"Publicações em jornaes **Jornal do Comercio, Mercantil** e **Diário** .... 54$000
Uma mamadeira para criança .... 3$000
Uma toalha bordada (remettida) .... 60$000"
E assim por diante o total foi de
Despesas até aqui .... 6:000$000

9:539$760

8 — "Burdallet (Alfaiate) [papel timbrado, impresso em Paris] 106 rua da Quitanda (canto da do Hospicio) (11, rue Cadet)
2 Feitios de Calça de brim branco .... 8$000
Despesa de advogado e sêlo .... 23$760

Gastos até esta data (1857) ..... 9:571$520"

o que representa uma despesa considerável para a época.

Do ano de 1858 só possuímos uma nota de despesas feitas em Lorena, em casa do comerciante Joaquim José Antunes Braga, seu concunhado, de origem portuguêsa, casado com Ana Leopoldina, irmã de D. Angelina e igualmente filha de Joaquim José Moreira Lima e D. Carlota Leopoldina.

As contas importavam em 23$284 e foram várias miudezas: pregos, tachas, dobradiças, martelo, caderno de papel, lata de goiabada, uma arrôba de passas, 4 varas de renda de ouro, folhinhas de algibeira, uma garrafa de licor fino etc. Miudezas, enfim.

Passamos ao ano de 1859, em que as compras foram abundantes, e de que constam 49 recibos. Vamos destacar algumas:

1 — P. Seurat, R. do Ouvidor, 64, em frente ao **Jornal do Comércio**
"(6-7-1859) uma blusa para o menino e um chapéu de seda .... 28$000"

2 — Compras feitas por seu sócio F. Pinheiro, em 16-7-1859:
"Papel pintado e guarnição, 2 bonecas de borracha, 1 Mantelete de fustão, 6 vidros de Magnesia Fluida, 4 vidros de xarope de Naffé, 4 libras de pastilhas de goma cristalisada, 1 caixão encerado (feitio, carreto, embarque e frete) com recibo .... 82$800"

3 — Barboza Castro e Cia., R. da Alfândega, 80, 82 e 85:
"Frete de 2 caixões com meia cama (?), carreto e condução a bordo .... 3$000"

4 — À Companhia Luz Stearica — em 18 de maio de 1859:
"8 libras de velas esparmacete, 20 libras ditas stearina .... 21$280
Recebi a quantia de 21$280 constante desta conta, 18 de Maio de 1859 P. B. (?)"

5 — Lousada e Cia. Armarinho
Rua da Alfândega, 145
"(Nota: Venderão a dinheiro à vista):
Linhas, rendas, franjas, grampos, toucas e abotoaduras, tudo .... 12$990
R. por Lousada-José Ferreira (?)"

6 — Antônio Manoel dos Prazeres
Cordeiro, Selleiro e Babuleiro
Rua do Ouvidor, 120:
"1 sella com capa, 1 sellim para menino, 1 capa bordada para sellim de senhora e 1 cabeçada .... 86$000
(em 10-5-1859)"
e no dia 20-5-1859 mais
"1 sellim de senhora .... 86$000"

7 — José Maria Palhares, com loja de sirgueiro e uniformes militares e da Guarda Nacional
Rua do Ouvidor, 56 (30-4-1859)
"1 chapéu de pagem .... 5$000
(Recebi o importe As. Aragão)"

8 — Hortense Lacarreirè e Cia.
30.4.59.68 Rua do Ouvidor:
"Feitio e rendas (1 carton) .... 8$500
Recebi o importe 30.4.1859"

9 — Vannet e Silva — R. do Ouvidor, 105
(cirurgia, dentista, desenho, optica etc.):
(14.5.1859) (Papel impresso com alegorias originais)
"2 mamadeiras
e 6 Bicos de goma .... 7$440
Recibo — Ass. Vannet e Silva (Varejo e atacado)"

10 — Casa de Azevedo e Santos
R. da Quitanda, 119 — 12.5.1859:
"2 Casacos de seda lavrada de ouro e matiz 30$000
Recebemos Azevedo e Santos"

11 — Brochado e Fevereiro Junior — 12.5.1859 (manuscrita)
"2 Chapeos a Bonard, casco Engler a 14$000 28$000
Recebemos o importe desta conta na mesma data — Ass. Brochado e Fevereiro"

12 — Poey et D'Augerot: 9 de abril de 1859 (impresso em Paris)
"2 Paletós de motim a 6$000 .... 12$000
Recebi o importe supra Por J. Poey — Pallesine F°"

13 — Casa de Gama e Bessa: (Rio de Janeiro, 4 de maio de 1859)
R. da Quitanda n° 95 (entre a do Rosário e a do Hospício)
"Para os Snrs. Pinheiro e Irmão
2 Chálcs de fróco a 15$000 .... 30$000
Recebemos — Gama e Bessa"

14 — Viuva Carceller e Guimarães (14.7.1859) R. do Ouvidor, 30:
"4 lbs. de pastilhas de goma a 2$560 .... 10$240
(Por Guimarães As. José F. Donley)"

15 — P. A. Guilherme (30.4.1859)
R. da Quitanda, 59 — Sapateiro de Paris (Papel impresso em Paris — P. du Caire, 78-79)
"2 pares de botinas hungaras .... 20$000
Recibo passado por M. Cunha)"

16 — Manoel Antonio Rodrigues Braga (Colchoeira e Moveis) R. da Alfândega, 77
28-4-1859
"1 Cortinado de Damasco
1 Duplo com Dourado
1 Colchão de Cabello (em 2)
1 D° de creança
1 caixão .... total 117$000"

17 — De Farmácia (R. da Quitanda, 58)
(11.5.1859) Souza Bastos e Cia:
"6 Garrafas de Rob Laffecteur (?)
Iodureto de potassio
Chlorato de potassa
1 v° de Xarope de Naffé e 1 Caixão ...... 84$140"

18 — Da "Pharmacia Homeopathica":
José Maria de Souza — Papel alegórico com uma águia —
Rua da Quitanda, 61 (11.4.1859) (Vende boticas portáteis)
"1 botica com 36 globulos e tinturas .... 24$000
1 Obra de Chapnell .... 6$000
30$000"

19 — Ao Colête Prêto
Rua da Ajuda n.º 10 — 7 maio 1859
"2 Colletet alaçador
"Costureira de Colletes de S. M. a Impetratriz Altezas Imperiaes"
[Papel timbrado de uma ingenuidade encantadora] .... 22$000"
Damos clichê.

20 — Da Casa de Antônio da Costa Ferreira Mondego (3.5.1859) com louças, cristais, porcelana
R. do Hospício n.º 35
"1 Ourinol pintado com tampa .... 1$500
com recibo Ass. Ribeiro"

A respeito desta nota ouvimos de D. Angelina uma velha história: o empregado incumbido da compra, um pobre diabo, tinha uma mulher de cabelinho na venta.

Mandou encher a vasílha com manteiga e foi recebido em casa com impropérios. Comentava depois com o patrão, o qual muito gozou, ao ouvir: — não faz mal, Capitão, ao menos sobra manteiga para mim esta semana.

21 — Casa da Estrêla, Féraudy e Cia., R. do Ouvidor
"1 Espanador e 12 Peitos de Camisa de linho 40$500"

22 e 23 — 2 recibos de Wallerstein e Masset, (Firma citada por Joaquim Mel. de Macedo), "Vestimentas para criança etc. .... 72$000"
R. do Ouvidor, 70 e 82 (papel de Paris, com a coroa imperial do Brasil).

24 — A la Ville de Paris — Ouvidor, 39:
"1 Flaque belbutina (sic) 1 Collete Casemira e 1 Paletot branco .... 30$000"

(Proprietário J. L. Etchebarne)
Recibo de 30 de Abril de 1859)

25 — Loja da Flora — R. da Candelária, 4 (Mel. J. Brito): em 14 de maio de 1859
"5½ lbs. de Chá superior e 40 Cartas de Jogo (?)
(cabeçalho alegorico com papel timbrado — impresso no Rio, com recibo da mesma data). 18$650"

26 — Casa de Antônio Bruno (R. do Ouvidor, 18)
"Fitas, galão, um mantelete, sabonetes, "extrait", bonecas — tudo com recibos de G. Bruno .... 36$000"

27 — Encrenaz e Irmão — R. D'Ajuda, 49 (anunciando objetos de metal galvanizado, castiçais, serpentinas, salvas iguais às de prata e até palmatórias)
"Lustres, 8 Mangas e 1 Salva .... 70$000"
(Papel timbrado característico com lustres e candelabros, trazendo a declaração de que alugam para salas e igrejas) 11-5-1859 e em baixo: "recebemos era supra")

28 — Burdallet, já citado, alfaiate:
"6 Feitios (de calça, collete de seda preta e de velludo de cor) .... 24$000"
Recibo por Burdallet (4-5-89).

29 — Barbosa Castro e Cia., R. da Alfândega, 80 com nota impressa no Rio — "Lith. Charega — Rua do Ouvidor (Armazem de Moveis Nacionaes e Estrangeiros; Mobilia de Mogno, Colxões, etc.)"
"Uma mesa de vinhatico e uma cadeira de balanço .... 65$000
Recebemos o importe. As. Barbosa Castro."

30 — União Comercial, R. do Rosário, 73 e 75: A. Cardozo Bonis e Cia.
"Fazendas, Miudezas d'armarinhos e ferragens vendem por atacado e a varejo por commodo preço"
(Papel timbrado com alegoria — Comércio e Indústria)
Duas notas, de 3 e 4 de maio
"5 covados de panno, 1 Peça de Ganga, 15

Varas de Brim, 18 Covados de Chita, 2 de lã e uma colxa"
O total de uma foi Rs. 21$360, com o recibo e mais 48$000 da anterior, recibo assinado por Santos.

31 — Agostinho de Souza Neves, Rua da Alfândega, 30 — Objetos de óptica, etc. 11-5-1859
"1 Par de oculos de prata dourada — Com recibo .... 7$000"

32 — 4 Notas de Venda de Victor Resse, Fabricante de Commendas hábitos, fornecedor da Casa Imperial [com Coroa]
Papel timbrado com a Coroa Imperial — R. dos Ourives, 48
"1 Par de bichas de coral 5$000, 1 dito com brilhante 90$000!!!
1 Par de brincos de coral e um talher pequeno com letreiro e chocalho, tudo .... 132$100"

33 — 4 Notas de Venda do "Ao Bastidor de Bordar A. C. Favre, papel impresso com alegoria — Rua do Ouvidor, 95. Ass. Guillobel" (Meadas de torçal, 1 Col de Crochet, 4 Dezenhos coloridos, 12 varas de "frangas" **(sic)** Recibi o importe — (Por C. Favre — P. Lartigan) 53$820"

34 — Relojoaria — Rio de Janeiro, 16 de maio de 1859 — R. dos Ourives, 67 — papel da Lithographia de Waldemar Aranha: — A. J. Alves Sampaio (Depósito de Relógios Suíços, Pêndulas de Parede e bijuteria)
"1 Par de Bichas de Granada e 1 Abotoadura de punho .... 23$000
Recebi o importe assina — J. Sampaio"

35 — A José Moreira de Queiroz, calçados — R. da Quitanda, 105, (com loja de calçados e manufatura)
"1 Par de botinas com canos .... 22$000
— 2 pares de botinas e 1 de chinellos finos (2 notas) .... 47$000"

36 — "Ao José da Igreja, um par de canastras de sola .... 27$000
(10 de Maio de 1859)"

37 — Casa de Vieira de Carvalho e Irmãos:
Quitanda, 89 e R. do Rosário, 62
"1 Chapéo de velludo preto (com recibo) ... 12$000"

38 — Domingos José Gomes Brandão
Mercador **(sic)** de papel, livros etc.:
R. da Quitanda, 70
"1 Dz. de lacre sortido e 1 Caixa de Obreias 3$660
Recebi — Por Domingos J. G. Brandão, D.
da Silva Couto"

39 — Caza de Bento Gomes de Macedo Braga
Rua da Quitanda, n.º 100 — 22 de maio de
1859
14 Covados de Chita .... 8$400
(Recebi o importe asima na era supra — Por
Bento G. Braga Ass. Ferreira de Azevedo)"

40 — Bertrand Doux (sem enderêço):
"16 imagens pequenas e 1 quadro das Bandeiras — Recibo passado por Bertrand Doux 15$000"

41 — Da Casa de Silva Costa e Cia.
Rua da Quitanda, 88 (próximo à do Rosário)
31 Covados de Chita Morim a $400 .... 12.400"

42 — A Antonio Julião Valério
(espelhos e brinquedos)
Rua dos Ourives, 36:
"Importe de brinquedos (com recibo) .... 10$000"

A título de curiosidade reproduzimos ainda a propaganda de uma casa de cabeleireiro que encontramos numa tampa de caixa da época, "Praça da Constituição nº 79"

"José Felippe Telles:
Cabelleireiro e sala para cortar e frisar os cabellos.

Tem grande sortimento de cabelleiras, crescentes, bandós, tufos, etc. Vai a chamado de sua arte e se encarrega de encommendas para fóra da Côrte com a maior brevidade possível. Tem grande sortimento de tudo que diz respeito à toillete, tudo por preços commodos. Rio de Janeiro".

Dêste ano de 1859 consta nova conta corrente da Casa Pinheiro e Irmão, da qual José Vicente se tornou mais tarde sócio. Mandou para isso em várias parcelas 2:424$320, **entregues em ouro,** como diz, pelo caixeiro do Guerreiro, prêmio do ouro, etc.

As despesas foram para o moleque (japona) e 1 chapéu para o mesmo (passagem na E. de Ferro e dinheiro que lhe deu), impressão de papel para correspondência, contas pagas, assinaturas do Correio Mercantil, conta ao mesmo da "mofina" (transcrição em jornais), vários carros alugados para os médicos, um retrato do Imperador e da Imperatriz. Meio bilhete de Loteria (10$000), um chapéu de palha "maxambomba", um par de óculos escuros, vários remédios, importando tudo em 2:408$134.

Nesta ocasião José Vicente estêve em tratamento de olhos no Rio.

Vamos prosseguir com 3 notas de 1861, a primeira de farmácia, no valor de 31$160, incluindo 30 onças de iodureto de potássio, 20 ditas de carbonato de potassa, 2 Vidros com 2 doses de pílulas, 1 boceta de pílulas do Dr. Frank, 1/2 Libra de Guaico. Mais vidros e caixotes.

A Filgueiras, Sanas e Cia. N.º 20 Rua da Alfândega — Rio de Janeiro, 18 de abril de 1861 (importadores de gêneros **americanos,** inglêses, franceses e alemães), comprou 25 libras de velas de carvão de pedra por 40$000. Ass. Por F. S. e Cia. Hermes Campos.

De Gillet, artista em cabelos da Casa Imperial (conta em papel timbrado, letras douradas) à R. dos Ourives, 52, em 5 de agôsto de 1862

1 Chène Gillet **(sic)** por 18$000 e 1 Pitt (?) por 20$000.

Voltemos às notas de despesas, que caracterizam o gênero de vida do Capitão José Vicente. Freqüentador da Côrte, já sabemos que era freguês assíduo do comércio elegante da Rua do Ouvidor. Agora, vamos ver como vivia em Lorena, o que adquiria para a vida de todos os dias e o que trazia de São Paulo nas suas excursões políticas, deputado provincial como era. Mas São Paulo não tinha ainda a R. Augusta e o seu comércio era bem pobre. Nem papel impresso tinham as suas lojas e nem sabemos se já existiriam na Rua do Rosário, depois da Imperatriz (15 de Novembro atual). Só dois recibos foram conservados, não tinha interêsse em guardá-los, as despesas eram pequenas.

De Bento Martins e Sobrinho, em 13 de julho de 1857, comprou apenas uma cangalheta e um suador de selim de homem, tudo por 51$000, com recibo.

José Ribeiro de Castro, alfaiate em S. Paulo, executou para o Coronel José Vicente de Azevedo a seguinte encomenda, em 19 de março de 1857:

"Feitios de um rodaque de brim (?) uma calça de ditto e um colete de brim e mais uma calça de cascemira **(sïc)** de côr, tudo por 13$500 (!)" (Ambas em papel comum, não pautado nem timbrado.)

Em Lorena as contas são semelhantes às da Côrte, revelando, já, grande desenvolvimento do comércio local.

Assim foram as compras feitas na casa comercial de seu cunhado João Rodrigues, como ficou conhecido na família.

Ao lado de divisas e galão, do feitio de uma farda e de botinas, de lenços de sêda, de um pente de tartaruga, vêm pregos, cravos para ferrar, chita, veludilho, chinelos, globos, breu etc. É o tipo de negócio do interior, que tem tudo, o "armazém" como chamavam. O total dessa conta foi 74$560 e sempre estêve em dia, segundo anotação.

Duas dessas notas de Lorena, porém, não nos furtamos à obrigação de reproduzir na íntegra, ambas de casas de parentes.

Uma lista de compras feitas na casa de seu cunhado, o chefe liberal Antônio Moreira de Castro Lima, no valor de 55$210 e em que são mencionados espelhos com moldura dourada, rendas, fazendas, gravatas, óculos etc., na mais apurada caligrafia. Sempre o mesmo estilo de comércio.

E outra, com um cabeçalho muito bem desenhado, traz a data de 9 de outubro de 1856. Nessa predominam bebidas: champagne (10 meias garrafas a 1$600 cada e que só podia ser francesa), vinho em garrafa e em barril, vinho Muscatel (sic), cerveja (6 garrafas a $900 cada), azeite, vinagre, água de Colônia, queijo flamengo etc. O negociante era seu cunhado Joaquim José Antunes Braga, casado com Ana Leopoldina, irmã de sua mulher e filha também de D. Carlota Leopoldina.

Transcrevemos as primeiras:
"O Snr. José Vicente de Azevedo
A Antonio Moreira de Castro Lima.

outubro 2

2 series de Theatro moderno		4$000
1 caixinha para oculos		2$000
1 par d'oculos azuis		2$000
1 molla para porta		1$440
2 mãos de papel dourado	1$200	2$400
Concerto de 1 guarda chuva		5$000
4 espelhos com molduras doirada	5$	20$000

novembro 2		
1 vidro de opodeldoc		$400
„ **11**		
1 p. de marcella branca		8$400
11 cv. de chita em murcellina	$400	4$400
20 cv. de dita em morim	$200	4$400
5 de dita em murcellina	$400	2$000
5 vs. de morim fino	$400	2$000
½ p. de ditto entrefino		2$400
1 p. de brancellim branco		$800
4½ vs. de franja branca	$200	$900
2 lenços brancos pequenos	$150	$320
1 p. de franja de seda de cor vs. 10-720 ...		7$200
1 gravata de gorgorão		2$000
4 barbatanas	$240	$960
1 corte de vestido de lãzinha		6$000
Recebi, em 14 de novembro de 1858		20$000
„ **14**		
1 roldaina de latão		$400
„ **18**		
½ groza de colchetes		$560
„ **21**		
1 par de sapatos de duraque abotinado para mulher		2$000
„ **23**		
5½ vs. de franja branca extra	$200	1$000
5 de gallão branco estr^{o}		1$000
„ **29**		
3½ vs. de renda larga fina	$400	1$250
dezembro 2		
6 cs. de ganga escarlate	$370	2$220
„ **18**		
Agua Vienense receita do **Dr. Castro**		$680
1859		
janeiro 31		
1 dza. de lenços cambraia de linho		12$000
fevereiro 4		
3½ C. de baetilha de chadrez (**sic**)	1$200	3$920

NOTA: (P = peça — Cvs. = côvados — vs. = varas — Os = Onças)

Abato 11 gs. de cerveja que tinha comprado no armazem, e que depois voltarão		11$000

junho 15				
	1	Roldaina de latão		$400
,, 28				
	6	Escapulas douradas	Custas	1$600
		O Snr. Cap. José Vicente de Azevedo a Joaqm. Antunes Braga		DEVE
	1	Garrafa de vinho		$800
	1	da. pa. condução do mesmo		1$080
	1	da. d'azeite		1$000
,, 13				
	1	d.ª com vinho		$800
,, 19				
	1	Barril com vinho		20$000
		Frete e Carretos		5$260
,, 24				
	32	vs. de Algodão trançado conta do tratante do Adão carpinteiro		10$240
		Linha crua		$140
Nov.º 20				
	2	Os. Chá da India		$400
Dez.º 5				
	1	Cabessada e Redias envernizadas		3$000
,, 19				
	1	Garrafa de vinho		$800
Jan. 11				
	2	Covs. de luto (?)	$320	$640
Março 9				
	1	lb. de amendoas		$640
Maio 30				
	5	dz. velas de composição	$900	4$500
	1	queijo Flamengo		2$600
,, 31				
	4	Meias Garrafas de Champanha	1$600	6$400
	1	Garrafa de vinho Moscatel		1$000
Junho 22				
	2	Cadernos de papel de peso	80	$160
,, 27				
	1	Garrafa com vinho		$800

Agosto 1.º			
	1 Par de Luvas de Pellica		2$200
"	7		
	5 vs. de vellas de esparmacete	$900	4$500
	6 garrafas de cerveja		5$400
	16 Velas de sebo	$640	$640
	1 vs. de velas de esparmacete		$900
"	9		
	4 meias Garrafas de Champagne	1$600	6$400
"	11		
	2 dz. de velas de composição		1$800
Set.º	12		
	2 dz. de velas de composição	$900	1$800
	1 vidro de Água de Colonia		$640
	6 Garrafas de Cerveja		5$400
	1 d.ª Azeite doze		1$200
	½ da. de Vinagre		$160
"	13		
	2 meias Garrafas de Champagne	1$600	3$200
	1 Queijo grande		1$280
1858	**Contas novas**		
Jan.	**25**		
	4 parafusos de cama	160	$640
Fev.	**8**		
	1 Garrafa de Vinho		$800
Maio	**11**		
	100 pregos faiares (?)		$160
	1 Cabessada e redias envernizadas que forão por conta da Snra. s/mãi		3$000

Recebi o importe da conta acima
Lorena, 8 de junho de 1858

Joaquim José Antunes Braga"

Uma notinha de venda, sem data e sem cabeçalho completa estas informações, dando idéia do gênero de compras e preços. Aqui a temos:

"2 lbs. de toicinho	$480
4 lbs. de amendoa	3$200
6 lbs. de paças **(sic)**	6$000
3 Ditas	8$000
8 lbs. café	1$600"

MISSAS PELAS ALMAS

As missas encomendadas entravam no rol das despesas habituais. Nos anos de 1857, 58 e 59 o Padre José Lopes de Miranda, de seu próprio punho, no mês de dezembro, passou recibo das 12 missas anuais encomendadas pelo Capitão José Vicente de Azevedo e que custavam 2$000 cada, uma por mês.

Era uma velha promessa da família, essa missa rezada pelas almas mensalmente e que alcançou a minha geração (século XX).

Confirmando a situação do capitão José Vicente na sociedade local e noutras localidades, há numerosas cartas pedindo e agradecendo benefícios, mas como são de caráter particular apenas as mencionamos sem reproduzi-las.

O BORRADOR DE 1860

Faz parte dos guardados também um "borrador", como já dissemos, do ano de 1860, em que copiava tôda a sua correspondência comercial. Não havia datilógrafas e nem papel carbono. Trata quase exclusivamente de assuntos de negócios da época em que José Vicente se associou ao seu compadre Joaquim José Fernandes Pinheiro, negociante de atacados no Rio de Janeiro, estabelecido à Rua da Quitanda n.º 19, com a firma Pinheiro e Irmão, que passou a se denominar Pinheiro, Irmão e Azevedo, com papel timbrado.

Reproduzimos em clichê a circular impressa da comunicação à praça, com as firmas dos 3 sócios.

A cópia na íntegra de tôdas as cartas tornar-se-ia monótona. Vamos destacar trechos que darão uma idéia precisa da correção com que o Coronel José Vicente desempenhou essa nova situação de comerciante.

Encima o livro o título:

"Cópias de algumas cartas ms. necessárias"

Reproduzimos na íntegra a primeira, de 30 de janeiro de 1860, dirigida ao seu sócio e compadre e onde podemos constatar a caligrafia típica do Coronel José Vicente (Damos também clichê da primeira página) (Doc. n.º 43, pág. 305.)

Na segunda, de 9 de fevereiro de 1860, sempre endereçada ao mesmo compadre e amigo, diz que adiara a viagem à Côrte por motivo de saúde de um amigo que devia acompanhá-lo, quando recebeu a notícia da chegada do Imperador para o dia 11.

Vinha D. Pedro II da Europa e na impossibilidade de se achar lá a tempo, como diz, "para assistir os festejos", deliberou demorar a partida para depois do dia 20. Incumbe-se de negócios para a firma na praça de Lorena, tanto assim que se refere à procura de um credor da casa dizendo que conseguiu "tirá-lo da tóca", valendo-se de "todos os meios amigaveis". Espera que do capital e prêmios, que montam a Rs. 5:700$000, receberão apenas **alguns objetos** que entregará por conta, nos seguintes têrmos: "**o melhor objeto que êle possúe é um mulato** avaliado no inventário em 1:000$000, embora sendo do cunhado do devedor, que recebeu por 900$000. Pode pagar a dívida com o que alcançar na praça".

Continua: "tem mais uma escrava que pouco poderia alcançar por ter mais de 50 anos, tendo parte na mesma ainda um cunhado e seu ex-genro". "Restam mais dois escravos, Luiz e Paulo, o primeiro com mais de 40 anos e o último ainda mais velho que a preta (3 irmãos)". Uma casa em S. Bento acha que pode atingir a quantia de 5:727$149.

Há um intervalo de 10 de fevereiro a 14 de abril, período que passou no Rio e vimos que êle anunciara a partida para depois do dia 20 (fevereiro). Mas uma carta do cunhado Moreira Lima, datada de Lorena, de 29 de fevereiro, confirma a sua estada na Côrte, porque diz que não quer lhe faltar a promessa de escrever por todos os correios e espera que tenha feito feliz viagem. Há um trecho que merece ser transcrito:

"Nada tem havido aqui de novo para contar. Está tudo muito cynico (**sic**): a Cidade, depois dos festejos do Carnaval, parece ficar de dia em dia cada vez mais insipida, cooperando também para isso a sua auzencia e a do primo Antonio (depois Barão de Santa Eulalia) que partiu ant'hontem". (Provàvelmente para S. Paulo, onde cursou a Faculdade de Direito.) Seguem-se encomendas: "O par de botinas de Melliè que lhe encomendei deve ser de bezerro francez com o corpo de pellica e bastante assento, n.º 40½. Mana Anninha [Anna Leopoldina] manda lhe pedir para comprar e trazer um chapéo de sol de seda pequeno sem franja para o filho Arlindo", "como um que o Sinhôsinho tem" (o filho mais velho do Coronel José Vicente conhecido na família por êsse apelido).

O autor da carta será mais tarde o Conde de Moreira Lima, que tinha nessa ocasião apenas 18 anos.

No verso dela José Vicente anotou essas compras que fêz no Rio, provàvelmente na mesma estada. Por aí ficamos, sabendo que as botinas do cunhado custaram 13$000.

"1/2 bilhete de loteria e 1 lb. de lacre sortido para a Rosa.

Mamadeira pra Francisco Luiz, 100 cartões de visita para o mano Pedro Vicente [estudante em São Paulo].

Agulhas de croché sortidas, 1 dz. a 80 rs. cada — 2 duzias de carretéis de linha do Alexandre nºs 70 e 50 a $800 e 1$600.

1 lata de biscoutos "Mixed" para o Moreirinha (seu cunhado Antônio, depois Barão de Castro Lima).

Um par de polainas para nhô Quim (seu tio Joaquim Honorato?)

Botões para o paletót de viagem.

Correias com fivelas para apertar a mala no selim

6 mangas e 3 bandejas."

De volta a Lorena, em 14 de abril, nova carta diz que a mala se fechou antes da hora e o estafêta não quis demorar-se; por êsse motivo a carta foi na mala de Silveiras. E acrescenta, numa observação interessante: "nesse caso, o mais prejudicado foi o Snr. João Rodrigues que tinha aproveitado a mala para enviar-lhe uma nota de 50$000 para trocar". Êste cunhado, o Sr. João Rodrigues (João Catarina), era proprietário no Rio de um grande prédio de 3 andares na Rua do Areal, hoje Moncorvo Filho, onde se hospedava a família quando ia ao Rio, e era seu costume mandar um dos carguciros com sacos de cobres e níqueis para despesas de bonde e outras miudezas, segundo contava D. Angelina aos seus netos. Êsse prédio ficava muito próximo do Campo de Sant'Ana, atual Praça da República, que ainda não estava inaugurado e que era guardado por preciosas grades de ferro. Muito bem relacionado na Côrte, amigo do General Daltro, guarda responsável pelo jardim, confiavam-lhe as chaves do portão e o jardim era o recreio da família, que ali passava as tardes alegremente. As crianças, que foram os velhos do nosso tempo, corriam pelas alamêdas e nos grandes tanques vazios, como contava D. Maria Vicentina a seus netos.

O que se depreende das cartas é que o Coronel José Vicente se interessava muito pela firma a que se associara. O Sr. Pinheiro era cunhado de sua mana Jesuína. José Vicente tinha a incumbência de arranjar fregueses nos arredores de Lorena, muitos dos quais cita nominalmente. Nessa mesma carta de 14 de abril diz que a sua viagem a pontos vizinhos da Província de

Minas depende de um companheiro, o Ten. Vieira, com o qual conta e que já havia escrito a respeito ao Barão de Pouso Alegre (Antônio Rodrigues Pereira, Coronel da Guarda Nacional). Junto à mesma carta "Uma listinha de algumas fazendas para minha Mãe, cuja importância à vista da conta mandará satisfazer, bem como dos livros para o Pedro" (seu mano, estudante em São Paulo, para onde pede que os remeta). "As fazendas poderão formar um fardo pequeno é precizo que venha logo para Paraty com emcomendação de ser entregue à primeira tropa que se apresentar porque a da caza está e continúa parada até haver café. Pede que sejam fazendas de boa qualidade, especialmente o morim que "deve ser do mais fino e sem gomma"; ficando ela satisfeita "é melhor que de vês em quando nos dê esse pequeno lucro do que aos negociantes daqui, **onde tudo é mais caro**".

Na carta seguinte (de 20 de abril) refere-se ao negócio de um escravo que esperava em pagamento, dizendo que o devedor fugiu e deixou procuração ao filho, fazendo a entrega da casa; e quanto ao escravo "sob condicção de lhe darmos quitação". Considera perdida a dívida, "porque no mulato nada nos tocará e o preto velho não dá para as despezas". E continua: "A quantia de huma conta que me havia promettido dar e que falsamente me affiançou que procurava obtel-a aqui ou em Guaratinguetá eu soube depois que pretendia haver da bôa venda do mulato por 3 contos. Mas duvido que alcance este preço a dinheiro e o que obtiver só dará para pagamento do José Doce". E conclui "este indivíduo" (o devedor) "além de não ter a menor garantia, é um refinado velhaco que merecia acabar na cadêa".

Segue-se a carta de 30 de abril, endereçada ao irmão de seu sócio na Côrte; espera de um amigo de São Paulo, Luiz Antônio Gonçalves (negociante de ferragens), uma lista de negociantes de fazendas. Termina dizendo que não pode ser mais extenso por estar servindo no Júri e estar na hora de comparecer.

Em carta de 4 de maio de 1860 escreve ao Sr. Bernardo Joaquim da Silva, em Pindamonhangaba, dando conta de importâncias que mandou receber em Silveiras, de uma dívida e de Rs. 1:500$000 que o compadre mandou cobrar no Rio, pagos à vista, esperando o resto em 12 e 18 meses, e que o devedor lhe propunha a pagar só em 1, 2, 3 e 4 anos! Fala de uma casa que tem em S. Bento de Sapuchaymirim (**sic**) pedindo opinião sôbre o preço e indagando se João Vicente da Silveira quer trocar por uma que possui em Silveiras. Ao mesmo senhor Bernardo, com o qual tem negócios, também diz ter passado a escritura da casa que lhe propôs o tal senhor dono do escravo Luiz, e acrescenta "Assim acabamos com esse tamanduá" (?) Informa que o vigário de S. Bento tem quem dê por ela 700$000. Pede que se inteire do negócio, procure quem queira comprar e quais as garantias. "A casa pode talvez dar essa quantia à vista, e a vender-se com prazo, deve ser por mais." Previne em todo o caso o amigo de que o vigário, conquanto seja "uma das principais pessôas do logar é também uma das peiores firmas e não convem nenhum arranjo em que elle entre".

Ao compadre, no Rio, informa ainda ter recebido a casa e ter pago de sisa 30$000 e mais a do escravo: sisa 10$000, quitação 5$000 e sêlo rs. 2$000. O escravo está em seu poder e por enquanto só ofereceram por êle 600$000. O Capitão Juca chegou de Sorocaba "porem, que caipora! no dia da sua chegada foi citado por causa de uma precatoria sobre o negocio do Domingos" (o genro), "cumplice de uma firma falsa do sogro, para extorquir-lhe a quantia de quatro contos".

Na mesma data escreve ao Dr. Couto em São Paulo perguntando quando tem de ir para Cuiabá, porque mandou aprontar a sua encomenda de facas e a demora é causada "pelo terror da epidemia", razão pela qual não foram os animais do amigo, que estão gordos, ferrados e prontos, mas não encontra quem os leve. (Facas para abrir picadas em Mato Grosso ou simplesmente para defesa pessoal?)

No dia 20 de maio, em carta ao sócio, diz que o capitão Juca, a respeito do qual já lhe falara, declarou-lhe "terminantemente que por maneira nenhuma" se importaria com negócios do genro (o tal Domingos), cujos bens foram hipotecados por seu amigo Joaquim Breves, a quem o sogro se negou a pagar o que o genro devia. Acaba sugerindo que se tentasse alguma cousa junto do mesmo Joaquim Breves no caso de se descobrir se os bens hipotecados excediam muito a dívida e acrescentando que "não seria talvez desacertado deitar barro á parede".

Informa que o Sr. Bernardo (de Pinda) tem quem dê Rs. 700$000 pela casa, pelo prazo de um ano ou a vista, se conseguir vender de pronto, uma que tem em Silveiras e que vale 2 contos. Ao mesmo escreve que seu cunhado Moreira (o futuro Conde de Moreira Lima) encaminhou para **nossa casa** (refere-se à firma) um bom freguês de Itajubá — Sr. Evaristo da Silva Campista, genro de um importante Fazendeiro do lugar, que ia se hospedar em casa de Joaquim Carlos d'Azevedo, à Rua Direita, 111. O seu cunhado João Rodrigues fêz também encomendas, mas declarou que preferirá o que melhor o servir em preços. Acha que ninguém deixa Lorena ainda por não haver certeza de haver declinado a epidemia (de febre amarela, no Rio).

Parece que a política já estava interferindo nos seus negócios particulares porque diz que conspiraram contra êle muitos da família, o que não esperava, e um rompimento, em tal caso, seria perigoso.

Na carta seguinte remete 120$000 de selos a pedido do coletor para dispor, informando que "ele tem feito disto uma pepineira (**sic**), destribuindo particularmente".

Explica que se descuidou do correio porque foi com a família passar uns dias na roça, tendo sua mãe (D. Maria da Guia, que só veio a falecer em 1864) passado por um dos seus costumados incômodos. Para amaciar (**sic**), como se exprime, o Cap. Juca diz ter-lhe oferecido um animal de sela de sua propriedade, que êle pretendia.

De um nôvo freguês por êle recomendado, João Henriques, diz que é seu primo, perfeito cavalheiro e muito prestável: "já veio de Portugal meio literato", acrescenta, afiançando que "trará proveito à firma pelas suas habilitações e pela bôa posição que tem em Silveiras, onde é a primeira notabilidade, juiz municipal, delegado e quem dirige o chefe dos liberaes, Felix de Castro, merecedor, portanto, de todos os obséquios que se lhe possam fazer. Como é sujeito compreensível, repetindo-se-lhe com bôas maneiras a realidade do encarecimento das fazendas, facil é convencel-o sem a desconfiança a que outros estão sujeitos". Considera uma das melhores a freguesia de Joaquim José da Silva Leme, de Areias, porque é filho do importante fazendeiro Manoel da Silva Leme, o genro do Barão de Gravatá. Gama Rodrigues, no estudo sôbre **Os Azevedos de Lorena,** diz que João Henrique era natural do Aveiro, veio em 1839, fixou-se em Lorena, onde foi advogado provisionado.

A respeito do "Juca Doce" usa da seguinte expressão: "Este bicho seguio para essa ante-honte" e aconselha que o procure porque "comprará alguma cousa e apreciaria muito um passeio à Tijuca (onde mora o compadre). Mas aconselha que não o hospede, não só porque é muito malcriado, como porque "leva filho, genro e uma sucia de achegos". O tal escravo Luiz ainda não fôra vendido e a oferta que teve foi só de 500$000. Desejando alcançar de 600 a 800$, resolveu mandá-lo para a fazenda de sua mãe (a fazenda do Campinho) apanhar café, esperando que ela desse a quantia que desejava, embora como um favor ao filho.

Em 20 de junho de 1860 êle escreve de Lorena ao Sr. José Vicente da Silveira, em S. Bento do Sapuchaymirim (**sic**), dizendo ter visto a carta que o mesmo dirigiu ao seu tio o Padre

Manoel Theotônio, a respeito da casa que lá possui. Que não põe dúvida em trocá-la pela de Silveiras desde que volte a diferença, já que é de maior valor. Faz o negócio para vender a de S. Bento porque não deseja ser proprietário "no interior".

No dia 5 de julho diz ao mesmo compadre que "sempre que puder usará dos meios que estiverem ao seu alcance para obter resultados que melhor possão convir à nossa sociedade".

A respeito de "Juca Doce" informa que se foi para a Fazenda de baixo e consta que tratar das eleições de Cocaria (?) (ilegível). Quanto ao prêto, continua firme no propósito de vendê-lo.

Em 10 de julho communica que seu segundo filho, afilhado do compadre Joaquim Pinheiro (José Vicente, depois Conde José Vicente), está bastante doente e "no dia do seu primeiro aniversário (7 de julho), apareceu essa molestia, a mais grave que tem tido, complicação de uma bronquite aguda com a saída de presas". "O trabalho que nos da reunido ao incomodo moral, tem nos aborrecido bastante".

Refere que o Dr. Sebastião José Pereira Júnior, juiz municipal de Guaratinguetá, a quem deve muitas atenções, pede, com empenho, para, por meio dos sócios na Côrte, especialmente o compadre, cujo prestígio conhece, auxiliar a sua nomeação para juiz de Direito em qualquer parte onde haja vaga, "por ser assim mais fácil para embicar". Aconselharam-no a arranjar cartas de deputados de São Paulo para o Ministro da Justiça (?) mas soube que estava empenhado com outros mais felizes como o Ulhoa Cintra (Barão de Jaguara?), Segurado etc. Não quis desanimá-lo, recordando-se do procedimento do Sr. Paranaguá no negócio de Reserva "porque as cousas podem estar mudadas". Os mesmos processos políticos...

No dia 15 já dá notícia das melhoras do afilhado do Sr. Pinheiro; desde o dia 12 e diz que foi moléstia igual à do Chico na Tijuca, no ano passado (seu filho mais velho, Francisco de Paula, o futuro Barão da Bocaina). "Em verdade", diz "não há maior incômodo para uma pessôa do que ter filho doente, quem não os tem não póde calcular." Sempre o mesmo pai afetuoso...

Em 15 de julho comunica ao Dr. Couto que seguiram os seus animais e que no dia 17 segue o ferrador com quem havia tratado a remessa a 3$000 cada um e mais 2$000 para ferrar. Outros portadores só queriam levar apresentando a conta das despesas na Côrte, com o que não concordou. Pede que providencie o pagamento logo que cheguem, e embora esteja ausente acrescenta que deve descontar 5$000, porque um dos cavalos, o "Picaço", levou um coice em uma perna e está manco, "sendo melhor que não vá por oras". Foi portador o seu primo, Capitão João Ignácio Bittencourt, que terá de receber 35$000 (7 animais). Em 19 de julho diz que por condescendência com seu primo João Ignácio retardou "de dia em dia" a sua viagem mas agora escreve "com o pé no estribo" (expressão que ainda perdura hoje, apesar da evolução nos meios de transporte).

Recebeu e agradece "o mimo que teve a bondade de mandar para o afilhado, o que não pode desculpar é que não deixe de se incomodar". Sempre a mesma finura no trato.

Preocupado com o "Juca Doce", diz que desapontou por notar nêle certa frieza. Arranchou-se **(sic)** na casa do Narciso e só comprou num tal Amorim que lhe ofereceu um jantar de peixe, de que resultou um ameaço de apoplexia, que o obrigou a permanecer, tendo dividido com o dono da casa o sortimento que levara. E em seguida: "O tal Snr. Barão do Curvello com tanta prosa", diz não ter comprado nada. O João Rodrigues (seu cunhado) está muito satisfeito com a compra, tanto pela boa figura do prêto como pelo preço e lamenta que o compadre tenha desembolsado a quantia em conseqüência da demora do portador. "O pior é que o mesmo não aconteça relativamente ao escravo Luiz, cujo pagamento, bem como de uma dívida de que fiz transação com minha mãe (D. Maria da Guia), que fica adiada para a primeira remessa de café." Pede ainda remeter pelo João Ignácio (seu primo, João Ignácio Bittencourt) "um par de botinas pretas gaspeadas para a Snra. (n.º 34) e uma pela medida junta para minha mãe". Remete uma nota de encomendas do compadre João Antunes, dizendo que o João Ignácio leva a quantia necessária para satisfazer êsse importe.

Na carta de 5-8-1860 para o compadre comunica ter estado ausente 13 dias, tendo passado por Silveiras, Areias, Mambucaba, Parati e Cunha e estar ansioso por saber o resultado da eleição do Banco do Brasil, estimando ter-lhe sido favorável. Informa que os dois fregueses novos de Silveiras achavam-se descontentes com os preços das fazendas recebidas, tendo o Francisco Félix declarado que achava tudo muito caro, mas reconhecia que **isso era geral** e só reclamava um engano que lhe parecia ter havido na "baêta azul" (pano empregado na roupa de escravos), que era muito estreita para o preço. "É uma ninharia de que nem devia falar e que conviria da nossa parte attender para não começarmos mal ali, onde este sujeito é quem bate o compasso em tudo". Conta que viu a casa de que recebeu proposta de troca pela de S. Bento e que só há quem dê 1:500$000 a prazo.

Em Areias estêve com o Saraiva, sócio do Silva Lima, muito satisfeito com o sortimento que trouxe e com a maneira por que o trataram. Viu lá um negociante antigo, "com freguezias já enraizadas". Demorou-se quatro dias em Mambucaba para procurar um devedor da firma Lazaro, Pimenta e Cia. (seu cunhado) e para ultimar um negócio do compadre Manoel Luiz, de quem recebeu 2 escravos (um seria a cozinheira de forno e fogão, de que fala mais adiante em carta à sua mulher.) Dali foi para Parati numa canoa, mandando os animais por terra. E no dia 31 estêve em Cunha, onde recebeu dos senhores Rodrigues e Graça 500$000 que remeterá na primeira ocasião. Foram entregues pelo Rodrigues na casa do vigário, onde se achava, e atribui ao mesmo a deliberação, informando que o outro sócio "não tem ali muito bôa nota". "O que é certo é que ambos são tidos por quebrados e devem á Praça para cima de 20 contos."

Conta ainda que no dia 22 de julho o Dr. Sebastião José Pereira Júnior foi espancado em Guaratinguetá na ocasião em que entrava em casa, de volta do teatro. Atribui-se a uma decisão que deu contra um liberal importante numa questão com o administrador da Barreira da Figueira, cuja decisão aliás era tão justa que foi unânimemente confirmada pela Relação". E acrescenta: "São vesperas de eleição..." Sempre as quizilias entre liberais e conservadores.

Na mesma data informa à firma de seu cunhado, Lázaro, Pimenta e Cia., que o seu credor Rocha Barreto se acha em condições precárias e o sogro não quis se responsabilizar pela dívida. Em Mambucaba, onde foi por sua conta, só gastou 26$000 com uma canoa para Angra dos Reis e 8$000 para o prático que o acompanhou

Em 15 de agôsto escreve novamente de Lorena ao sócio e compadre lamentando que a eleição do Banco do Brasil não lhe fôsse favorável, dizendo que é uma miséria ver-se uma pessoa sujeita a certas represálias de vinganças que só são dignas daqueles que procuram tais verdades para seus desabafos. Cada vez mais insiste para que seu sócio tenha o dever de questionar sua reeleição para o Tribunal do Comércio. Sempre a política... Em Parati tem um freguês que compra pouco, "porém só a dinheiro, que é a melhor garantia".

Acaba dizendo que deixa de ser mais extenso porque é dia de festa da Padroeira, solene desde aqueles tempos.

Na carta de 20 de agôsto, a respeito de um freguês: "infelizmente estamos num tempo em que é preciso desconfiar de tudo e de todos". Castro Lima (o primo Antônio, futuro Barão, Chefe liberal) e o irmão dêste (Joaquim José Moreira Lima, que será o Conde, ambos filhos de D. Carlota Leopoldina) seguem para a Côrte, aonde o último vai pela primeira vez (com 18 anos). O Moreirinha (como ficou conhecido na intimidade o Barão), vai para a Chácara do Sogro (o rico fazendeiro Leitão, de Jacareí). Espera que o Moreira Lima fique com os sócios, na Rua da Quitanda, para estabelecer contato com a firma.

Informa que seu cunhado João Rodrigues já mandou pagar 700$000 pelo escravo e à vista disso passou o papel para a mãe. Assim vê desencantada essa "mangação" de que dependia. O mesmo João Rodrigues queixou-se dos preços: chitas azuis a 275, morins a 5$600, merinós a 2$500 e que só comprará a dinheiro. Reclama duas canastras da mana Jesuína que seguiram com o Correio e ela diz não ter recebido.

Na carta seguinte, de 25 de agôsto, insiste em que hospedem o jovem Moreira Lima, que, com 18 anos, vai pela primeira vez à Côrte. Conta que estêve hospedado em sua casa o Dr. Chefe de Polícia (Dr. Ludgero) da Província, com todo o seu estado maior, vindo de Guaratinguetá, onde foi investigar o atentado que sofreu o Dr. Sebastião. Mostra-se satisfeito por terem procurado sua casa, porque não é dos hábitos do Delegado aceitar favores de ninguém e pára sempre em hospedarias. "É muito bela pessoa e parece-me **que para isso concorre o ser muito conservador."**

Na mesma data, escreve a uma firma de Mambucaba pedindo que regularizem os negócios com o Sr. Gonçalves, que lhe quis impingir as duas peças (dois escravos) de que dificilmente se verá livre. Revela não ter sido retribuído com o cavalheirismo com que sempre procedeu no negócio, e que acabou por ocultar que a preta tinha repetidos ataques, além de já ter sofrido do peito: e o mulato tinha uma ferida que não conseguiu curar. E assim tentavam já "passar a perna" quando ela tinha feridas. Será essa a origem da expressão?

Ao Sr. Vicente Felix de Castro comunica que fará "tudo em favor dos seus romances, tendo já escrito á Côrte a respeito, pedindo que os inclúa na lista de assinantes" (inegável o seu prestígio...). Em 29 de agôsto encomenda meia dúzia de meias curtas para o seu filho, com 4 anos, as quais pede remeter pelo cunhado.

Na carta de 4 de setembro regozija-se pela volta feliz do "Compadre", de Minas para a Côrte, e acrescenta: "Quem nos dera ter para cá uma estrada como a da União e Industria !! por enquanto, vamo-nos sustentando com a segurança de termos algum dia a estrada de ferro". Quanto ao Sr. "X", diz não ser a primeira pulha que êle prega, não a êle, mas a quem não deveria fazer... E termina: "A mudança é rapida quando precisa da gente e por isso é asneira dar-se cavaco". Encomenda ainda dois vidros de remédios para virem pelo cunhado: "Elixir milagroso para os olhos, que vendem no Laemmert (!) e um de atropina, receita do Dr. Carron du Villars, da qual manda copia". No fim da carta indaga ainda "Como terá se arrumado o nosso cunhado Lazaro com a sua eleição municipal? Ali tanto empenho e aqui os candidatos são agarrados a laço! Estamos em vesperas de eleição e aqui ninguem se lembra dellas; não deixa de ser conveniente esta calmaria política para compensar a effervescencia de Guaratinguetá, onde se espera que a desordem vá ao auge."

Escreve ao cunhado Moreira Lima na mesma data endereçando a carta para a Rua da Quitanda "na fé que tenha preferido a nossa casa para merecer a honra de hospedal-o". Receia que isso não tenha acontecido e diz que se assim fôr lamenta porque não terá reconhecido "o gráu de affabilidade dos meus socios e amigos", "mas acredite que em todo o caso não deixarei por isso de ser seu amigo".

O correio era demorado, e na carta seguinte, de 10 de setembro, já êle agradece ao compadre "o agrado com que receberão o cunhado Quim (nome familiar do Conde de Moreira Lima, que foi depois o Tio Quim na família). Assim é bom que "as suas primeiras impressões da primeira viagem á Côrte nos sejam completamente favoráveis". Escreve apressadamente porque a mãe (D. Maria da Guia) tem estado de cama e bem mal há 4 dias, desde o dia 7 com "caimbras de sangue" (mal conhecido com êsse nome desde a época de Anchieta), mas diz que a doença começou a declinar e está com esperança de melhoras. Em Guaratinguetá "houve cousa", como se exprime, mas não passou de empurrões e bofetadas, porque chegou ali na vespera da eleição grande número de praças do "**Fixo**" e mais um capitão, um tenente e um alferes. Os conservadores pretendiam correr com o Juiz de paz — Antônio Luiz — de Lorena que veio presidir a eleição, a qual está se realizando na Igreja do Rosario.

Na de 19 de setembro, lamenta o acidente de um filho do compadre que quebrou o braço, agradece os obséquios que prodigalizou ao seu cunhado mais môço (o Moreira Lima) "o qual, reconhecido como é não deixará de retribuir-nos com a sua bôa freguesia".

Apesar disso, diz mais adiante que os seus cunhados Moreira (Antônio e Joaquim — o Barão de Castro Lima e o Conde) não alargaram as compras o quanto era para desejar. Pede que mande num dos fardos a êles destinados "um par de canhões para botas, botões de pagem que sejam de collete e uma gola encarnada em branco ou azul, listada, que se vende no Torres; e mais uma abotoadura branca oú amarela com a letra 'A'". Na de 19 de setembro, ao Sr. José Pimenta Bueno, usa uma expressão original: lamenta que por motivo de algum "descaminho" a última carta não lhe tenha chegado às mãos. Pede que mande no primeiro barco que sair para Parati um caixote de velas das que tiver de menor preço.

Carta interessante pelos têrmos usados e pela construção é a que remeteu para o seu cunhado mais velho (o futuro Barão de Castro Lima) para a Côrte, nos seguintes têrmos: "não posso findar sem agradecer-lhe a muita bondade que teve de repartir o seu surtimento com a nossa casinha, que muito lucrará com a honra que lhe deu de vêr o seu nome no numero de seus bons freguezes".

Em 25 de setembro lamenta ainda o acidente do filho do compadre, desejando que fique isento de qualquer defeito. Pede cientificar D. Elisa, a comadre, que "quando souberam desse infeliz acontecimento invocaram o milagroso auxilio da Senhora Apparecida". (Pelas descrições feitas da moléstia do menor Juca — o futuro Conde José Vicente —, parece ter se tratado de um surto de paralisia infantil, de que ficou completamente curado, e a que êle mesmo faria alusão mais tarde.)

Na carta de 30 de setembro acusa a chegada do cunhado Quim que lhe trouxe notícias e entregou o cavalo escuro do compadre, que se esforçará por engordar e fazer uma boa troca. "O Quim" (o Conde, cunhado Moreira Lima) "vem muito satisfeito pela maneira com que o trataram", diferentemente de outros que chegaram a dizer que êles "foram mascatear".

Comunica ainda que afinal vai uma ordem para pagamento do escravo Luiz (o "objeto" de uma das primeiras cartas de 1860).

Na mesma data, agradece a uma firma ter pago a prestação da Companhia de Navegação do Alto Paraguai e remete um cheque de rs. 300$000, a receber no Banco Mauá. Acusa a outra firma o recebimento dos dividendos da mesma Cia. e, mesmo sem fé no negócio, pede que disponham dêles.

Lamenta que os cavalos do Dr. Couto, a que já se referira em carta anterior, tenham chegado em mau estado e atribui a quem os levou, porque estavam muito bem tratados. Aliás, outros seus que foram na mesma ocasião estavam tão maltratados que nem alcançaram preço e foram vendidos em Lorena mesmo.

Em 3 de outubro agradece José Vicente uma carta do "Compadre" anunciando a ida para a Tijuca com a família, regozijando-se pelo fato e dizendo que "auzencia da cidade na epocha presente" (fugir do verão no Rio) "é um alívio para quem está acostumado ao ar livre daquella deliciosa residência".

Comunica que sua mãe não tem passado bem, por causa do mal antigo, e que "estão de novo com médico em casa". Conquanto de pé, o seu estado atual é tão melindroso que dá sérios cuidados. Pede prevenir ao cunhado Lázaro (marido de D. Jesuína) porque ela ficaria bem contente se visse junto de si a filha a quem mandara dizer que "não se lembrão ou não pensão o quanto ella se afflige com a sua posição e o sentimento que tem de não poder remediar" (situação financeira abalada da firma Lázaro, Pimenta e Cia.).

Diz nessa mesma data ao Sr. João Pinheiro, irmão do "Compadre" e seu sócio também, que o cunhado Quim está muito satisfeito, não se cansa de elogiá-los e à hospedagem, declarando que espera fazer lá residência outra vez que fôr à Côrte.

Na carta de 10 de outubro, felicita o "Compadre" pela eleição para diretor do Banco, pronta desforra que tirou com a vitória sôbre os desafeiçoados, que levaram com isso uma lição. Informa que a mãe continua mal e muito abatida, tendo o médico feito diagnóstico de "uma pneumonia crônica" **(sic)** e que não é pouca felicidade obter melhoras que dêem para passar sossegada.

Por outro lado, o Sr. Lázaro, atendendo ao desejo da sogra, "por quem não pouparia sacrifícios", pediu que lhe mandassem animais e cargueiros a encontrá-lo. O camarada Rufino foi para a Côrte a buscá-los. De D. Maria da Guia as notícias não são boas, "passa noites sem dormir com tosse e continua a suffocação", só se alivia com calmantes, "unica couza com que a medicina vae tenteando a sua existencia, o que já é um favor da Providencia" (ela só faleceu em 1864 e estas cartas são de 1860).

Aqui uma nota política — dá os parabéns ao Sr. Pinheiro pelo convite e pela escusa que valeu mais do que uma nomeação para o Ministério, para um lugar que deixou encaiporado **(sic)** seu colega S. Telles. A propósito, indaga se o compadre pode obter alguma coisa do Ministro do Império. Como é época de eleição, deseja tentar alguma coisa e arrisca a pergunta. Acha que seus documentos são fracos mas "com menos outros têm conseguido" (a política começava a lhe fazer cócegas...). Informa que no dia 15 (de outubro) "seguiu para Paratí a tropa da casa e por ela mandou um caixote com fubá, um saco com polvilho e dois jacazes com toucinho", pedindo desculpas à comadre pois "não sabe o que mandar que seja mais digno de sua despensa da Tijuca". Pede ao compadre o favor de contratar um hortelão para a chácara, se possível um ilhéu, a bordo do primeiro vapor que chegue, pagando-lhe a passagem. Quer homem de alguma idade e sem família, que de "alguma forma prove ser afeito ao trabalho", pois teve um há 2 anos que na sua terra era mestre-escola, "nem ao menos tinha as mãos callejadas e não entendia do trabalho para que se ajustou". Devia ser enviado por Parati. Conta que houve um grande incêndio nas fazendas da Companhia do compadre João Antunes, de seu sogro Moreira Lima e de seu tio Joaquim Honorato, tendo chegado até as divisas do Campinho, destruindo grande porção de matas e cafèzais. "Foi um triste espetaculo e não pequeno prejuizo."

O cunhado Moreirinha diz ter lamentado que Nhazinha [a filha do Leitão, D. Leduína] não tenha conhecido a comadre D. Eliza, tendo ido procurá-la no Engenho Nôvo mas ela já havia subido para a Tijuca. Contudo, o compadre deve esquecer essa falta.

Trata novamente dos fregueses que enviou e informa que D. Maria da Guia tem passado melhor, não tanto quanto era de desejar, esperando sempre a visita do Lázaro que até agora não dava notícias. Eis que no dia seguinte chega o cunhado, que teve um ataque no caminho, precisou falhar 2 dias e teve até de ser sangrado (era a medicina da época) numa fazenda em Barra Mansa. Conclui dizendo que "se não tratou o hortelão **"deixe sobre estar** por óra o pedido porque appareceu-me um ilhéo e justei".

Sempre preocupado com política, espera e estimará que a questão eleitoral da freguesia do compadre "dê a vitoria para a chapa a que pertence o seu nome, não só por ser a mais conveniente como porque não deixa de ser util a dependência em que ficão alguns altos personagens". "Lembre-se da promptidão com que nos queria servir o anno passado o seu am° P. da Silva. E quem sabe se então, entre uma e outra eleição, não será perdida a apresentação dos meus papeis?" Tentativa para voltar à política?

Atribui as melhoras da mãe à união dos filhos e espera também dentro de poucos dias a visita do que está em S. Paulo (Pedro Vicente, cursando a Faculdade de Direito).

Preocupa-se sempre em enviar novos fregueses; desta vez Francisco Luiz Domingues Bastos, que é bom môço, irá hospedar-se na casa e necessàriamente fará nela o maior sortimento. Pede que remeta por êle "uma seringa de gomma elastica ou das de bombas que se vendem no Denisle".

No dia 30 de novembro refere que teve de "ir á Fazenda levar para convalescer um capanga do Lazaro" [o cunhado do Rio] "que aqui ficou com febre intermittente". O máu estado em que está o caminho com tanta chuva "não permite a volta". Por êsses motivos não acompanhou a família a Aparecida, aonde foram por promessa, motivada pela moléstia da mãe, "assistir a todas as novenas da festa, que tem lugar em 8 de Dezembro, devendo também, seguir com o seu rancho no dia seguinte". Recomenda que franqueiem o que desejar ao Sr. Theodoro Lopes de Andrade, negociante de fazendas muito acreditado em Pedroso, no município de Lorena, caminho de Parati.

Escreve em 10 de dezembro, de volta da "comprida romaria" que fizeram a Aparecida, onde felizmente todos os da família passaram sem novidade. Pelos jornais chegados no dia 7, teve notícia do "grande incendio, cujo resultado fatal **os esteve eminente" (sic).** "A noticia dada pelo Mercantil e mais adiante os agradecimentos que houverão deixarão-me em um estado duvidoso sobre a parte que nos era relativa."

Uma carta, vinda por portador, o qual por causa de muita chuva só no dia seguinte foi entregá-la na Aparecida, onde se encontrava o Coronel, é que veio tirá-lo da impressão causada pela leitura dos jornais. "Faço ideia dos trabalhos que tiveram e que felizmente a Providencia permitiu que fossem aproveitados." "Deixo de tocar-lhe n'esse ponto" porque "só a lembrança do terrivel drama que prezenciei tão de perto e bastante para incommodar." O tal Francisco Luiz, de volta, contou-lhe o estado em que viu tudo no dia seguinte, mas os 16 fardos das suas compras já haviam sido entregues e estava muito satisfeito. Felizmente as suas canastras não estavam na Rua da Quitanda, porque com a "terrivel visita da madrugada" (ladrões?) poderia ter sofrido prejuízo, o que seria desagradável. Lamenta que tenham esquecido de mandar por êle o vidro de Água Santa que se vende na Rua da Misericórdia, 39, e espera pelo primeiro portador.

Recomenda mais um freguês — Francisco Teixeira da Cunha Machado ("o Chico Bunda") que foi vender animais. Pede que se souber de algum remédio cuja eficácia seja notável para a maldita coqueluche, mande porque não há casa em Lorena em que não haja. Mesmo alguns "criolinhos" seus, que tem apartado, a ver se não ataca os "pequenos", "porque os médicos dizem que é moléstia contagiosa"(!).

Segue-se uma carta endereçada ao Sr. Luiz Pimenta, em que pede notícias da liqüidação da sociedade de Lázaro, Pimenta e Cia., oferecendo-se para fazer cobranças da firma em Minas, sendo sua intenção ir para lá dentro de 15 dias. E como tem um crédito de 34$000 na casa, pede para creditar na sua conta 20$320 que deve à Comp. Luz Steárica.

O ano de 1860 está acabando e é êste o único borrador que deixou. Em carta de 15 de dezembro agradece ao sócio João Pinheiro a bondade com que minuciosamente relatou a desgraça que estêve iminente sôbre a casa e de cujos resultados fatais a Divina Providência se amerceou livrá-los. Queixa-se de sua vista, da qual já temos nos ocupado. Confirma a viagem a Minas e pretende partir por todo o mês de janeiro ou fevereiro e percorrer as povoações do Sul de Minas que ficam próximas como Capivari, Pouso Alto, Cristina, Pouso Alegre, Santa Rita, Itajubá, etc., por ouvir dizer que é melhor época para angariar fregueses, visto os negociantes fazerem seu sortimento de março em diante.

Mostra-se muito preocupado porque apesar dos cuidados, o seu filho mais velho já está atacado de coqueluche e a moléstia tem desimado **(sic)** muitas crianças, porque se apresenta com mau caráter. Escreve em 24 de dezembro dizendo que sem embargos de tudo quanto é lembrado para atalhar a tosse do menino tem aumentado todos os dias e o outro, o afilhado do compadre, parece afetado do mesmo mal, porque tem tossido alguma coisa à noite e o mal assim começa, como um simples defluxo. O que mais o aflige é o número de crianças vítimas do mal, o que não acontecia em épocas anteriores. "Aconselhado que a mudança continua é o melhor meio de minorar o mal andamos agora numa roda viva e apezar de existir na Fazenda, para lá iremos se na chacara não obtivermos resultados."

Pede para reformar a assinatura do **Correio Mercantil** e não é mais extenso porque o compadre deve estar muito atarefado com as eleições do dia 30, cujos resultados espera que lhe sejam favoráveis.

Com essas notícias encerramos a apreciação sôbre as cartas do borrador, em que fomos um pouco extensos porque seria impossível copiá-las tôdas. Na sua linguagem pitoresca muitas vêzes, na reprodução dos fatos, na descrição dos costumes temos um estudo precioso da época, além do retrato de um personagem tão completo como foi o Coronel José Vicente, pela sua cultura, pelo seu espírito de observação, pelas atividades que desempenhou na vida e pela sua adaptação a tôdas elas. Não podemos deixar de assinalar também a sua fé religiosa, muitas vêzes manifestada nestas cartas e nas que escrevia à espôsa.

Como comerciante, deixamos sentir o ambiente em que vivia, os seus problemas domésticos e o espírito de um grande psicólogo pela apreciação que faz das pessoas. E com isso termina a fase do comerciante José Vicente.

A POLÍTICA DE NÔVO

Já em 1861 temo-lo interessado de nôvo na política, mas com ambições diversas das de simples delegado de polícia. A prova disso está em algumas cartas avulsas que possuímos, sempre endereçadas ao seu compadre.

Na primeira, de 20 de janeiro de 1861, êle ainda está às voltas com a coqueluche dos filhos, "um dia p.ª diante e outro p.ª traz e sem poder mandar para a Fazenda porque o Paraiba alagou grande parte do caminho".

Tendo aparecido em Lorena um charlatão, obteve êle da Câmara licença para curar, e foi chamado de "Dr. Carapuça". Em todo caso não lhe inspirou confiança. Mandou vir de Guaratinguetá um de verdade, Dr. Rafael, que, sabendo do que se passava, voltou para sua terra, do que resultou ter de consultar lá. Em seguida, o Dr. Rafael atendeu mas cobrava 20$000(!) por vez e veio 4 vêzes. "Se aqui morasse não pagariamos mais de Rs. 2$000 por visita e podia vêr os doentes todos os dias. Esse procedimento ilegal da Câmara tem revoltado a muitos e eu vingo-me fazendo publicar o artigo incluzo, que ninguem sabe donde parte." Pedia que o mandasse para o **Mercantil (Correio)** e se no **Jornal (do Comércio)** não exceder a 10$000 é bom que saia ali também. Diz ter já escrito às redações das duas fôlhas no mesmo sentido. "A vêr se pego as bichas e se dizem algumas palavras na Gazetilha (1) ou Noticias Diversas."

"O que admiro, continua, é que a Camara corresse com um liberal para dar o logar a outro e a razão é que o Rafael (é sogro do Barão de Guaratinguetá) está hoje muito moderado e o "Dr. Carapuça" apresenta-se dizendo que assistio o incendio da ponte do Paraybuna e que recebeu uma bala nos ataques

(1) Trata-se da **Gazetilha** do **Jornal do Comércio.**

de 42. Um bom médico em Lorena não perderia tempo porque o Dr. Rafael teve mais de 800$000 de lucro e antes da vinda do "Carapuça" nunca fez menos de 600$000, **sem partido algum.**" Conta que o tenente coronel... (ilegível) "com o seu contingente aqui arribou para assistir ás eleições de Arêas hoje e nestes 3 dias estará de volta".

Em 19 de fevereiro de 61 reclama a irregularidade dos Correios que, além de demorar, trazem as cartas dilaceradas por causa dos maus caminhos e constantes chuvas. Atribui a causa à Administração Geral e nunca à agência local. Penitencia-se de não ter conseguido muitos fregueses. Parece que a política já está prejudicando os negócios porque diz veladamente "certas circunstâncias tem influido na reluctancia que tenho encontrado nestes logares, o que não quiz narrar em outras datas, sendo uma d'ellas o resentimento que a alguns tem causado a escolha de freguezes. Limitei-me a apresentar-me uma vez e agora se tem repetido com outros sem eu poder remediar". Teme a concorrência do "tal Snr. Machado", cujo procedimento é pautado pelo desejo de nos fazer mal. Num trecho riscado lê-se bem: "Tambem não posso atribuir ao meu antigo procedimento político esta falta, pois que meu comportamento desde longo tempo tenho pautado (...) acaba aqui, mas a razão está clara". E continuava, mas riscou. "Por outro lado, tenho também apresentado a maior abstenção em negócios politicos, ou outros de que resultasse alguma desafeição prejudicial ao nosso negocio. Por tal maneira tenho me mostrado indiferente que alguns meus correligionarios extremados me qualificam como liberal! A vista d'isto e tanta couza mais que referia se pudesse" (riscado) "é pois incontestável que independente do meu estado de saude desespere de não obter fregueses."

"E assim fallando não faço mais do que corresponder á franqueza com que me falla em sua carta. E sendo as despezas crescidas e certas e os lucros pequenos, acho acertado o que diz-me, apezar de não saber dos lucros havidos; calculo que estarão alem do que ahi prophetisou alguem de minha familia, que não tiraria nem o premio de 1% que aqui tinha pelo meu dinheiro. Enfim quando o Compadre se decidir a acabar com o negocio, o que peço é que me dispense por toda a maneira de ir á Côrte actualmente, o que seria o maior sacrificio; ficando certo que qualquer deliberação tomada será por mim recebida como uma garantia da confiança que me merece. Em tal caso, quero receber apenas o lucro das vendas que agenciou á medida que fossem vencendo e que podia reduzir do seu negocio. Alonguei-me demais: agora, passar para o meu copiador é que são ellas". (Realmente estamos nos valendo de um rascunho para estas informações.)

No rascunho seguinte lamenta importunar um amigo que não cita, a braços com os trabalhos da eleição da Capital, "mas com duas palavras suas o negocio se resolveria". Diz que o amigo sabe a que estado se tem traiçoeiramente reduzido o Partido Conservador de Lorena e a resignação com que os correligionários se têm portado, "presenciando silenciosos os actos do ultimo Presidente da Provincia", que "tem procurado extingui-lo". "Hoje, que nossa paciencia está quasi exgotada, um raio de esperança nos presagia um melhor futuro, estando disposto a empregar todos os esforços para impedir o rodar do carro de nossa desventura por todos os meios possíveis (riscado daqui por diante) "e compativeis com a dignidade"... (ilegível). Adiante: "obstar ao menos que se continue a montar aqui o partido liberal à custa de decepções dos nossos melhores amigos. Com paciência e com vagar o tempo nos dará melhor posição perante a provincia." Em seguida: "foi não há muito creada uma secção do Batalhão de Reserva n'esta cidade e com geral expectação nomeado por intervenção do Snr. Conselheiro Torres para commandante o Snr. Bueno de Godoy, de preferencia ao Capitão da Companhia Avulsa que existia, porque este é nosso decidido correligionario e aquelle um exaltado liberal, já juiz de Paz e delegado de Policia, embora em uma posição financeira muito differente do outro". "Como se trata agora de nomeação de officiaes para os novos lugares e n'esta creação o Presidente da provincia tem toda a liberdade para as nomeações, certo das bôas relações do meu am^{o} com S. Excia. e da probabilidade com que póde obter estas nomeações para o nosso partido, empenho-me para que consiga que o Exm^{o} Presidente sabendo tantos dissabores por que temos passado ha mais de 4 annos, prefira a lista inclusa á que mandou aquelle major em que só forão contemplados extremados liberaes". (Infelizmente não temos a lista.) "Esta preferencia, alem de arredar esses 6 nomes dos liberaes que estão de fora de todos os cargos de nomeação do governo importa-lhes num **xeque** que dará muita animação ás nossas fileiras. Por este motivo, mais que qualquer outro é que eu conto com a dedicação do meu am^{o}..." (acaba aqui o borrão).

De Lorena, na carta de 16 de março de 1861, êle começa em papel timbrado, de linho, uma carta "Meu Compadre e Amigo" em que diz achar-se vago o lugar de Tabelião da Cidade por desistência que fêz o honrado escrivão Domingos José Alves Guimarães. Risca êsse trecho e no verso vem o borrão da continuação de uma carta. São trechos que não deixam de ter interêsse por serem assuntos políticos e rivalidade entre os partidos.

Em 6 de março êle escreve, ou antes, faz novamente um rascunho de uma longa carta a que dá os números de 1 a 7, escrita de Lorena, ao "Compadre e Amigo", e que por ser extensa vamos procurar resumir. Encerra os negócios e reclama encomendas que não foram debitadas. O resto é política. É assunto relacionado com a anterior porque fala da lista mandada pelos liberais e diz que "o tal Snr. Paranaguá" o fêz passar por um desapontamento terrível — eram os seus mais extremados correligionários que já se tratavam mùtuamente pelos postos como se já tivessem patentes. Mas, as nomeações são dos comandantes e "o atual Presidente que não é para graça passou-lhes uma rasteira e nomeou para todos os postos os mais decididos conservadores", o que desmonta o comandante. Como membros da Câmara Municipal as pessoas propostas "expediam todos os dias accusações virulentas contra o homem". Se em vez do Paranaguá lá estivesse o Sr. Henriques o negócio da reserva seria ainda melhor. A propósito do Ministério espera mudança sem saber para que lado: lembra que se não aproveitar o Sr. João Nepumuceno de Campos conforme propunha, pode vir algum estourado.

No dia 16 de março acusa a cópia do balanço e mais "o sobretudo, o mantelete e o panno de meza. Tenho a dizer-lhe que não esmoreço e antes pelo contrário vou redobrar de esforços a ver o que se faz." Escreveu para Taubaté e para Areias e conseguiu que o sogro (o velho português Moreira Lima) reiterasse os pedidos feitos por êle. Pretende acompanhar a pessoa que vai tratar dos negócios na Província de Minas.

Confia no compadre, única pessoa na Côrte a que pôde se dirigir, pedindo permissão para falar de uma pendência perante o govêrno geral. Fala da vaga de Tabelião pela desistência do tal Alves Guimarães, a que já se referiu. Estavam acostumados com a sua probidade e seria impossível suportar um escrivão de má fé. O pretendente tem tôda a proteção do Partido Liberal e por isso resolveram apresentar o Sr. J. N. de Campos (João Nepomucemo de Campos) "que tem as qualidades para o cargo e no qual deposita confiança", desejando envidar todos os esforços para obter essa nomeação. Apela para "a valiosa influencia e proteção do compadre, que por conhecer Lorena póde afiançar ao Ministro da Justiça que seria uma calamidade que semelhante emprêgo, tão importante num lugar pequeno", fôsse recair em mãos "deles". É grande o empenho que faz, já por um capricho e por honra dêste punhado de conservadores que aqui há, já porque "ficariamos muito bem servidos com este serventuario publico". Sabe que "o compadre dá-se com o atual Ministro, o Snr. Conselheiro Lobato, reforçando se preciso com empenho de algum amigo importante". "O Carthorio foi posto em concurso e dentro de 60 dias os pretendentes tem de apresentar os requerimentos e documentos por intermedio e com informação do Presidente da Provincia". Os documentos do seu protegido seguirão o mais breve possível, contudo o ministro nomeia independente de tôdas as formalidades. E prova: "o escrivão de orfãos de Lorena foi nomeado pelo Ministro Vergueiro até sem fazer o exame exigido". E o de Bananal, que é seu primo, foi nomeado por pedido do Lázaro (seu cunhado) e pelo mesmo ministro, dias depois do falecimento do anterior.

Se alcançar o que deseja os outros pretendentes ficarão de bôca aberta. Diz que seria uma das mais agradáveis notícias que espera receber justamente no dia dos seus anos. Informa que os filhos estão livres "do" coqueluche, mas o afilhado do amigo bem doentinho, parece em conseqüência da saída de algum dente de queixo **(sic)**.

Por carta do Lázaro teve conhecimento de que a comadre D. Eliza tem estado doente e obrigada a conselho médico a deixar o Rio, pretendendo ir para Nova Friburgo. Conquanto reconheça que Lorena está longe de comparar-se àquele lugar na comodidade e recursos, se esquecer essa falta de comodidades e atender só à vantagem do clima, lembra que D. Eliza por vêzes conseguiu tornar vigorosa sua saúde ali.

Pede e "espera que o Compadre se resolva a trazer a sua familia para o seio da nossa, reservando-me o favor de encarregar-me pessoalmente de acompanhar o seu transporte, procurando por todos os meios tornar mais fácil e menos incommoda a viagem". Aguarda resposta dizendo o número de animais de montaria e de carga precisos e imediatamente partirá, permanecendo na Côrte os dias necessários que aproveitará para ver certas pendências com o govêrno. "A ocasião é otima porque estam reunidos todos os Deputados de nossa Provincia."

"O Lazaro vae até o dia 10 apezar de eu instar para descermos juntos, servindo-se de meus animaes, pagando-lhe eu as despezas."

Antecipa a próxima carta ao compadre porque no dia 9 tem de acompanhar até Aparecida o cunhado "Moreira e familia que vão para Jacarei" (o genro do Leitão) e mostra-se satisfeito com a resposta sôbre o caso do Tabelião. O prazo de 60 dias vai até 6 de maio e conta enviar em tempo os papéis. Combinou com o Dr. Juiz de Direito que se o Conselheiro Henriques se retirar antes de informar e o sucessor não fôr seguro, o Juiz dará a informação com data atrasada e o Conselheiro fará o mesmo. Embora confiasse no compadre empenhou-se também com o Conselheiro Josino de Campos, com os Barões de Tietê e Bela Vista, Dr. Nebias, B. da Cunha, Rodrigo Silva, Gama (Chefe de Polícia da Côrte) e Ludgero. "O consr^{o} Henriques está na verdade inimitável e não deu na Provincia pedra sobre pedra; pelo ... [ilegível] verá que lembrou-se do meu nome, cuja nomeação tive pelo correio de 5. Apezar de lhe ter respondido no sentido que vem a publicação, diz-me o Juiz de Direito que não aceite e não escuze e nem me ficará bem teimar (embora aceite só para tomar logar visto que tanto se nos tem prestado)." Fala ao compadre em fregueses com que êle e o sogro se empenhavam em Lorena, Areias e Silveiras, cujos nomes menciona.

Sôbre a sua subida com a família Pinheiro, em conseqüência dos incômodos de D. Eliza, confirma os oferecimentos, tendo muito prazer em recebê-los. Diz que o Lázaro adiou a partida, "mas não por minha cauza, porque os animaes ficaram esperando na Fazenda do Capitão Juca".

"Corre aqui que o Nebias vae para a pasta do Imperio, estou feliz! Então aproveitaria esta Portaria, ultima do bom Henriques para juntar uns papeis que tenho e eles valerão alguma couza."

Uma última carta que possuímos, de 15 de abril, recebeu do compadre, escrita de Barra Mansa, entregue pelo Major José Pereira Leitão, o qual "está arranchado com seus companheiros e declinou dos oferecimentos que lhe fez, tendo sido instado para passar o domingo em sua casa e assistir a um baile que lhe era oferecido, o que tambem não aceitou. Um meu amigo liberal nomeado e em bôa posição de fortuna e de família pretendeu um posto de Alferes de reserva, respondendo o Godoy que indicaria outro". Mais uma carta da firma (que voltou a ser Pinheiro e Irmão), enviada para São Paulo, confirma a continuação dos negócios. Assim termina a apreciação sôbre o comerciante José Vicente.

ESCRAVOS

De assuntos relativos a escravos os documentos são escassos no arquivo da viúva do Coronel José Vicente, mas alguns de grande interêsse como aquela carta do próprio punho do escravo Romão, alugado depois também por sua viúva como pedreiro, para ajudar na manutenção da casa.

Possuímos vários passaportes de escravos, vindos todos do Norte do país, dois de Piauí e três do Ceará, que se destinavam ao Rio de Janeiro, para serem vendidos. Ficaram registrados como escravos em Lorena, para onde vieram em 1868 e foram todos ainda do Coronel José Vicente de Azevedo. Eram do sexo masculino e tinham mais de 18 anos.

Dos registros incluídos dois eram posteriores à morte do Coronel José Vicente e já estão em nome da viúva.

Nos passaportes só constam os sinais físicos, o antigo senhor e o destino. Não cuidavam da filiação. Apresentavam os vistos de todos os portos por onde passavam, eram bem vigiados. Damos como exemplo um de Raimundo, com vinte anos, que veio de Piauí; diz o documento ser "baixo, cheio de corpo, rosto comprido, cabellos pretos, carapinha, nariz um tanto chato, bôca regular, côr fula ou cabra e sem barba". Assim eram todos identificados. Não devia haver africanos, porque eram todos mulatos. (Documentos 45 e 46, págs. 307/8.)

Datado de 1854 possuímos um documento de venda de uma escrava do Comendador José Vicente de Azevedo, assinado pelo vendedor, Salvador Carlos de Oliveira, seu tio (genro também do Capitão-mor Manoel Pereira de Castro), que teve como testemunha João José Rodrigues Ferreira, genro do Comendador José Vicente de Azevedo.

Era uma escrava crioula, de nome Mariana, que tinha uma filha de um ano, Teodora, e o preço de ambas foi 1:400$000. Fiel ao seu senhor, essa descendência nunca mais abandonou a família, que a assiste até hoje, na quinta geração. Tetranetos de Mariana têm ainda hoje como padrinhos tetranetos do Comendador José Vicente.

Eis o documento:

"Digo eu, abaixo assignado, que sou senhor e possuidor de uma escrava creoula de nome Mariana com huma filha de idade de 1 ano pouco mais ou menos, cujos Escravos pagos vendo hoje p.ª todo o sempre ao Sr. José Vicente de Azevedo, pelo preço e quantia de um conto e quatrocentos mil reis. Rs. 1.400$000 de cuja escrava transfiro toda posse, dominio e senhorio que na mesma tinha por ter recebido pagatº desta em moeda corrente, fazendo boa, firme e valliosa esta venda ficando o comprador obrigado a pagar a sisa.

Lorena 2 de Novembro 1854
Salvador Carlos de Oliveira
Como test. presente
João José Rodrigues Ferreira."

Dessa escrava nascida em 1854, nasceu em Lorena, em 1873, uma criança de côr parda, do sexo feminino, que, posterior à lei do ventre livre, nem por isso abandonou os seus protetores e foi registrada por D. Angelina Moreira de Azevedo, a viúva do Coronel José Vicente, com o nome de Benedicta.

Eis o registro:
"Anno Fevereiro de 1854 a 1855
Colletoria da Vila de Lorena
Moreira Lima.

No Competente Livro de Rendas Provinciaes, fica debitado ao Atual Colletor a quantia de setenta mil reis que pagou o Senhor José Vicente de Azevedo de meia siza correspondente a Rs. 1:400$000 preço porque comprou a Salvador Carlos de Oliveira huma escrava de nome Mariana com huma filha de idade de 1 anno. Colletoria da Vila de Lorena, 30 de Novembro de 1854.

O Colletor:
O Escrivão"

"Nota n.º 188
(art. 6.º do regulamento n. 4.835, de 1.º de dezembro de 1871)

D. Angelina Moreira d'Azevedo, residente neste municipio, declara que no dia 14 de Novembro de 1873 nasceu de sua escrava crioula de nome Theodora, solteira, costureira, que se acha matriculada com os ns. 1.068 da matricula geral do municipio e 129 da relação, apresentada pela mesma Senhora, uma criança de côr parda do sexo feminino, baptisada com o nome de Benedicta.

Apresentada a matricula e matriculada Benedicta com o n.º 188 da Matricula geral, em 30 de Novembro de 1873.

O COLETOR O Escrivão

Provincia de S. Paulo
Municipio de Lorena
Parochia de Lorena
30 de Novembro de 1873
a) Angelina Moreira de Azevedo."

Uma segunda criança foi registrada na mesma ocasião (em 1872) filha da escrava Paula, de côr preta:

"Nota n.º 94.

(art. 6.º do regulamento n. 4.835, de 1.º de dezembro de 1871)

D. Angelina Moreira d'Azevedo residente neste municipio, declara que no dia 1.º de Outubro de 1872 nasce de sua escrava, crioula, de nome Paula, preta, solteira, que se acha matriculada com os ns. 32 da matricula geral do municipio e 138 da relação, apresentada e que tem de ser baptisada com o nome de Marcia.

Provincia de S. Paulo
Municipio de Lorena
Parochia de Lorena

30 de Dezembro de 1872
a) Angelina Moreira de Azevedo.

Apresentada a matricula e matriculada Marcia com o n.º 4 da matricula geral, em 30 de dezembro de 1872.

O Collector O Escrivão"

(ilegíveis)

"Nota n.º 149

(art. 6.º do regulamento n. 4.835, de 1.º de dezembro de 1871)

D. Angelina Moreira de Azevedo, residente neste municipio, declara que no dia 21 de julho de 1872 nasceu de sua escrava, solteira, de nome Benedicta, preta, matriculada com os ns. 1069 da matricula geral do municipio e 138 da relação apresentada pela mesma D. Angelina, uma criança de côr parda, do sexo masculino baptisada com o nome de Justo.

Provincia de S. Paulo
Municipio de Lorena
Parochia de Lorena

30 de julho de 1873
a) Angelina Moreira de Azevedo"

(Trata-se de outra Benedita, está claro. Tendo a "Benedicta" filha de Theodora nascido em 1873, evidentemente não é a mesma pessoa.)

"Apresentada a matricula e matriculada junto com o n.º 149 da matricula geral, em 30 de julho de 1873.

O Collector(?) O Escrivão(?)"

Em 1878, quando já viúva, D. Angelina comprou de seu filho Francisco de Paula (já com 22 anos) um escravo pardo, de 19 anos, de nome José, com papel registrado na coletoria de Lorena.

Temos êsse documento:

"D. Angelina Moreira de Azevedo, residente neste municipio, comunica a Colletoria, afim de ser feita a respectiva averbação, que no dia 20 do corrente comprou a Francisco de Paula Vicente de Azevedo o escravo José, pardo, solteiro, de 19 annos de idade, matriculado nesta Collectoria em 25 de Agosto de 1872, sob n.º 1039 da matricula geral e 2 da relação.

Lorena, 28 de Dezembro de 1878.

a) Angelina Moreira de Azevedo

Averbado

Colletoria da Cidade de Lorena, 28 de Dezembro de 1878.

O Escrivão"

Uma carta enviada de Mambucaba em 28 de agôsto de 1860, pela firma Viúva Figueira, Genro e Cia., de que possuímos outros recibos, capeava uma ordem de pagamento de José Vicente e Manoel Luiz Gonçalves que dizem ter cumprido e ter exigido a "clareza" para remeter. Declaram lamentar que os escravos do referido senhor não satisfizessem e que reconheciam os defeitos da escrava, como haviam prevenido, não o tendo feito a respeito do "mulato" por lhe ser desconhecido. E terminavam: "Entretanto, creia-nos V. Sia. fez altissimo negocio e foi mais feliz do que se esperava".

A respeito dêsses escravos há esclarecimentos, como dissemos, no borrador.

Em ofício de 20 de dezembro de 1864, pelo delegado de Polícia de Lorena, José Vicente de Azevedo dirigiu ao seu colega de Silveiras, Lourenço Xavier da Veiga, e de que era portador o alferes João Baptista Novaes, reclamando um escravo pertencente a seu pai que fôra apreendido naquela cidade. Reproduzimos os têrmos: "Julgo conveniente dirigir-se igualmente a V. S. que sendo uma das pessoas mais importantes desse logar, e conhecendo-me pessoalmente, poderá fazer-me o favor de arrendar qualquer embaraço que por ventura possa haver na entrega do mesmo escravo, na certeza de que esse obséquio que espero merecer de V. S. em beneficio daquelle meu amigo, prenderá V. S. o meu reconhecimento". (Em que têrmos se correspondiam os delegados de polícia!)

Incluímos nestes documentos a cópia dos bilhetes de loteria criados no Rio de Janeiro, em 1880 e de que possuímos um exemplar, sob n.º 76.

Eram "Loterias reunidas para creação do **fundo de emancipação**" pela Lei n.º 2.040, de 28 de setembro de 1871 (Data da Lei do Vente livre). O prêmio maior era de 100:000$000. (Doc. n.º 47, pág. 310.)

DESPESAS DE VIAGEM

Pertencem ao arquivo do Coronel José Vicente também notas ou antes apontamento (como chama) de uma viagem a Mambucaba, por Silveiras e Cunha, em julho de 1860, que juntamos aos documentos. São ferraduras, cravos, rédeas, milho, comidas, despesas de viagem.

"Dia

16	Dinheiro ao camarada	5$000
	4 ferraduras para o cavalo	1$280
	1 dita para a egua Chita	$320
	100 cravos	$800
	2 cabrestos de corda	$160
18	1 cabeçada de redeas	4$000
	2 pousos em Silveiras	9$400
20 e 21	Almoço em Arêas	8$200
	Ao camarada (em Silveiras)	1$000
	Macaquinhos (?) para o arreador de Generoso Pinto, José Moreira. Para tratar o cavalo Picaço	1$000
	Pouso na volta	3$000"

ANIMAIS

Além de negócios com escravos, fazia o Coronel José Vicente outros com animais. Pagou pessoal para "campiar duas bestas", como diz, um camarada para "passar rodeio" (?) na tropa, para touzar **(sic)** a tropa, para alimentar as bêstas, para amançar **(sic)**, pagos aos adomadores **(sic)** e a compra de um "cavalo madrina" (madrinha da tropa, o animal que ia à frente). A reprodução com os respectivos preços vem completar a apreciação sôbre o custo de vida na época, do que temos procurado informar os leitores com documentos autênticos. (Doc. n.º 48, pág. 311.)

Em outro papel o "Capitam" José Vicente, em 1857 compromete-se a pagar aos Srs. Salviano d'Oliveira Pinto Dias Rs. 2:420$000 provenientes de vinte e duas bêstas que comprou à razão de 110$000, em dous pagamentos iguais e pelo prazo de dois Março (sic) contados d'esta data, obrigando-se na falta ao prêmio de 12% ao ano. No mesmo papel vêm dois recibos sucessivos de Pinto Dias, de 1.º de abril de 1858 (importância do 1.º pagamento como declara) e um segundo de 16 de março de 1858 (os dois "Março" como se comprometera).

Um recibo anterior de Estrada de Ferro, como vem anotado, de 1858, acusa o seguinte despacho:

"3	Animaes	9$600
21	volumes	22$400
	Carreto	1$200
	Milho (Ponte Nova)	1$000
23	Barreiro	$400
24 a 27	Milho	7$000
	Despeza em Paraty	4$000
	Pasto	$800
	1 lata de doce	1$600
	pão	28$000
	Canôa	—
	Conduzir os animais	—
28	Paraty	1$000
	Japona	4$000
	Chapéo	1$200
	Ao médico	10$000
	Milho	1$000
	Chocolate	1$000
29	Para Sabbado:	5$000
	Milho	1$600
	Ferradura e cravos	$800
	Ao camarada	2$000
	Linhagem	$960
	1 queijo	3$200
	1 lb. biscoutos	$400
	1 lb. amendoas	3$840
dia 30	um chapeo de palha	$500
	1 c. (covado?) de baeta	3$000
	1 lenço	$240
	Pão de Paraty	$320
31	Barreiro	$400
1.º de Agt.º	Ao Geraldo de Dr. Blake	1$000
	Ao Moreira para despezas	2$000
	Á Mulher d'este para fazer comida pa. os escravos	1$000

Ao camarada, de resto de 14 dias	16$000
Dinheiro que deixei com uma carta em Mambucaba para o Generoso Pinto conduzir o cavallo Picaço para Silveiras	5$000
Eventuaes	5$580"

MÉDICOS

Dos documentos arquivados não podemos deixar de reproduzir algumas receitas médicas guardadas, que não só dão atestado do adiantamento da população, que já recorria a profissionais, como dos recursos empregados e que servirão até à história da medicina no nosso país.

Médicos havia, mas poucos. Tanto assim, que vamos começar por reproduzir uma interessante circular, datada de 1.º de abril de 1868 e espalhada pela cidade. "A "Vila Nova" (não podia ser Lorena, que era cidade desde 1856). Seria a colônia alemã Santa Cruz, perto de Lorena, no Bairro do Mato Dentro, experiência baseada no sistema do Senador Vergueiro, citada por Zaluar e praticada por José Novaes da Cunha na sua fazenda, já com uma população de setenta e duas almas? É uma simples suposição, mas o caso é que era uma povoação próxima de Lorena.

A circular em questão faz parte do arquivo conservado por D. Angelina. Ei-la: "Antonio Ramaugé, doutor em Medicina e Cirurgia, chegou á esta Villa Nova onde tenciona demorar-se algum tempo. Incumbe-se de fazer todas as operações da cirurgia, assim como tirar ou quebrar a pedra na bexiga, operar cataratas, e praticar por novos méthodos todas as operações dos olhos e dos ouvidos, curar fistulas, ulceras e feridas, apertos do canal das ourinas, muitas difformidades de nascença, taes como a vista torta, pés aleijados (tortos), extirpar tumores e carnosidades, etc. etc. etc." (Como está no texto.)

"O Dr. assistirá com muito boa vontade ás conferencias, para as quaes seus collegas o chamarem.

As pessoas que quizerem utilisar-se do seu prestimo durante a sua estada nesta Villa Nova poderão procurá-lo na sua residência.

O. V. Sr.
Antº Ramaugé
1.º de Abril de 68"

A primeira conta profissional do arquivo é do Rio de Janeiro, em 1859, relativa à doença de olhos a que já aludimos. O Dr.

Carron du Villars cobrava do Sr. José Vicente a quantia de rs. ...400$000 "por seu tratamento, visitas, consultas e conferências na Tijuca" (era a casa da família Fernandes Pinheiro, onde se hospedava).

As outras receitas (Doc. n.º 42 e seguintes, pág. 301) tôdas são de Lorena, de um médico francês, Dr. Barrouin, que assistiu a família durante longos anos e sôbre o qual José Vicente escreveu em 1861 ao seu compadre e amigo Fernandes Pinheiro, agradecendo os remédios que lhe encomendara: "Felizmente aqui appareceu um médico, o Dr. Barrouin, estou também aproveitando os seus conselhos. Por falta de uma pessôa que entenda ainda não fiz applicação das ventosas".

São em número de 12 as receitas assinadas pelo Dr. Barrouin, tôdas de grande interêsse sob o ponto de vista histórico e da modificação dos processos de cura. A primeira, de 1861, destina-se "ao minino (**sic**) Francisco", o seu filho mais velho, e reza o seguinte:

"1 — Euxofre 2 oitavas
Sulfato de aluminio . { aã
Hydro Cloreto d'ammoniaco { 12 gs.
Banha 8 oitavas

Para esfregar duas vezes no dia na empigem.

Ass. Barrouin

2 — Exma. Senhora (6-6-1862)

Continuará tomando a preparação de Kermes mineral tanto que a tosse não ficar passada, ao mesmo tempo usar do remedio seguinte:

Xarope de gomma árabica 4 onças
Digitalis (tintura) 18 gotas
Hydro chlorato de morphina ½ gr.
Ether sulfurico 24 gotas

Para tomar uma colher das de sôpa pela manhã, outra ao meio dia e a terceira de noute.

Continuará com este ultimo remedio algum tempo ainda depois de ter cessado de tomar outro."

Das outras, umas são para a senhora, outras para o "minino", uma para o escravo Agostinho (nosso conhecido, que morreu centenário, falando com sotaque africano) e uma para o "camarada" do Cap. José Vicente.

Uma receita deve ser de um dentista, nome ilegível.

Ei-la:
"Tintura de Pirethro aã
Da de cochlearia e 2 oitavas
creosoto

Laudano Liqd.º de Syndenham para deitar em algodão na cavidade do dente dolorido
a) ilegível."

Em quase tôdas as receitas o médico indica o modo de preparar.

Uma cópia anônima aconselha o seguinte xarope:

"Gomma arábica — 16 onças, água fria — 16 onças, xarope simples — 8 libras.

Lavar a Gomma duas vezes em água fria, ponha em contato com a agua prescrita e mexer de vez em quando para facilitar a dissolução; côe depois o licor sem expressão atravez de um coador, misture com o xarope e ferva até ficar consistência de xarope."

São os processos simplistas usados nas fazendas, onde os recursos de farmácia escasseavam.

De outro manda tomar "uma colher de sopa de 4 em 4 horas, beberá trez chicaras por dia de chá de hera terrestre ou hyssopo morno com assucar." Numa das receitas o Dr. Barrouin aconselhava: "Deverá **vascolejar** o remedio antes de tomar". Noutra manda beber "cosimento de althéa" e "para o minino" aconselha tomar de noite ao deitar uma pequena xícara de chá de viola. E noutro ainda manda beber, em vez de água, água de arroz fria com açúcar.

(Vão entre os documentos as receitas que não figuram na íntegra.)

RECEITAS CULINÁRIAS

Do mesmo estilo, com os mínimos detalhes nos processos empregados na mesma época conservava D. Angelina Moreira de Azevedo preciosas receitas de cozinha, coladas num caderno de papel de embrulho costurado, de fabricação caseira, com a declaração de que algumas eram de sua mãe, D. Carlota Leopoldina. Basta que citemos os nomes para reviver a época: "Goalhabada, Marmellada branca, Pasteis de Nata, Ambrosia, Ovos Queimados, Baba de Moça, Biscoutos de Polvilho, Marmelada de sumo, Doce de abobora, Pinhão, Pecegos em calda, Papos de Anjo, Geleia de Mocotó, Manoeis de cará, Charutos de fubá mimoso, Ballas de amendoas, Bollo Ingléz, Mãe Benta, Pão d'agua, Biscoutos de Araruta, Amarellinhas, Tarecos, etc. etc., impraticáveis hoje com ovos a 50 e 60 e até 100 cruzeiros cada.

CARTAS DE FAMÍLIA

A par da figura social e do político inflamado, o Capitão José Vicente de Azevedo era excelente chefe de família, afeiçoado a sua mulher, cuidadoso e carinhoso para com os filhos, procurando cercá-los de todo o confôrto.

Algumas cartas trocadas com a espôsa, nos anos de 1858 — 1859, até 1863, nos dão disso testemunho, graças aos têrmos que continham. O papel tinha freqüentemente o carimbo Azevedo em relêvo no canto esquerdo e era de linho, tudo indicando grande trato pessoal. (Doc. n.º 50 e seguintes, pág. 312 e seguintes.)

No arquivo não há cartas de caráter puramente político. Muitas delas solicitam favores ao chefe e numa, enviada de Campinas, em julho de 1868, encontramos a seguinte frase, bastante expressiva: "Alem do animo serviçal de V. Sia., ainda acrece de ter mudado a politica pelo que V. Sia muito póde". E isso menos de um ano antes da sua morte trágica!

Numa das primeiras, endereçada à espôsa, faz referência ao seu interêsse pelo exame do cunhado Getúlio, na Faculdade de Direito, em São Paulo. Vamos reproduzir alguns trechos.

'São Paulo 10 de Fevereiro.

Recebi vossa carta de 5 e estimei as bôas noticias q'me dais. Eu aqui vou passando n'essa vida incipida, mas graças a Deos tenho conseguido tudo na medida dos meus desejos e creio que os meus esforços aproveitarão tambem ao Getulio que espero se matricule com o Pedro. Este tem de fazer um exame no dia 21 q- não posso deixar d'assistir e p. isso só a 22 partirei e sem falta a 25 ahi estou, levando a satisfação de estar tudo arranjado. Na carta de Antonio" (seu cunhado, Dr. Antônio Rodrigues de Azevedo, marido de D. Eulália) "explico minuciosamente aos seus amigos da Academia, e na de seu pai o que diz a respeito ao Getulio. Aqui chove todas as tardes e com grde. trovoada, como terão visto nos **Corr.os Paulistanos,** de sorte que estou prezo até o meio dia c. a occupação na Academia e de tarde em casa por cauza do tempo. Diga ao Sinhôsinho q'não ha a Champanha e nem eu contava encontrar. Aquela garrafinha o cunhado mandára do Rio. Em compensação quero ver se levo um piquirinha russo em q' gastei Rs. 50$000, e q'resta experimentar q. seja marchador. Pelo seguinte correio hei de mandar o gallão de seda azul, hoje não pude procurar porque recebi vossa carta as 11 horas, ao meio dia vim almoçar e tenho estado a escrever até agora, são 4 horas.

Não ha aqui fazenda que agrade para a roupinha das crianças ou antes, tudo é desproposito. Comprei uma alpaca côr de café em listas, porem, mais escura, o galão azul achei, e com qt.º eu pense q- não presta, foi só para não deixar de levar alguma couza para esse fim. Se puder eu mandarei e para isso vou agora mesmo lá a ver se admittem officialmente, como já arranjei hontem p. uma fazenda q. remetto para nho Quim mandar fazer-me um Pierrot. Recomendei a elle q- não conte p. ninguem q. o Pierrot é para mim.

Escreva-me pelo correio de 15.

Saude são os meus desejos

a) José Vicente."

O "Sinhôsinho" (nome carinhoso que lhe dava sua mãe até morrer, em 1911), a que se refere na carta é seu filho mais velho, Francisco de Paula, depois Barão da Bocaina. A carta era escrita de São Paulo, onde não encontrou a garrafinha de champanha encomendada pelo filho e substituía por um piquirinha russo (cavalo pequeno) que tratou por 50$ e vai verificar se é marchador.

Quanto à garrafinha de champanha encomendada pelo filho informa que "a Sra. Maria Angelica disse que o cunhado mandou do Rio" (diferença entre o comércio do Rio e de São Paulo). O papel é de linho e com o carimbo P. V. de Azevedo (do irmão Pedro).

Êsses cuidados, as roupinhas para os filhos, as notícias à espôsa confirmam nossa afirmativa do perfeito chefe de família. Ao lado disso, a preocupação de se apresentar bem no Carnaval, de Pierrot, com as recomendações de segrêdo. Essa carta era resposta a uma da mulher, de que temos o borrão, em que ela se refere à companhia do Mano. (É o Pedro Vicente, estudante em São Paulo.) Há trechos ternos, mas sempre discretos. "Por aqui graças a Deus vamos passando sem novidade, só as saudades é que incomodão bastante, até os meninos estão sempre preguntando **(sic)** quando papai vem." Remete uma carta que veio do Rio para seu cunhado Lázaro e "ausente a você, por isso tirei fóra". "O que hei de estimar é que tire bom resultado, faça o que puder a favor de seu mano" (Pedro Vicente, que prestava exames na Academia). "Venha logo porque quanto mais se demorar ahi mais feio fica se elle não se matricular."

Para terminar: "acceite muitas saudades nossas e o mesmo fará a nho Pedro" (o irmão estudante) e ao Getúlio (seu cunhado, também estudante) e venha logo porque faz muita falta aqui", "a Deos" (é uma forma freqüente do nosso adeus) "lembre-se sempre de sua — ass. Angelina".

Em **post scriptum,** como era comum na época: "A Mulher do Manuel Curto tem estado nas ultimas." E mais: "Se achar ahi um galãosinho dessa côr e com a terça parte da largura desse compre 6 varas ou mais q- é para guarnecer uma roupa para o Sinhôsinho." [Carta endereçada para São Paulo em 5 de fevereiro de 1862.]

É admirável a redação e o grau de instrução dessa senhora em cartas escritas há mais de um século. As filhas de "seu" Moreira não foram à escola, foi o que sempre contavam, aprenderam a ler e escrever com os irmãos. (Doc. n.º 50, pág. 284.)

Uma carta enviada de Lorena pelo Dr. J. L. Freitas (João Lourenço de Freitas) ao qual ela alude várias vêzes no "borrador", datada de 10 de fevereiro de 1862 traz o seguinte trecho: "Conte-nos como foi de viagem por esses bellos caminhos, o que tem feito na Paulicéia e se arranjou o seu intento. Corre por aqui que o Snr. Pedro está Calloiro (Dr. Pedro Vicente de Azevedo) se assim é peço-lhe que lhe dê os mais sinceros parabens. A sua ausencia tem causado bastante tristeza por aqui, especialmente no circulo em que vivemos, não convem demorar-se por mais tempo". (Doc. n.º 49, pág. 284.)

As cartas seguintes, de 11, 18 e 25 de março de 1863, são enviadas por José Vicente, do Rio de Janeiro. Queixava-se de faíscas de carvão entradas nos olhos e que tiveram de ser extraídas por médico. A frase curiosa é "aproveito um **proprio** que veio e deve estar ahi no dia 21, entretanto que pelo correio só estaria a 23". Comunica a ida para Lorena de sua comadre D. Elisa, que se acha doente (é espôsa do seu sócio Fernandes Pinheiro) e diz que irá também "Nha Quita" (sua sobrinha, filha da mana Jesuína). "Viajará com elas e diz que vae por Paraty, não só por ser mais comodo como mais barato." "Encontrei os caminhos péssimos e D. Eliza não póde resistir a viagem de muitos dias." Diz ter escrito ao cunhado João Rodrigues sôbre os animais e espera que os seus já tenham chegado. "O que precizo é que o Rufino venha, mande fallar a elle que não me falte. Estou só e espero que chegue o cargueiro que ficou com a tropa do Cap.^m^ Juca para fazer subir o Juquinha." Espera que os seus animais de volta cheguem a tempo para ir a Parati. A viagem está marcada para o dia 27 e como leva quatro dias, no dia 31 pensa já ter chegado a Lorena. Previne a mulher que vai mandar a "sua maquina", como diz e que "como a comadre vae ela ensinará a coser". (Máquina de costura.)

As duas cartas que se seguem desta série também têm interêsse para a pintura dos costumes e das dificuldades da época. Basta dizer que a viagem por Parati levava 4 dias... E depois que a novidade da máquina de costura de caixinha, mais aperfeiçoada, dependia de uma pessoa para ensinar. Informa que custou 150$000 e que mandou no Engenho Velho para D. Elisa aprender (a espôsa do compadre). Está à espera do seu camarada Juquinha, que vem de Macacos com as canastras, para mandar a Parati. Diz que essa viagem por mar, embora lhe seja muito incômoda "ficará mais baratinha". Não acontece o mesmo por terra porque só nos **hoteis**(?) despendia um dinheirão. Apesar de negócios que o ocupam, quer ver se compra os chapéus das encomendas e dos meninos para remeter nas canastras "que vão muito levianas".

Quando fôr levará os lampiões de querosene porque "a luz é tão bôa ou melhor que a do gaz e custam de 2$000 para cima". Informa ainda que a "machina" de fazer sorvete custa apenas 16$000 e acrescenta: "Mas preciso ir vêr fazer para não comprar nabos em sacos..." Recomenda que em Parati o camarada deixe os animais debaixo da serra, em lugar que sirva de primeiro pouso para no dia seguinte subirem a serra cedo, descansar no Taboão, onde está a Sra. Joaquina e depois irem pousar na Fazenda do Tenente João. O pouso seguinte será no José dos Reis, no Pessegueiro ou no Dr. Martiniano para chegarem no quarto dia. Depois, "como a Viagem de vapor é muito rapida, no dia 28 já se póde caminhar e assim, no dia 29 se Deuz quizer ahi estaremos". Êsses detalhes são mencionados para deixar sentir como era difícil a viagem. Continua: "Sinto não saber ou não me lembrar de alguma cousa que seja preciso para casa; levo algumas libras de chá e latas de "Kraquinelles". Lembrei-me de pedir emprestado à sua comadre D. Anninha o seu piano para a Quita tocar e assim passa-se o tempo mais agradavelmente".

Faz referência ainda a uma rica cesta de flôres que o Graciano Rosa mandou de presente de Sta. Catarina. A carta que acompanha esta "oferta, para a Exma. sua Senhora", vem de Destêrro, em Santa Catarina. Na carta seguinte, de 24 de março, escrita ainda do Rio, referindo-se ao ramo que veio de Sta. Catarina, diz ter comprado uma redoma para o mesmo (motivo de adôrno muito comum em salas da época).

Há expressões que desapareceram do uso corrente e que por êsse motivo repetimos, como esta: "A D. Eliza deve ahi **arranchar-se** na salla e quarto em que costuma ficar a mana Jesuina (e ella mesma já me pediu isso), portanto, não precisa mudança nenhuma no nosso quarto".

"Nas canastras vão os chapeus e dentro de um deles a rêde para o cabelo que você me pediu. É preciso desarrumar as canastras com cuidado porque vão muitos objetos miudos deve se acautelar para não se perderem no meio dos papeis que vão servindo de enchimento, assim como a caixinha de brincos com cabellos de sua Mãe e o dedal de ouro para você."

Sentimos em todos êstes detalhes o marido afetuoso, o chefe de família cônscio de seus deveres. Mesmo nestas cartas íntimas havia um trato respeitoso. O final da carta era "Sou como sabe", assinado simplesmente José Vicente.

Uma notícia desagradável ocorreu. O seu camarada, o Juquinha, que ia com as canastras, foi prêso para recruta logo que desembarcou. Diz também estar em negócio com um cozinheiro, mas nada arranjou porque não era por muito tempo. E conclui: "mas espero que mais dia menos dia ficaremos servidos porque de Arêas me pedem para acceitar uns escravos de um devedor que morreu, dentre os quaes há uma preta muito bôa cozinheira de forno e fogão e como esses escravos me tocão talvez nos remediemos bem e eu assim que passar a semana santa vou buscal-os". Sempre o chefe atento ao bem-estar da família, ao confôrto de sua casa. Êsses escravos que deveria receber seriam os mesmos a que se refere no borrador e que recusou? Provàvelmente, porque o borrador é de 1860 e estas cartas de 1862.

A última carta desta série já foi escrita de Macacos, de volta para Lorena. Foi "no trem da tarde para vêr sahir os cargueiros e assistir á arrumação", a fim de evitar que houvesse **"mangação"** como se deu com a volta das canastras. Um caixote diz conter a "machina" de costura, outro o ramo de flôres e a redoma. Sugere que esperem sua chegada para abrir. Fala das outras encomendas, ""chapeos e duas capas pretas, uma das quais recomenda que é para Nha Virginia" (a filha de sua tia Ana Vicência, que se casou com o Dr. João Lourenço de Freitas). Devolve o colchão e o ponche pela tropa porque na volta pretende ir pousar em casas conhecidas.

No indefectível P. S. vinha uma notícia interessante da época: "Ante-hontem de tarde na viagem para a Tijuca escapamos de morrer todos que iamos nas **Machambombas** por cima porque o vapôr sahio dos trilhos e tombou; e o mesmo quasi aconteceu aos carros dos passageiros, escapamos por um milagre".

Em 1868, nova viagem ao Rio, nova troca de cartas, que vamos também examinar para delas tirar informações sôbre o gênero de vida que levavam na época. Sempre a mesma distinção, sempre o mesmo respeito mútuo.

No cabeçalho, esta simples denominação "Minha Mulher".

Na primeira achava-se êle em São Paulo (2-11-1868) e o mano Pedro já formado em Lorena. Diz que a sua viagem ao

Rio tornou-se irremediável. "Só quem me conhece e sabe o qto. repugna embarcar-me póde calcular o sacrifício que faço..." (O que diria do avião?!) Passa muito cedo por Lorena e tem de fazer a viagem em 3 dias, porque no dia 5 deve tomar o vapor em Santos, às 4 horas da tarde. Pede a sua espôsa que mande acender uma vela "para o meu S. José" (pertence hoje ao Desembargador Vicente de Paula Vicente de Azevedo, seu neto) e que no dia seguinte mande rezar uma missa para as almas, para que chegue ao Rio sem perigo. Diz estar tendo grandes preocupações e "é justamente para não voltar para caza sem a tranquilidade necessária que exponho ao maior dos sacrifícios que pode haver para mim, qual o de viagem por mar".

E para acabar "Abençoe por mim os filhos e creia-me com firmeza vosso marido", Ass. José Vicente.

Mas, tudo correu bem. No dia 6 já êle escreve do Rio, com maior simplicidade: "Aqui cheguei hoje ao meio dia com excelente viagem, não enjoando e nem lançando. Eu mesmo fico pasmo com isso". (Doc. n.º 50, pág. 284.)

Assunto de responsabilidade o chamava e retinha no Rio. Política? Provàvelmente. "A causa de que trato é tão justa e tal a fé que tenho do bem que estou praticando, que Deus me tem ajudado. E eu o que só peço agora é que Elle me ajude para concluir com felicidade e saúde esta campanha, na qual só eu sei os **boccados**" (grifado no original) "que tenho passado!"

"Comprei as encomendas e incluzo vae a chave da caixa da flauta. Não achei, porem, o entremeio com o bordado bem igual e guardo a amostra."

"A fita e a rendinha são completamente iguaes. Pelo Juca Prudente não mandei couza alguma porque estava sem animal de carga e um de sella que tinha de levar a cangalha disse-me que estava muito pisado. Mandei as botinas para o Chico e acho bom me mandar medidas para calçados dos outros."

Essas cartas são de novembro de 1868 e poucos meses depois José Vicente morria assassinado! Que dedicação à família, que cuidados tinha com os filhos, como os cercava de carinho e confôrto no meio de tantas atribulações.

As atividades que exercia, as energias que despendia, na vida social, na vida política, como fazendeiro, como homem de negócios, como bom filho, que sempre foi, assistindo sua mãe viúva e como chefe de família, cuidando dos filhos, são uma prova evidente da sua grande capacidade.

Pessoa de trato, habituado à vida social da Côrte e desejando sempre melhorar a situação do seu povo e da sua cidade, procurava proporcionar-lhes distrações e festas públicas. Temos a prova disso na construção de um teatro, a expensas próprias, como vimos.

Se procuramos estudá-lo assim em traços gerais é porque a sua vida foi um padrão no meio estreito em que se desenvolveu, expandindo-se em linhas divergentes, buscando cada uma sua meta no infinito, mas partindo tôdas de um núcleo central vigoroso.

CORRESPONDÊNCIA COM O SOGRO

(Doc. n.º 51, pág. 313.)

Para melhor sentir a personalidade multiforme de José Vicente vamos estudá-lo no seu ambiente familiar, nas relações com seu sogro, irmãos e cunhados.

Escreve o sogro, Joaquim José Moreira Lima, a José Vicente, em São Paulo, de Lorena, em papel timbrado "J. J. Moreira Lima", Lorena, datando de 15 de fevereiro de 1862. Pede-lhe que entregue 147$400 ao estudante Antônio Soares da Silva, de Bajé, matriculado na Faculdade. Essa importância corresponde à venda por êle feita em Lorena de umas terras pertencentes a José Thomaz Pinto de Carvalho Guedes, que as recebeu por herança e o dono é morador em Bajé.

Sugere que caso não ache o estudante faça um anúncio em jornal (hoje seria pelo rádio...).

Agradece em carta ao sobrinho e genro os esforços que tem feito para que seu filho mais môço, Getúlio, se matricule na Faculdade de Direito, junto com o Sr. Pedro, como diz (seu sobrinho também, irmão de José Vicente) "o que faria bom arranjo por terem de morar juntos e não convir que o Getulio esteja mais um ano no Collegio, tendo n'esse caso o Snr. Pedro de admittir algum outro companheiro". Espera que o sobrinho e genro empregue "todas as diligências", como diz, para que o Getúlio tenha bom resultado e declara que se o conseguir será graças aos esforços empregados, faltando-lhe ainda 2 exames".

Aprova ter comprado o chapéu para o Getúlio e está ciente de que será melhor comprar um paletó ou sobrecasaca "e será melhor que seja mesmo sobrecasaca, porque é mais decente e tendo elle de entrar para a Academia torna-se mais necessária". (O Getúlio foi estudar em Pernambuco, onde se casou em 1865 com Ana Seródio, enviuvando um ano após, e voltando para Lorena, onde contraiu novas núpcias com a prima Jesuína, filha de Ana Vicência.)

Em **post-scriptum** acrescenta o velho Moreira Lima que dado o prestígio do genro junto ao Presidente da Província, empenhe-se para serem feitos os concertos na cabeça da ponte do Paraíba que figuravam no orçamento passado em 8:000$00 bem como concertos na Estrada de Minas até o alto, orçados em Rs. 4:000$000.

Espera que preste mais êste serviço a Lorena, "já que tem nos prestado tantos outros de grande importância". É um liberal, solicitando serviços do chefe conservador.

Noutra carta diz ter sabido que sua presença e proteção muito cooperaram para que "o Getulio fôsse bem succedido no exame de Latim" e roga que se esforce para que o mesmo seja aprovado em Filosofia, o exame que lhe falta.

Em "post-scriptum" acrescenta o filho, José Joaquim Moreira Lima Júnior, seu primo e cunhado, que virá a ser o Conde de Moreira Lima: "Sobre o carnaval tenho feito o que posso, mas de pouco tem valido. Não há por oras quasi animação, mas estou certo que a sua presença influirá muito e por isso venha o quanto antes."

Em terceira carta êsse seu cunhado pede que não se esqueça da sua encomenda para o Carnaval. "Perciso tambem de uma mascara, as que vêm do Rio não me servem. Já se está fazendo a cobrança tendo-se já recebido mais de 300$. O numero de 50 sócios está completo... A lista de Tio Quim" (Joaquim Honorato Pereira de Castro, irmão de sua mãe Carlota Leopoldina) "ainda não recebi, venha logo para cuidarmos n'estes negócios carnavalescos." (Doc. n.º 51, pág. 313.)

O CARNAVAL DE 1862

No ano de 1862, quando a política começava a lhe sorrir de nôvo, organizou José Vicente um grande Carnaval em Lorena, provàvelmente como os que já teria assistido na Côrte. O que não resta dúvida é que os habitantes da sociedade lorenense procuravam em tudo imitar os da Côrte. Já Zaluar dizia na sua crônica de viagem, ao falar de Lorena: "O movimento denuncia a atividade de um importante centro".

É o grande carnaval que preparavam em Lorena e de que José Vicente se ocupou largamente, deixando um arquivo completo: "Despezas com o Carnaval de 1862, minhas particulares e da sociedade **União Carnavalesca**" constante do invólucro do pacote de documentos.

O orçamento que fêz montava a 693$860 e compreendia "2 caixotes de Velas de carvão de pedra com 50 lb. a 1.600 — 80$000 (sendo das de 900 rs. a libra, gasta-se 100 lb. 90$000).

	Dôces para a meza e bandejas, geléas, chá	220$000
	Ceia, a saber: 4 perús a 2$500	10$000
	2 pernas com lombo	6$000
	1 carneiro	5$000
	2 assados de vaca	8$000
	arroz e miudezas	44$000
2	presuntos de 15 lb. cada (custo do Rio a $800 a lb.)	24$000
2	cestas de champanha a 24$000 (custo do Rio)	48$000
2	das de cerveja superior em botija (idem)	15$600
1	dta. preta — em garrafa (idem)	6$000
1	da de licôr fino (preço do Rio)	6$000
2	queijos do Reino (idem)	5$000
24	garrafas de vinho a $800	19$200
12	lta. de refresco a $800	9$600
1	lta. d'azeitonas	3$000
24	archotes	12$000
20	dz. de foguetes a 1$000 (custo do Rio) ...	20$000
	carretos de 2½ bestas, frete e caixões	30$000
	pães para os 2 dias (20 a 80 rs.)	8$000
1	lb. de Chá	3$200
8	lbs. de café	1$280
1	lb. de chocolate	2$000
	leite para o mesmo	4$000
4	baralhos	4$000
12	vestimentas de Pierrots para os músicos a 5$000	60$000
	Musicas para os 2 bailes e passeio	150$000"

(Não quisemos privar o leitor desta lista.)

Para a confecção dos doces foram gastos com açúcar, cravos, canela, seis côcos (a $320), farinha de trigo, ovos, papel dourado, dito de côr, d'almaço (**sic**), pão para pudim, noz moscada, manteiga, carbonato de amoníaco, araruta, duas varas de fita estreitas, fita lavrada larga, fita de côco, banha de porco, vinagre, vinho do Pôrto (1 garrafa 1$600), pêssegos ($160), dois mocotós (a $200), um carro de lenha, total 108$100. Os doces ainda não não estavam comercializados, eram indústria caseira.

Só mencionamos para deixar sentir o capricho com que se executavam as encomendas e dar uma idéia dos preços (seria fastidioso incluir êsses pequenos detalhes no texto).

Algumas despesas extra não constam do orçamento feito e vamos acrescentar:

"12	garrafas de capilé	9$600
	Balas de estalos e doces para enfeites	20$000
	Ao fogueteiro, para pôr varas nos foguetes	3$200
	Trez Galinhas a $500	1$500
	Ao Ignacio Carvalho para tocar clarim ...	5$000
6	ramos de flores que comprei em S. Paulo	6$000
1	leitôa	3$000
	Ao Antonio Carroceiro para conduzir as familias, a 5$ por dia	10$000"

Feitas as contas das despesas, informa o presidente da Sociedade (que era o Capm. José Vicente) ter recebido do Diretor 504$000 mais 12$000 da própria assinatura (que seria de 1$000 mensal, portanto) do que resultava um **deficit** de 105$343. Para cobri-lo há a conta das garrafas vendidas por 5$200 e mais 4 assinaturas pagas posteriormente, de Antônio Moreira de Castro Lima (o chefe liberal, seu cunhado), Pedro Pereira, Pedro Costa e João Vieira (48$000).

O recibo dos músicos merece ser mencionado:

"Importancia da Orquestra que serviu no Carnaval neste anno	80$000
Dois Paceios (sic) 40$000 e dois bailes 40$000	80$000

Recebi a quantia acima do Ilm.º Snr. Capitam José Vicente de Azevedo, Digno Presidente do mesmo.

Lorena, 6 de março de 1862

O Diretor

a) Antonio Marc.º Franco Jor."

O que não resta duvida é que foi uma festa de arromba e que valeu naturalmente por um grande comício político do Partido Conservador. Nem outra podia ter sido a intenção.

Falta-nos ainda mencionar a "Notta dos objetos que ficão lançados em conta do Snr. Vicente d'Azevedo" (seriam as despesas particulares a que aludiu e que foram de 178$420). Aí vão em detalhe:

"12	Duzias de Foguetes de 2 bombas	20$000
1	Presunto com 16½ lb. (a 680)	11$220
2	Duzias de Mascaras	6$000
4	libras de balas de estalo	6$400
1	Ceroula de meia côr de carne	6$000
6	Covados de Belbutina verde	4$400
4	,, ,, Setim Branco do Sirgueiro	105$400
1	lata de folha para as balas	$600
5	Varas de Enserado	2$800
	Caixote, feitio e carretos	1$520

	Esta despesa foi incluida em notas do ano de 1862 e constam em dinheiro mais 668$210, acrescentada de outras — encomendas do Dr. (?) (Deve ser seu primo e cunhado Antônio Rodrigues de Azevedo Ferreira, depois Barão de Santa Eulália)	31$560
	12 de junho — do Caetano	6$000
2	pares de sapatos	28$000
	Victoria (custo e caixote)	1:536$120
	Tijolo e vasos	228$400
	Dinheiro do Manoel Luiz e pagos ao José Nicolau	1:545$200"

Assim se vivia no Vale do Paraíba, na época de Zaluar... em pleno regime monárquico.

Um documento vamos publicar sôbre o mesmo assunto, que vem completar a importância que foi dada a essa festa carnavalesca de 1862. É uma lista encabeçada pelas seguintes palavras, escritas do próprio punho de José Vicente, com a sua escrita característica:

"Despezas com minhas vestimentas para o carnaval de 1862 — e objetos para troças":

São fazendas para as fatasias, barbas postiças, máscaras, leques, cêra (para as laranjinhas, como escreve), carmim para disfarce, sapatos envernizados, etc.

Import. de 14 baralhos		3$500
6 cds. de Belbutina Sulferina a 880		5$280
5 cds. de Belbutina verde a 880		4$400
4 cvds. de Setim Branco a 2$200		8$800
2 cvds. Merino Azul a $800	Pg.	1$600
2 caixinhas de rôlos de cêra 3$500	Pg.	7$000
1 cesta bordada de lã	Pg.	8$000
2 rolinhos maiores	Pg.	$500
1 vidro de carmim	Pg.	2$000
2 mascaras de cêra a 2$500	Pg.	5$000
arrebiques 30	Pg.	3$000
1 par de sapatos envernisados	Pg.	8$000
10 cvds. de lã amarella a 500 rs.	Pg.	5$000
1 mascara caricata	Pg.	4$000
4 bonecas a 500 rs.	Pg.	2$000
2 leques a 1$000	Pg.	2$000
2 medalhas, 2 figuras, e 2 fructas (?), com chinó compradas na rua d'Ourives esq. da rua do Rosario	Pg.	7$000

8	Corôas de Flôres do Convento, sendo 1 de 5$ 2 de 2$ e 5 de 1$	Pg.	14$000
2	latinhas de folha a 500 rs.	Pg.	1$000
11	pares de meias pretas a 1$	Pg.	11$000
10	Cvds. de chita amarella p. Pierrot a 300 rs.	Pg.	3$000
1/3	de setim encarnado	Pg.	$333
1	cv. de morim	Pg.	$160
3	vs. de espiguilho	Pg.	$360
3	vs de cadarço de lã para manta		$720
	renda dourada para o colete		1$500
3	cvs. de setim verde		3$000
1	v. de renda larga		$400
1	v. de renda de prata para a facha verde		$620
5	v. de espiguilha branco		$600
1	P. de cadarço		$120
15	vs. de espiguilha		1$800
2	cvs. de setim encarnado		2$000
2	vs. de morim		$560
1	pasta de algodam		$400
1	v. de entertella		$500
4	vs. de morim		1$120
4	cs. de setim azul p. facha		4$000
1 1/2	vs. de algm. para fôrro da calça ..		$420
3/4	de algm. alvejado		$360
1 1/2	vs. de morim		$420
2 1/2	v. de algm.		$700
1 3/4	de dito		$490
1	v. de algm. alvejado		$500
1 1/2	de morim		$420
1	pasta de algm.. (algodão)		$400
2/8	de retrós		$400
	barbas postiças	Pg.	6$000
	feitio das duas vestimentas, pago ao Fernando	Pg.	30$000

Imp. da conta do Sirgueiro

Idm. da impressão de um avulso sob a epigrafe "Pensamento"

(Vão entre os documentos os que não estão na íntegra no texto.) (Doc. n.º 52, pág. 316 e seguintes.)

Nas noites de serão em que recordavam em família os sucessos dêsse Carnaval, contava vovó Angelina: Duas figuras eram sempre lembradas e comentadas. Dois rapazes vieram de São Paulo, estudantes na certa. E haviam deixado preparadas as surprêsas que pretendiam fazer. Para um, cavalo branco com arreios de prata, muito distinto. E para o outro, um burro pacato. Um dos moços, muito claro, barbeou-se, enfarinhou-se e encomendou uma rica roupa branca de bailarina. Trouxe cêstos com flôres que atirava às môças. Montava muito bem e pôs-se em pé no silhão. Luvas brancas, colo muito bonito, pernas cobertas de meia, percorreu a cidade sem que ninguém o identificasse e lá se foi, caminho do Rio. Quem seria? Era o mistério que nunca se descobriu. E o outro, com uma roupa de macaco, de uma semelhança absoluta, máscara adequada, carregava cachos de banana e atirava à população. É fulano, é sicrano, mas o fulano e o sicrano estavam em Lorena, foram aos bailes e não poderiam ser. Havia sempre êsse assunto para mais uma lembrança saudosa do pomposo Carnaval de 1862.

CAPÍTULO – X

O ASSASSINATO DO CORONEL JOSÉ VICENTE

E assim se passou a vida do Coronel José Vicente de Azevedo, um dos netos do Capitão-mor Manoel Pereira de Castro. Foi uma das figuras mais marcantes do cenário lorenense na segunda metade do século XIX, que estamos percorrendo. "Subiu tanto no conceito de seus conterraneos" diz a sua biografia publicada em 1883, "que, a inveja, de mãos dadas com o odio particular e as paixões políticas, só teve um meio de quebrar aquella tempera de ferro — foi mandar traiçoeiramente assassinal-o, em meio de seus triumphos."

No dia 19 de fevereiro de 1869, quando contava trinta e cinco anos incompletos, inimigos ocultos, servindo-se covardemente de mão desprezível e indigna, que o fazia a trôco de paga, mandaram assassiná-lo numa emboscada quando, descuidado, se ia a caminho de sua fazenda, ainda nas proximidades de Lorena.

Com a consciência traqüila e sem suspeitar de ação tão vil, se fazia acompanhar despreocupadamente por um simples serviçal, o pajem Otávio.

Caindo do cavalo, José Vicente encontrou fôrças e passou-se para o do seu auxiliar, mas já mortalmente ferido. O animal que montava, ensangüentado, foi ainda à casa de sua residência com êsse instinto de animal fiel, de que há tantas demonstrações, como que a levar a triste notícia. Enquanto isso, êle próprio, cambaleante, montou no animal do camarada e chegou até a casa de seu primo João Ignácio Bittencourt, a mais próxima do crime, onde só ajudado pôde apear. Acudido desde a primeira hora, fêz-se conduzir para a casa de sua residência em seguida, acompanhado já por sua desolada espôsa (sua prima Angelina), a filha de Joaquim José Moreira Lima, sobrinha como êle do chefe liberal Padre Manoel Theotônio e neta como êle também do Capitão-mor Manoel Pereira de Castro. Durou apenas 48 horas e no dia 21 de fevereiro de 1869 morreu em conseqüência do ferimento.

De sua biografia, a que já aludimos, e à qual recorremos novamente, de autor anônimo, publicada em São Paulo, em 1833 (Tipografia a vapor de Jorge Secler e Cia.), há uma descrição pormenorizada (pág. 20) dêsses acontecimentos, que não poderíamos deixar de transcrever:

"Escreveu-se muito contra elle por espirito de opposição, seus adversários se mostraram implacáveis; mas, pleiteando as eleições, sem pretender ainda vencer, mas unicamente com o fim de fazer um reconhecimento de suas forças, elle, não só é vencedor na eleição municipal, como na de eleitores geraes, sem violencia, tudo soffrendo de seus contrarios, que não recuavam diante de todos os meios de provocar desordens e faze-lo passar por homem atrabiliario e perseguidor, para assim se justificarem da derrota de que receiavam e que de facto realisou-se, contra a expectativa do proprio José Vicente, que então não suppunha já ter a seu lado tantos e tão bons amigos.

"Estas victorias foram de importantes effeitos.

"Eram o resultado almejado da perseverança e trabalho de muitos annos.

"O poderio do Padre Manoel Theotonio de Castro estava acabado.

"Lorena já não era liberal, e sim conservadora.

"Nas fileiras adversas começou a deserção.

"As forças vencedoras foram augmentadas com os vencidos que a ellas se juntavam, e que só por timidez não o tinham feito antes do combate.

"A nomeada de José Vicente, seu prestigio e influencia, já não se limitavam a Lorena sòmente, tomavam outras proporções, estendiam-se por todo o norte da provincia.

"Sua actividade prodigiosa, sua tenacidade partidaria, energia, coragem e intelligencia vinham de tornal-o um dos homens mais estimados e admirados de entre os conservadores.

"Como chefe politico local, foi dos mais distinctos que tem tido a provincia.

"A transformação de Lorena estava realisada.

"José Vicente podia descansar á sombra de seus triumphos.

"E elle procurou descansar.

"De sua bocca ouvimos estas phrases: — "chega de lutas, agora a paz; cumpre fazer de Lorena uma família de amigos; as feridas abertas serão curadas; basta de ressentimentos e odios;

com um partido tão numeroso, como está o conservador, é preciso ser prodigo de generosidades; não ha mais vencidos, sejamos todos bons conterraneos, parentes e irmãos, e tenhamos uma só bandeira, — a da prosperidade da nossa querida Lorena".

"Os rancores da vespera, as paixões desenfreadas, porém assim o não quizeram!...

"A 19 de Fevereiro de 1869, ás 11 horas da manhã, mais ou menos, em caminho de sua fazenda, nas proximidades da cidade de Lorena, o Coronel José Vicente de Azevedo, cahiu victima do assassino assalariado, que havia se colocado de emboscada em uma pequena matta, à margem da estrada, e que d'ahi disparara sobre elle um tiro de espingarda, a pequena distancia, com grande carga de chumbo.

"Derribado do animal que cavalgava, e que também ficou ferido, ainda poude o Coronel José Vicente montar em outro animal, em que vinha um menino, seu afilhado, unica pessoa que o acompanhava na ocasião.

"O assassino evadiu-se sem ser visto. E o Coronel conseguiu chegar á casa de seu particular e dedicado amigo o Capitão João Ignacio Bittencourt, a pouco mais de um kilometro de distancia do lugar do crime, sendo já então tirado a braços de cima do animal, conduzido para uma cama, na qual, depois dos primeiros socorros medicos, foi carregado para a casa de sua residencia, em Lorena, acompanhado já de sua esposa e de numerosos amigos da familia; e ahi veio a fallecer com dolorosos e prolongados soffrimentos, no dia 21, das duas para as tres horas da tarde, com a idade de 34 annos, nove mezes e vinte e dous dias.

"Este tragico acontecimento foi como um raio que, á luz do sol, houvesse cahido sobre a cidade de Lorena!

"O terror, o espanto e o pezar mais profundo se confundiram.

"O que significava aquillo?!

"Era vingança?!

"Mas, vingança de que?

"Um partido politico não é um bando de barbaros; ao contrario, deve-se considerar como Guizot, um exercito da ordem civil no seio da liberdade.

"É mister que uma idéa, condemnada pela maioria, desappareça para dar lugar a outra que a substitua com os favores da opinião publica.

"Não póde pertencer ao direito da força o governo do mundo, mas á força do direito.

"Lorena cobriu-se de pesado luto. Nunca alli tinha havido sentimento tão grande; angustia tão geral!

"O Coronel José Vicente de Azevedo já não existia!

"O povo em massa invadiu a casa de sua moradia; quiz prestar-lhe as ultimas homenagens de seu amor e admiração!

"Não ha noticia em Lorena de enterro concorrido como o delle.

"Viu-se o pobre, como o rico, os co-religionarios que ficavam sem seu chefe, como os adversarios que esqueciam as passadas lutas, todos unidos para só lembrarem as virtudes do illustre morto.

"As localidades visinhas tambem se fizeram representar naquelle solene sahimento.

"A multidão descubriu-se ao apparecimento do esquife.

"Era o cadaver de José Vicente!

"No corpo inerte que alli estava tinha-se encerrado em vida um grande coração.

"Elle teve seus defeitos e seus erros; e quem os não tem?

"Todavia, nunca guardou odio contra ninguem.

"Dizia, talvez asperamente demais, o que sentia, e levava a exagero, ás vezes, o cumprimento do dever, chegando a criar desaffeições que a prudencia podia evitar, mas seus sentimentos eram sempre para o bem; esquecia facilmente as offensas que recebia, para só guardar os favores que lhe houvessem feito.

"Ninguem o excedia na gratidão.

"Para ser prestavel ao amigo não conhecia obstaculos.

"Era de uma dedicação illimitada.

"Serviçal, generoso e franco, gastou com a politica local, em bem do publico e dos amigos, grande parte do que herdou de seus pais, ou poude ganhar por seu trabalho.

"Devido á sua coragem, força de vontade e tenacidade, unidas a uma intelligencia lucida, levou a effeito quanto pretendeu.

"Só a morte poude fazel-o parar!

"O vacuo que deixou no seu partido, e a falta que fez para o progresso e beneficios de Lorena, nunca mais serão suppridos.

"Foi uma perda irreparavel!

"Sua digna viuva, que tem sabido honrar a sua memoria, pelo acerto de seus pensamentos, vontade firme e posição mantida nos amargos transes por que ha passado, não se limitou a chorar, unicamente, junto a seu tumulo, acompanhada de quatro filhinhos que lhe ficaram, — dos quaes o mais velho com onze annos apenas, e o mais novo, uma menina de poucos mezes; — porém, talhada a modelo das antigas damas Romanas, empregou todos os esforços que lhe foi possivel, e quanta energia e recursos teve, para a punição dos assassinos de seu marido!

"E, se não obteve tudo, foi por que os cabeças do attentado, se esgueiraram sob a egide dos vicios partidarios, escapando assim da justiça dos homens, enquanto não chega a de Deus; pelo menos conseguiu-se que fossem punidos os braços assassinos, depois de dez annos de espera de Tribunal em Tribunal a pedir juizes, que os partidarios, adversos de seu marido, duramente lhe negavam!

"Taes são os traços geraes da vida do grande patriota.

"Morreu como Lincoln, como não ha muito Garfield, na estacada do dever, abraçado á sua bandeira de Honra!"

Foi decretada a prisão do velho Chefe Liberal, Padre Manoel Theotônio, atuante no partido desde 1842 (vinte e sete anos passados, portanto), filho do Capitão-mor, tio de D. Angelina e mais de seu correligionário e sobrinho Antônio Moreira de Castro Lima, por sua vez irmão de D. Angelina, a viúva do coronel assassinado. O irmão mais môço, o Major Joaquim José Moreira Lima, que veio a ser mais tarde o Conde de Moreira Lima, empenhou-se junto ao Imperador, na Corte, para que os chefes liberais fôssem postos em liberdade e se instaurasse um processo para investigar a culpa.

Foi emissário seu cunhado, o Comendador Joaquim José Antunes Braga, (casado com sua irmã Ana Leopoldina), o qual "entra nos Ministérios, sóbe à presença de S. M. o Imperador", como refere Gama Rodrigues na biografia do Centenário do Conde de Moreira Lima e "consegue em poucos dias a libertação dos seus innocentes e queridos parentes".

Instaurado o processo, o Tribunal da Relação do Rio de Janeiro isenta os indiciados de culpa.

O assunto foi largamente debatido na Assembléia Provincial de São Paulo, de que fazia parte um irmão do Coronel José Vicente, advogado da viúva, o Dr. Pedro Vicente de Azevedo — o órfão Pedro Miguel que ficara com sete meses incompletos, por ocasião da morte do Comendador José Vicente de Azevedo —

e que já era nessa ocasião deputado provincial. O Dr. Pedro Vicente não apresentou contas e em 1875 foi nomeado Presidente da Província de Minas, tendo se ausentado para Ouro Prêto, de onde ainda escreve à viúva.

Já juntamos aos documentos cartas do velho Moreira Lima ao seu genro Coronel José Vicente e vimos nesta altura juntar aos documentos uma de 8 de setembro de 1869 à sua filha viúva, aconselhando-a sôbre as medidas a tomar (Doc. n.º 51, pág. 315) por morte de seu marido.

Diz numa carta que, julgadas as partilhas (do que se incumbira o Dr. Pedro Vicente de Azevedo, irmão da vítima), "estão os vossos negocios bem encaminhados convem arranjar-vos com os credores desejando eu receber para meu pagamento a divida do Quim" (seu filho, mais tarde o Conde de Moreira Lima) proveniente da quantia que deu, mas como faz desarranjo acha que deve ser "debedida" (sic) "por todos em regra de proporção, passando a transferencia a um dos credores" — Prontifica-se a ajudar a filha. Assina-se "Vosso amoroso Pae Moreira Lima".

RAZÕES DO ADVOGADO

Nada poderia ilustrar mais o nome do Dr. Pedro Vicente de Azevedo do que as razões que apresentou como advogado do irmão, perante o Tribunal da Justiça, de que vamos repetir trechos: (Doc. n.º 53, pág. 321 e seguintes.)

"Não fallamos neste momento em nome de um direito privado unicamente; é uma acção publica também, esta; o coronel José Vicente de Azevedo, essa victima sacrificada ás más paixões de inimigos gratuitos, não foi uma perda só para sua desolada viuva, e seus quatro filhos, orphãos na mais tenra infancia, mas para a sociedade em geral, que nelle viu desapparecer um cidadão prestante, e coberto de grandes serviços feitos ao Estado; o qual como delegado de policia em seu municipio, cargo que exerceu em diversas situações políticas, mostrou-se sempre de uma actividade e dedicação no cumprimento de seus deveres, superior a todos os elogios, como o attestaram os ex-presidentes desta provincia, com quem serviu, entre os quaes os illustres conselheiros Josino do Nascimento e Silva, José Antonio Saraiva, Vicente Pires da Motta e outros."

Dos culpados cita êle João Barbosa o mandatário confesso, e João Alves Bueno, mandante do crime que, oferecendo recompensas aos primeiros, abrigou-os em sua própria casa, ensinou-lhes o lugar em que deviam atuar e fêz-lhes conhecer a região. Era voz corrente na família que um primeiro prêto, atraído por ofertas de dinheiro e carta de alforria, ao lhe ser apontada a vítima, declarou que não o faria, diante da estampa da mesma: "era bonito demais para morrer". Outro prêto, Vicente, também escravo, aceitou a oferta mas não chegou a cumprir a pena por ter falecido antes do julgamento.

Depois de protelar várias vêzes, embaraçando a ação da justiça, foi condenado o mandatário do crime, por ironia da sorte, na mesma sala em que faleceu o Coronel José Vicente, tendo sua casa de residência sido alugada para Tribunal do Júri, em Lorena. Apelando de nôvo, em 1877, pedia Pedro Vicente a confirmação da sentença.

O Dr. Pedro Vicente de Azevedo e o Visconde de Moreira Lima, netos ambos do Capitão-mor Manoel Pereira de Castro, eram, em 1869, os remanescentes da família, testemunhas do ocorrido na época e mais ìntimamente ligados à vítima e aos supostos protagonistas.

A situação era dramática e cada qual sofria as conseqüências no seu setor.

DR. PEDRO VICENTE DE AZEVEDO

Honrando o nome que trazia, o Dr. Pedro Vicente de Azevedo foi um continuador do prestígio da família. Encontramo-lo aqui nesta nova fase de sua vida, depois da educação esmerada que sua mãe, a respeitável matrona D. Maria Pereira da Guia Azevedo, se esforçou por lhe dar, mesmo depois de viúva. Doutor de borla e capelo, em 1878, depois de se bacharelar em ciências jurídicas e sociais, iniciou-se como Juiz Municipal em São Luís de Paraitinga, no interior da Província de São Paulo, montou banca de advogado na sua Vila natal, onde foi, como seu irmão, delegado de Polícia e inspetor da Instrução Pública. Eram honrarias que se transmitiam às sucessivas gerações do Capitão-mor Manoel Pereira de Castro.

A sua expressão política como conservador, continuando a orientação de seu pai, levou-o a posições de grande destaque. Condecorado com a Ordem da Rosa em 1876, pelo Imperador Pedro II, foi nomeado sucessivamente presidente das Províncias do Pará, Minas Gerais, Pernambuco e finalmente São Paulo, até 11-4-1889. Os relatórios por êle apresentados no desempenho dessas funções às respectivas Assembléias Legislativas são um padrão de honradez. Da sua Presidência no Pará, de 1874 a 1875, onde teve que tratar da questão religiosa com a prisão de dois bispos, reproduzimos trechos publicados por ocasião da entrega ao seu substituto — Dr. Francisco Maria Corrêa de Sá e Benevides.

Começa por declarar que nessa missão de Presidente não lhe faltou o apoio da quase totalidade dos seus correligionários políticos, como até dos adversários, os liberais, que, "sem nada pretenderem da parte política da administração, porque não lhes era isso lícito e nem êle os satisfaria, como homem de partido, viram ser por mim acceitos os esclarecimentos prestados pela imprensa de todos os credos e uma vez averiguada a verdade dos fatos jamais ser denegadas as devidas attenções a tudo quanto era justo e honesto".

É que na sua época "a sã política era realmente filha da moral e da razão".

Completava êle: "Na justiça fui igual para todos", declaração suficiente para se avaliar do seu caráter e da sua ação como homem de Estado. Em São Paulo o Dr. Pedro Vicente de Azevedo foi no já período da República vice-prefeito de São Paulo.

OS PEQUENOS ÓRFÃOS

Orfão aos nove anos, deixou o Coronel José Vicente de Azevedo também quatro filhos na orfandade. Mas, como sua mãe, que ocupando-se de sua educação fêz dêle um caráter e depois grande homem, também sua mulher viúva, aos 34 anos apenas, fêz dos pequenos lorenenses, seus filhos, dignos continuadores do nome de seu pai, o Coronel José Vicente de Azevedo, de seus avós o Comendador José Vicente de Azevedo e Joaquim José Moreira Lima, bem como de seu bisavô o Capitão-mor Manoel Pereira de Castro. Cultuando a memória de seus antepassados e continuando a tradição da família, tudo fizeram êles sempre pelo engrandecimento da sua querida Lorena. Os seus nomes estão como o de seus ancestrais gravados para sempre na história da cidade.

Foram êles o Barão da Bocaina (Francisco de Paula Vicente de Azevedo), o "Sinhôzinho" do trato familiar, que foi agraciado em 1887 com o título de Barão da Bocaina pelo Imperador Pedro II.

O Conde José Vicente de Azevedo, o afilhado do seu sócio Fernandes Pinheiro, que tanto os preocupou nas cartas trocadas em 1860, em que tinha apenas um ano de idade.

Pedro Vicente Sobrinho, que ficou com quatro anos incompletos quando se deu o triste desenlace, e foi sempre companheiro de sua mãe.

Maria Vicentina de Azevedo Pereira de Queiroz, a única menina, que tinha apenas nove meses e se casou em São Paulo, em 1888.

A viúva do Coronel José Vicente, sua prima D. Angelina, um ano apenas mais jovem do que êle, com a fibra de uma neta do Capitão-mor Manoel Pereira de Castro, prossegue corajosa, com o ânimo inalterado, apesar da desgraça que sofreu, cuidando da manutenção de seus filhos, dos quais o mais velho — o Chiquinho, a quem êle próprio tanto se referia nas suas cartas de 1860 — tinha na ocasião 13 anos incompletos.

O MENINO FRANCISCO DE PAULA

O primeiro cuidado da mãe foi mandá-lo para São Paulo, confiado a seu tio o Dr. Pedro Vicente de Azevedo, que aqui residia, para continuar seus estudos. Separação dolorosa para essa mãe tão sofredora e para o filho que, depois de sofrer as conseqüências de um golpe tão trágico e profundo, deixava o aconchego da família, a vida pacata do interior da Província e as larguezas de uma fazenda. Temos disso provas na correspondência que trocou com sua mãe, a qual guardou essas cartas como um consôlo para a sua separação, dando-nos ainda oportunidade de conhecer, através de trechos que vamos reproduzir, os sentimentos nobres dêsse coração bem formado, que se preparava para uma vida nova.

As cartas são freqüentes, quase diárias, atestado do quanto lhes custou essa resolução. O ano de 1869 ainda passou êle em casa, mas em 13 de fevereiro 1870, com 14 anos incompletos, já enviava uma missiva de São Paulo, que não nos furtamos de reproduzir na íntegra, para deixar sentir seu espirito de observação e a afetividade que revela.

"Sao Paulo, 13 de Fevereiro de 1870
Mamãi

Desejo que todos de Casa estejam com saude conforme eu deixei.

Pois eu hoje é que aqui cheguei, graças a Deos com saúde. Tio Pedro tambem está bom, quem está cozinhando aqui para elle é uma negra de D. Carlota, hoje escapamos de duas chuvas de pedra, uma quando estavamos almoçando em S. Miguel, e outra na Penha, tanto que era para chegarmos aqui cedo, e chegamos de tarde quaze ao escurecer, por isso não posso mandar contar nada porque cheguei a pocas horas, mas estou achando muito bonito, a Casa nossa é em muito bom lugar e em frente a uma rua de fama que da janela se vê muita couza. O intrudo aqui já está muito forte, andão dentro de carros com bandeijas de limão molhando todos quantos incontrão na rua. Eu inda não sahi na rua nem na casa de D. Carlota inda não fui. Aceite lembranças minhas e um abraço no Pedrinho e outro em Nenem diga a elles que não se esqueça-se do mano, que se não for agora um brinquedo para elles quando tiver portador eu mando, se eu amanhã tiver tempo eu compro e mando e se não depois eu mando.

Seu Filho que muito
lhe estima

F. P. Vicente de Azevedo.

P. Es. não repare ser mal escrita porque foi com pressa.

Zeca, agora não foi nada para vosseis porque eu inda não tive tempo de comprar, mas quarquer portador que eu tenha eu mando alguma couza para voceis e vosse me escreva de vez enquando de lembranças para todos e diga ao Octávio que trate bem de meus animais.

Seu irmão e am.º

F. P. Vicente de Azevedo"

(Doc. n.º 55, pág. 333 e seguintes.)

Essa primeira é o deslumbramento da chegada, mas já na do dia 18 êle cai na realidade. Foi com o tio ver colégios, comprar roupa que ainda deve ser de mirinó **(sic)** e de "panno preto" — Êle próprio pede "ao homem", como diz, que fizesse ao menos a calça e o colête até o dia 20 para ir à misça **(sic)** que o tio e o primo Antônio (futuro Barão de Santa Eulália) vão mandar rezar. O dia seguinte era o 1.º aniversário da morte do pai, data sempre recordada na família. É tocante a lembrança dos irmãos aos quaes manda brincedos **(sic)**, um carrinho para o Pedrinho e uma boneca para Nenem (sua irmãzinha e afilhada, que sempre chamou assim e para a qual teve carinhos de pai).

Ao mano Jeca, cinco anos mais môço, diz em "post scriptum" que comprou um canivetinho muito bonitinho para mandar-lhe, custou 1$500.

No dia 21 dá notícia da missa que foi com música e "ésse" **(sic)**, a música do Batalhão de Permanentes, missa rezada pelo Padre Scipião. Diz que foi muita gente e que não houve Assembléia por ser o dia natalício do pai.

O progresso que fêz na escrita (ortografia e caligrafia) é visível, bem como no estilo.

Dá boas noticias da sua saúde e diz à mãe que os conservadores o tratam muito bem. Do Padre Scipião (devia ser correligionário), conta que foi à casa dêle e que havia mais de trinta pessoas. Na sua simplicidade infantil diz que o intrudo **(sic)** está forte e que qualquer hora que se saia na rua é arriscar a ser molhado. "Nos domingos para se ser molhado não é perciso sair-se de casa." Recomenda sempre os seus animais ao fiel Otávio.

Mais cartas possuímos com os mesmos interêsses. Presentes para os irmãos, por um portador que segue; uma abotoadura para o camarada "Octávio" e conclui: "Para Vomcê (a mãe) não mando nada porque não acho nada çoficiente". (Carinho e respeito pela pessoa da mãe.)

Continua a preocupação do entrudo: "nem na janella se póde sair porque se é molhado". A princípio não queria brincar, como diz, mas não teve "outro remedio" porque "quem não toma parte passa por bobo". O carnaval está acabando e diz que pretende ir na procição **(sic)** de cinzas que deve ser muito bonita "principalmente para mim que inda não vi". Visto nada achar para mandar para a mãe, pede uma medida para comprar um chinelo, mas informa que tudo é mais caro em São Paulo.

Já em 11 de março viu com deslumbramento na igreja iluminada a procissão do Depósito (trasladação da imagem do Senhor dos Passos que sai ao encontro de N.ª Senhora no dia seguinte). Conservou até morrer a devoção de acompanhar a Procissão dos Passos, tendo sido provedor da respectiva Irmandade até morrer.

"Comprei para o Pedrinho um bumbinho e pratos por 6$500. Já póde Vmcê vêr que não é cousa atôa."

Numa carta ulterior diz estar informado de que o Júri (julgamento dos assassinos do pai) é no dia 4 de abril e tio Pedro está vendo se arranja para os assassinos não irem ou irem tarde para chegarem lá depois do júri. Acrescenta que "será bom porque é mais de 6 meses de Cadêa que eles tomão. (Observação natural para a criança que viveu tal drama.) Remete "dois números do Correio Paulistano com o artigo do Martim Francisco (advogado dos acusados) e a resposta do tio Pedro" (não conseguimos obter).

Finalmente, em 22 de março entra para o Colégio do Isidro, informou, e já principiou com gramática francesa e gramática latina. Vai às 7 horas e volta às 6, almoça e janta lá — o paçadio **(sic)** não é mau — "no almoço arroz, feigão e bifes ençopados e ervas" e "na janta carne cosida, ençopada ou frita, çopa, sobremeza, 2 bananas e depois café".

E assim termina a odisséia de uma criança traumatizada por um golpe cruel e que enfrenta nova vida.

Velando por seu sobrinho órfão, o Dr. Pedro Vicente em correspondência com sua cunhada diz-lhe que não escreve mais freqüentemente porque tem muitas ocupações e os trabalhos da Assembléia se prolongam até tarde (já é deputado provincial).

O Chiquinho (como chama o pequeno Francisco de Paula) trouxe-lhe a carta da comadre e cunhada. Tranqüiliza-a dizendo que cuidará do menino como se fôsse seu próprio filho (êle só se casou em 1871, em São Paulo, com uma filha do médico baiano Dr. Luiz Lopes Baptista dos Anjos). Espera que o sobrinho se acostume ao ambiente de São Paulo e depois o mandará externo para o colégio.

Cartas se sucedem, revelando sempre o mesmo zêlo pelo pequeno lorenense. Quem o trouxe foi o Dr. Rodrigues (carta de D. Angelina, trata-se de Antônio Rodrigues de Azevedo Ferreira, filho da tia Marica) seu sobrinho e correligionário (o futuro Barão de Santa Eulália), casado com sua irmã D. Eulália.

Extraímos agora trechos das cartas trocadas sôbre êsse assunto entre o Dr. Pedro Vicente e sua cunhada D. Angelina. Tôdas revelam o mesmo zêlo pelo pequeno Francisco de Paula. (Doc. n.º 56.)

O tio Pedro informa não haver em São Paulo colégio conveniente, mas não aconselha que vá para o Rio onde o clima é pior e está grassando a febre amarela. Carteando-se sempre com a comadre, diz ter sabido que já foi marcado o júri (julgamento dos assassinos do irmão) e pediu adiamento. Chega a pensar em devolver o sobrinho por falta de bons colégios. Recomenda que não agasalhe seu escravo Leopoldino para não ter incômodos, que o cunhado João Rodrigues o venda ou ponha a trabalhar na roça, "porque isto é gente que só serve para nos dar incomodo".

Na carta de 4 de abril conta que o "Chiquinho" já está no colégio em que tem de ficar (Colégio do Isidro, Ladeira Pôrto Geral, segundo informação do próprio menino). Está bem recomendado e providenciou para que nada lhe falte.

Quanto ao Jeca, o segundo filho do Coronel José Vicente (o futuro Conde José Vicente de Azevedo) verá quando fôr a Lorena, porque acha que deve permanecer ali (é cinco anos mais môço do que o Chiquinho); por enquanto não está preparado para sair para fora... Pede que não se incomode com o Chiquinho, que já não é muito criança e tem juízo suficiente para se haver bem fora da família. E a pobre mãe, apesar de sofrer com a separação do filho, escreve reiteradamente ao cunhado, grata pelos seus cuidados e protestando inteira confiança nas suas resoluções.

Receosa, quando o cunhado diz não haver colégio bom em São Paulo, quer que volte para Lorena. São apreensões da mãe saudosa, que escreve: "não convem que elle fique ahi sem esperanças de tirar bom resultado e sempre devemos trazer em memoria que meu marido dizia que não queria pôr os meninos em qualquer colegio". Fidelidade à memória do marido... E termina entregando a responsabilidade ao cunhado. "Meu compadre que melhor conhece veja como convem porque tem mais conhecimento de que eu sobre isso".

A OFICINA DE COSTURA

Na parte financeira grande foi o abalo sofrido por essa família naturalmente. Vendo que a produção da fazenda não dava para a manutenção da casa, além de alugar escravos, como vimos, a viúva corajosamente abriu uma oficina de costura, em que trabalhavam as suas escravas prendadas e de que tomou a direção. É um fato notável que uma mulher da sua condição social naquela época já procurasse meios de prover a sua subsistência e de seus filhos. Possuímos dois documentos dessa época, conservados entre os seus guardados: uma conta de costura num recorte de papel e uma carta de uma de suas manas sôbre o assunto.

Vamos reproduzi-los na íntegra:

"Dna. Maria da Ponte

Deve

Tres covados de chita em cassa azul	1$080
1 peça de renda	1$400
Botões	$160
Escossia Branca	1$600
Feitio de ambos	3$000
Somma	7$240"

A caligrafia não é de sua autoria, provàvelmente de uma das auxiliares, apesar de escravas (vimos que o escravo Romão também sabia ler e escrever).

Mais um documento sôbre costuras, de sua irmã Ana Leopoldina de Castro Lima Braga, que a trata familiarmente de "minha presada Mana" (carta escrita pelo filho Teófilo, mas que pôs a sua assinatura em baixo do nome da mãe).

"Minha presada Mana,

Em resposta ao vosso bilhete de hoje, cabe-me dizer-lhe que quero o vestido com pequena cauda, o corpo subido e a saia pouco talhada. Espero que vmcê envide todos os esforços para que a dona da encommenda fique satisfeita.

Sou como sabe
Sua irmã aff[a]
P. Ma. mãe
D. Anna L. de C. L.
Bel. Th. Braga
S. C., 22 de oubr[o] de 1869
P. S.
Acceite recommendação do Theophilo e do Arlindo e Getulio."

Como vemos, a oficina de costura já estava em funcionamento em 22 de outubro de 1869, nem um ano após o assassinato de seu marido.

CARTAS DE PÊSAMES (Doc. n.º 58 e seguintes, pág. 341.)

Assim continua ela a cuidar de seus filhos. E a prova do quanto era estimada temos nas numerosas cartas de pêsames que recebeu, da Côrte e de São Paulo, lamentando o triste acontecimento.

De uma delas incluímos o clichê porque é incontestàvelmente uma demonstração da cultura, do trato social e da educação femininas, há quase um século passado. É de D. Maria do Carmo Novaes Osório, que ela nos dizia ser sobrinha do General Osório e morava no Rio.

Não sendo possível reproduzir tôdas vamos destacar trechos de algumas. São provas consoladoras de amizade e que revelam o grau de civilização, por assim dizer, no interior de São Paulo, há um século, além de provas de carinho. (Doc. n.º 58, pág. 341.)

"Ilma. Senhora

Com o coração enlutado pela mais acerba dor do tragico e inesperado passamento do meu caro amigo e seu presado consorte, victima infeliz d'um malvado sicario (talvez politico) que assalariado por algum monstro humano não trepidou lançar na consternação e orphandade uma familia, privando de seu digno chefe, tomo a penna para em meu nome e de minha penalisada familia para patentear a V. Excia. os nossos pezames por tão motivo cuja noticia hoje tivemos.

Senhora, o sangue innocente derramado chega até a Divindade e Ella como justa vingadôra, o fará cahir sobre a cabeça d'esse impio que esquecido das leis divinas e humanas, ousou temerariamente destruhir a sua obra.

Esperemos, pois, confiadamente nella e sua divina justiça se manifestará como anhela o

De V. Excia.
Att° Venor e obrigmo Servo
ass. Antonio José Barbosa

Salto, 23 de fevereiro de 1869"

A cunhada Jesuína, do Rio, assim se exprime: "O que poderei eu lhe dizer tendo a senhora" (trato habitual entre cunhadas) "perdido hum bom marido da maneira que perdeis, para isso não há consolação, e eu perdi um bom Irmão e hum bom Amigo, hum amparo, que com elle contava. Deus tudo nos tirou, aos innocentes filhos hum Pai na ocasião que mais precisavam delle. Abençoe a minha afilhada por mim e aceite um abraço," etc. etc. Um ano depois essa mesma senhora escrevia: "Hoje fais hum anno que eu perdi hum bom irmão e a senhora hum bom marido... acabo de chegar da misça que por sua alma mandei dizer", etc. etc.

De uma amiga: "He com muito pezar que faço esta a fim de lhe dar meus sentimentos pela grande dôr que passou". De outra, de São Paulo. "A infausta e tétrica noticia da morte de meu Compadre o Sñr Coronel José Vicente de Azevedo veio cavar em meu peito um abysmo profundo de dôr e de saudade. Comprehendo a dôr que lhe dilacera o coração e sei igualmente sentil-a. Tem esta por fim mostrar-lhe unicamente que compartilho do acerbo infortunio que a mão da fatalidade fez pesar sobre Vmcê. Esposa e mãe conheço a falta irreparável quando perdemos o arrimo de nossos dias e o companheiro inseparável de nossa ventura e dos nossos infortunios. Deos, porem, immenso e misericordioso não esquece dos seos quando estes sucumbem ao peso da desventura... A aurora do futuro espargirá as trevas de que o presente se enlucta."

Em 1870, a mesma amiga da carta anterior, Carlota Chrispina da Conceição Andrade, escreve: "Recebi a sua carta, quanto ao que me recomenda para zelar de seu filho Vmcê sabe as nossas posses porem fique certa que tudo o que eu e meu marido podermos fazer por elle estaremos sempre promptos. E Deuz lhe dê forças para se consolar com a separação, pois só Elle é que nos pode ajudar a passar-mos mais suavemente os trabalhos e desgostos que se tem nesta vida."

Em resposta a essas cartas temos o rascunho que a viúva enviou um mês depois, no dia 21 de abril de 1869: "No meio da mais amarga dôr por que estou passando não posso deixar de responder a sua presada carta. Eu sei o quanto tomou parte em meus justos sentimentos, e não tenho escripto a mais tempo porque me faltão forças para o fazer..."

São demonstrações de nível social elevado numa fazenda do interior da província no século XIX, onde acabava de suceder uma grande desgraça, aliada a uma crise política: a morte trágica do chefe de uma família de destaque e de um líder político; a mudança brusca do modo de viver dessa família e principalmente a fibra de uma mulher que soube enfrentar a vida de nôvo, adaptando-se à situação.

Além do profundo golpe na família Vicente de Azevedo, grande foi também a repercussão no ambiente social de Lorena, que continuava dividido politicamente, apesar das alianças entre os seus dois ramos.

A descendência do Capitão-mor Manoel Pereira de Castro, que já vinha estremecida, não podia resistir impunemente a êsse desenlace trágico. A velha luta entre os liberais, de que eram chefes o próprio Capitão-mor, seu filho o Padre Manoel Theotônio; seu genro, o português Joaquim José Moreira Lima; seu neto, Antônio Moreira de Castro Lima, de um lado; e os conservadores do outro lado, constituindo o ramo Vicente de Azevedo, (filhos e netos do Comendador José Vicente de Azevedo), tomava um aspecto cada vez mais grave. Desaparecendo tràgicamente o chefe conservador, os chefes liberais foram presos e enviados para Guaratinguetá, onde ficaram detidos. A situação era dolorosa porque D. Angelina, a filha do velho Moreira Lima, era viúva do próprio chefe assassinado, que por sua vez era filho do Comendador José Vicente.

A outra filha do velho Moreira, Eulália, era casada com outro conservador, Antônio Rodrigues de Azevedo Ferreira. Desde o casamento de D. Maria da Guia, a filha mais velha do Capitão-mor Manoel Pereira de Castro, com o chefe conservador (Comendador José Vicente de Azevedo), as relações de amizade haviam ficado abaladas entre os dois ramos da família.

Espôsas dedicadas, as noras do Capitão-mor, embora do ramo liberal da família, abraçaram as idéias políticas de seus maridos. Mas o golpe desta vez foi muito profundo e era preciso verificar até que ponto eram os chefes liberais culpados. Assim, a discórdia continuava a reinar entre os descendentes do Capitão-mor Manoel Pereira de Castro.

Sempre cheia de coragem, D. Angelina passou a cuidar dos interêsses de seus filhos, como vimos. O desenlace deu-se em 21 de fevereiro e já em 15 de maio do mesmo ano o Juiz de Órfãos designava o dia 19 "para proceder-se à descrição e avaliação dos bens do casal". No dia 28 de maio nova intimação, designando o dia 31 para as mesmas providências, o que faz supor que ela não houvesse comparecido da primeira vez.

INVENTÁRIO DO CORONEL JOSÉ VICENTE

As contas do inventário, entregues ao seu cunhado Pedro Vicente, deram um "deficit" de 6:015$941, em 26 de dezembro de 1869.

Do Gabinete da Presidência de Minas, para a qual fôra nomeado pelo Imperador, em 1875, o Dr. Pedro Vicente de Azevedo escreve de Ouro Prêto à cunhada sôbre o inventário, dizendo que se responsabiliza pelas contas e declarando que desde a conclusão do inventário não cobra juros. As contas foram pagas e ainda havia um saldo de rs. 610$732 a favor da viúva.

Recomendava ao Chiquinho (o menor Francisco de Paula, confiado outrora aos seus cuidados), já com 19 anos, que procurasse um advogado para tomar conta do andamento do processo, uma vez que, ausente como está (presidente de Minas), não poderá fazê-lo.

Êsses netos do comendador José Vicente de Azevedo e bisnetos do Capitão-mor Manoel Pereira de Castro, os filhos do Coronel José Vicente, foram dignos continuadores da sua ascendência. Cabe aqui dar uma notícia biográfica sucinta dêles, tão duramente provados pelo destino, nessa orfandade prematura. Nascidos todos em Lorena, na segunda metade do século XIX, integraram-se na história da cidade e demonstraram mesmo mais tarde, fora do ambiente local, transferidos para a Capital da Província, a mesma devoção à sua terra natal.

O menino Chiquinho cresceu e foi o Barão da Bocaina. Como êle, o Zeca, o afilhado do Sr. Pinheiro, que tanto sofreu com a coqueluche — O Pedrinho e a Neném sempre lembrados e presenteados pelo irmão mais velho, que veio estudar em São Paulo. Pertencentes todos a gerações que já desapareceram, são aqui mencionados também.

O BARÃO DA BOCAINA

Do filho mais velho do Coronel José Vicente de Azevedo, Francisco de Paula, posteriormente Barão da Bocaina, já nos ocupamos longamente, no período inicial de sua vida, quando órfão, com 13 anos incompletos, foi para um colégio em São Paulo, sob as vistas de seu tio, Dr. Pedro Vicente de Azevedo.

De volta a Lorena, onde residiam sua mãe e irmãos, aí iniciou a sua atividade, ocupando, como seu pai, cargos de responsabilidade na administração local. Expandindo-se, mais tarde, teve grande atuação social, tanto em São Paulo como na Capital do país, sempre visando a melhoras e progresso não só para sua cidade natal como para todo o Brasil. Numerosas foram as iniciativas de que procurou dotar os ambientes em que viveu e em que sempre se distinguiu.

Embora uma biografia sua não tenha sido ainda escrita, são numerosos os documentos que nos permitiram fazer uma ligeira apreciação de sua vida e que nos foram também gentilmente cedidos por seu filho, Dr. Francisco de Paula Vicente de Azevedo.

Para confirmação do que dissemos, basta que incluamos aqui o requerimento, que, assinado por grande número de deputados, foi apresentado à Assembléia Legislativa de São Paulo, em 8 de outubro de 1956, por ocasião do centenário do seu nascimento, e ao qual procuramos acrescentar algumas notas.

Eram os seguintes os têrmos dêsse requerimento: "O Sr. Paulo Teixeira de Camargo — Sr. Presidente e Srs. deputados,

"A efeméride de hoje marca o transcurso de centenário de um grande brasileiro, o Sr. Barão da Bocaina — Comendador Francisco de Paula Vicente de Azevedo, que durante sua longa vida prestou relevantes serviços à sua pátria, quer no regime imperial, quer no republicano.

"Natural de Lorena, Estado de São Paulo, onde nasceu em 8 de outubro de 1856, era descendente de nobre e antiga família paulista, filho do Coronel José Vicente de Azevedo e de D. Angelina Moreira de Azevedo.

"Começou sua vida pública como Coletor das Rendas Gerais em sua cidade natal, cargo que exerceu de 1876 a 1879, quando, promovido para igual cargo na Capital da Província, preferiu permanecer em Lorena, onde assumiu a Chefia do Partido Conservador, sendo eleito vereador à Câmara Municipal e, depois, seu presidente, cargo que exerceu até a proclamação da República.

"Foi fundador do Engenho Central de Lorena, o primeiro empreendimento, no gênero, do norte do Estado, tendo sido, "por serviços prestados à indústria", agraciado em 27 de maio de 1884 com a Comenda da Imperial Ordem da Rosa.

"Grande fazendeiro nos municípios de Lorena, Piquête, Guaratinguetá, Cunha, Pindamonhangaba e Itajubá, foi um dos precursores da substituição do braço escravo, e, diretor da Estrada de Ferro São Paulo — Rio de Janeiro, hoje Central do Brasil, promoveu o estabelecimento de várias colonias para a colocação de imigrantes, entre as quais Canas (em Lorena), Quiririm (em Taubaté) e Sabaúna (em Moji das Cruzes), a primeira das quais pessoalmente organizou e gratuitamente dirigiu até a respectiva emancipação.

"Quando presidente da Câmara Municipal de Lorena introduziu na cidade numerosos melhoramentos, arborizando ruas, ajardinando praças, construindo pontes (das quais uma ofereceu à cidade) e fazendo trafegar a primeira linha de bondes, de tração animal, que funcionou no interior de São Paulo.

"Por Decreto de 7 de maio de 1887, foi agraciado pelo Imperador Dom Pedro II, com o título de Barão da Bocaina, que usou até sua morte.

"Tendo transferido residência para a Capital do Estado aqui organizou e foi diretor do Banco Comercial de São Paulo, tendo tomado parte em quase todos os empreendimentos que se iniciaram na última década do século passado: foi tesoureiro da Comissão da Construção da Catedral, sob a presidência do Bispo Dom Lino; foi orzanizador, em 1910, da Comissão das Grandes Avenidas, a precursora do plano de urbanização levado a efeito, muitos anos mais tarde; e em 1905, a convite do Conselheiro Rodrigues Alves, se incumbiu de reorganizar os serviços de arrecadação das rendas federais nos moldes que até hoje perduram.

"Tendo feito longa viagem à Europa após a queda do antigo regime, logo ao chegar aqui introduziu a correspondência expressa até então desconhecida no País; e tendo observado a semelhança de clima e condições da Suíça e dos Campos do Jordão, onde era grande proprietário, fundou ali a primeira estação climatérica da região, São Francisco dos Campos (onde construiu Igreja, Escola, Hotel, grandes parques ajardinados e mais de cinqüenta casas), sendo, assim, o iniciador do aproveitamento de tão formosa região, onde, ainda, tendo trazido do estrangeiro as necessárias mudas, iniciou, mediante plantação em suas terras, o cultivo das frutas européias que, hoje, constituem a principal riqueza de tôda a região fronteiriça de São Paulo e Minas Gerais. Para aquilatar o seu arrôjo, basta mencionar, que a título de experiência, plantou em uma só de suas fazendas 35.000 pés de marmelos, fruta que, hoje, se conta cêrca de 10 milhões naquela zona, onde encontrou o verdadeiro habitat.

"Em 1901, tendo oferecido gratuitamente ao Govêrno Federal terrenos para a Fábrica de Pólvora Sem Fumaça, em Piquête, e para um Sanatório Militar, em Lavrinhas, foi propulsionador do grande desenvolvimento da zona, sendo, hoje, aquela fábrica, com a denominação de "Presidente Vargas" o maior estabelecimento militar do País; em Lorena doou terrenos para numerosas instituições de caridade e para o aumento do cemitério local.

"Em 1921, no Govêrno Epitácio Pessoa, muito trabalhou pela eletrificação da Central e pelo estabelecimento da grande siderúrgica à margem desta estrada, o que foi feito anos depois em Volta Redonda, tendo sido o Barão da Bocaina o verdadeiro pioneiro da idéia.

"Inúmeros outros assuntos atraíram sua multiforme atividade; demarcações de terras no sertão do oeste de São Paulo e seu desbravamento, aproveitamento de fontes de água mineral, etc.; e muitas instituições de caridade a êle devem eficaz auxílio.

"Faleceu em São Paulo, em 17 de outubro de 1938, com 82 anos completos, deixando para as gerações vindouras um verdadeiro exemplo do patriota e de homem bom."

Idêntica homenagem foi prestada ao Barão da Bocaina, também nos primeiros dias de outubro de 1956, por ocasião do transcurso do centenário de seu nascimento ocorrido em 8 dêsse mês, na Câmara Municipal de São Paulo, na Câmara dos Deputados e no Senado Federal; a imprensa de São Paulo, do Rio de Janeiro e de todo o Vale do Paraíba se ocupou de sua personalidade, tendo sido proclamado, pelos grandes serviços que prestou e pelo seu gênio progressista, o "Mauá Paulista"; o Govêrno Federal participou das homenagens instituindo, com sua efígie, um sêlo comemorativo da introdução da carta expressa no Brasil, que lhe é devida, sêlo que recebeu o número 421 do "Catálogo dos Selos Brasileiros"; em Lorena, sua terra natal, foram numerosas as homenagens, entre as quais figurou uma sessão solene na Câmara Municipal, realizada na véspera do centenário, 7 de outubro de 1956, presidida pelo então governador Jânio Quadros, durante a qual foi inaugurado no salão nobre da edilidade o retrato do homenageado, seu antigo presidente; na Agência do Correio local, onde foi usado um carimbo especial comemorativo, inaugurou-se uma placa de bronze alusiva à data: e na ponte da Rua Coronel José Vicente, sôbre o Ribeirão do Taboão, por êle oferecida à cidade em 1887 quando presidente da Câmara, foi colocada uma placa com o seu nome.

O Jornal de 13 de outubro de 1956, referindo-se a essa personalidade, assim se exprime: "Foi o Barão da Bocaina sem dúvida o mais progressista dos conservadores e o mais populista dos nossos aristocratas."

A atuação política do Barão da Bocaina, em Lorena, limitou-se ao período do Brasil Império, tendo sido como seu pai o Coronel José Vicente e seu avô, o Comendador José Vicente de Azevedo, chefe do Partido Conservador local e eleito primeiramente vereador, depois presidente da Câmara Municipal, com o que iniciou a sua política. Aos 20 anos já era Coletor de Rendas da sua cidade, onde preferiu permanecer, fiel a ela como os seus ancestrais, apesar de nomeado para o mesmo cargo na Capital da província. Solicitado, porém, muitas vêzes, acabou por se transferir para a Capital, onde ocupou, como vimos, cargos de grande responsabilidade, tendo sido diretor da antiga Estrada de Ferro São Paulo-Rio de Janeiro, que foi incorporada à Central do Brasil, fundador e diretor de vários Bancos, membro da Primeira Comissão Executiva da Nova Catedral e de organizações que visavam sempre à remodelação da Capital, o progresso do Estado e do País, a defesa da população.

Uma interessante coincidência temos a assinalar. O Barão da Bocaina nasceu no ano em que a Vila de N. S.ª da Piedade foi elevada a cidade, foram comemorados no mesmo ano ambos os centenários. Isso significa que o Barão da Bocaina acompanhou a sua querida Lorena no seu surto de progresso e viveu intensamente todo êsse período. Afeiçoado a ela, nela se iniciou. Mas a sua personalidade acabou por extravasar o ambiente acanhado do interior da Província. Através do documento transcrito, vimos que deve o País à sua generosidade, também, a instalação de grandes iniciativas como a Fábrica de Pólvora de Piquête (hoje a grande Fábrica Presidente Vargas), o Sanatório Militar de Lavrinhas, uma estação climatérica que denominou São Francisco dos Campos, em Campos do Jordão, para os quais doou terrenos de sua propriedade. Em sua cidade natal numerosos foram os melhoramentos para os quais concorreu, tendo sido um dos bisnetos do Capitão-mor Manoel Pereira de Castro que mais trabalhou para o grande prestígio da Lorena dos séculos XIX e XX. Com os seus empreendimentos e com a sua generosidade a cidade muito progrediu.

A Vila de Lorena e o Capitão-mor Manoel Pereira de Castro cresceram juntos, foram companheiros de infância, como dissemos. O Barão da Bocaina e a cidade de Lorena nasceram ambos em 1856, foram contemporâneos no período áureo da Lorena Imperial, da Lorena de Zaluar, da juventude dourada, por assim dizer.

Dos melhoramentos com que dotou a cidade devemos salientar um Engenho Central, com instalações as mais modernas, na penúltima década do século XIX, em colaboração com outros membros da família e dotado até de um bondinho a tração animal, iniciativa que muito concorreu para o progresso da cidade. Foi provedor da Irmandade de N. S.ª da Piedade, de Lorena, até sua morte, em 1938, e por muitos anos provedor da Irmandade dos Passos, em São Paulo.

Em 1891 casou-se com D. Rosa Lopes de Oliveira, digníssima senhora que era conhecida como "a Baronesa" em São Paulo na época em que os títulos já escasseavam e de cujo consórcio teve numerosos filhos, digníssimos continuadores dessa nobre estirpe.

JOSÉ VICENTE DE AZEVEDO

O Zeca, o segundo filho do Coronel José Vicente de Azevedo, foi o herdeiro de seu nome.

Para estudar ligeiramente essa venerável figura lorenense, bisneto do Capitão-mor Manoel Pereira de Castro, vamos nos reportar a uma conferência primorosa pronunciada pelo Prof. Aroldo de Azevedo, no Instituto Histórico e Geográfico, por ocasião do seu centenário, em 1959.

Assim se expressou o conferencista:

....

"O fato de pertencer à estirpe do Capitão-mor e de conviver com homens que, conservadores ou liberais, procuraram servir à causa pública, ao torrão natal e à Província, foi para êle verdeira escola de civismo, forjou-lhe definitivamente o caráter, indicou-lhe o caminho a palmilhar. Fê-lo um homem público, sempre pronto a trabalhar pelo bem comum, sem o egoísmo dos que só pensam em si próprios. Tornou-se, por isso, um dêsses "nervos" da Nação, incapazes de vegetar no comodismo da sociedade a que pertencem dedicando-se de corpo e alma a servir ao próximo.

....

"assim foi a personalidade do Conde José Vicente de Azevedo — parlamentar e professor dos mais dignos, católico dos que mais possam ser, cidadão e chefe de família exemplar.

....

"Na 26.ª legislatura (1884-85), em que foi o mais votado em tôda a Província e que lhe assegurou a presidência das sessões preparatórias, como na 28.ª (1888-89), representou José Vicente de Azevedo o 3.ºdistrito eleitoral, isto é, o Vale do Paraíba, na Assembléia Provincial de São Paulo.

....

"Proclamada a República, por nove anos permaneceu alheio à política. Entretanto, em 1898, passou novamente a representar o 3.º distrito, como deputado, na agora Câmara Estadual.

....

"Simultâneamente com suas atividades políticas, dedicou-se o Dr. José Vicente de Azevedo ao magistério.

....

"No ano de 1892 foi nomeado para o cargo de lente de Geografia e História do Curso Anexo da Faculdade de Direito, cargo que três anos mais tarde (1895), haveria de conquistar em definitivo, através de rigoroso concurso de títulos e de provas, nêle permanecendo até que o referido curso viesse a ser extinto.

"Mas foi ao Ginásio do Estado que o Prof. José Vicente de Azevedo dedicou mais de 30 anos de sua profícua existência, desde que, também através de não menos rigoroso concurso de títulos e de provas, obteve a cátedra de Geografia Geral e Corografia do Brasil (1890-1936).

....

"Teve seu nome ligado à criação da Escola Agrícola Coronel José Vicente, localizada em Lorena, chácara que pertencera ao seu avô paterno, o Comendador José Vicente de Azevedo, contendo além de prédios e benfeitorias uma área de 25 hectares de terras. Colaborou na instalação do Ginásio de São Joaquim e do Externato Nossa Senhora Auxiliadora, ambos situados em Lorena: do Liceu Coração de Jesus e do Colégio de Nossa Senhora de Sion desta Capital; como também contribuiu, direta ou indiretamente para criação de inúmeros outros educandários, ligados mais à religião e à caridade.

"Tinha um velho sonho: a criação do Bispado de Lorena, que acabou vendo concretizado em 1927, quando a bula "Christiana plebis", de Sua Santidade o papa Pio XI, criou a nova diocese paulista, graças à doação de sua residência, outrora residência de sua Mãe, naquela cidade, e a instituição de um patrimônio de 300 mil cruzeiros."

Pela basílica de Nossa Senhora Aparecida tinha uma quase obsessão. Freqüentava-a com a maior assiduidade possível, em romarias em viagens diretas ou em suas passagens, rumo de Lorena, onde era provedor da Irmandade de N. S.ª da Piedade.

Suas atividades nos setores da caridade, da religião e da ação social não conheceram limites: chega-se a duvidar de que um só homem pudesse realizar e tivesse fôrças suficientes para levar a efeito tantas tarefas. Lembrou-se dos ex-escravos e seus descendentes, imaginando a criação do Asilo e Casas de Pobres de São José, localizados na cidade de Lorena, com 50 casas bem construídas, dispostas na forma de um têrço, obra que o Conde de Moreira Lima veio tornar uma realidade. Lembrou-se de favorecer as vocações das meninas pobres e de auxiliar as viúvas desprovidas de recursos, criando a Caixa de Caridade de Lorena.

"Sonhava construir na Aparecida, pela encosta da Colina santificada, pequenas capelas que corresponderiam aos "passos" da

Via Sacra, a exemplo do que foi feito em Congonhas do Campo ou do que existe em Lourdes e na colina do Senhor Bom Jesus de Braga, em Portugal. São de sua autoria hinos a N. S.ª Aparecida que milhões de bôcas têm cantado e continuarão a cantar, pelos anos afora: hinos como aquêle, que todos os bons católicos sabem de cor, por ter sido em boa hora escolhido como "Hino Oficial da Padroeira do Brasil":

"Viva a Mãe de Deus e nossa,
Sem pecado concebida,
Viva a Virgem Imaculada,
A Senhora Aparecida.

"Por tudo isso, por tamanha mercê de benemerências praticadas em favor de nossa Fé, ninguém ficou surpreendido quando em 1935, veio de Roma a notícia alvissareira de que recebera o título de Conde da Santa Sé Apostólica. Tornou-se, então, aos 76 anos de idade, o Conde José Vicente de Azevedo."

Procuramos salientar da conferência do Prof. Aroldo de Azevedo o que diz respeito a Lorena na vida útil e completa, sob tantos aspectos, do Conde José Vicente de Azevedo, mais uma figura ilustre da geração do Capitão-mor Manoel Pereira de Castro e que honrou sobremodo a sua ascendência. Para terminar queremos ainda referir que êle se casou em 1853 em S. Paulo com D. Cândida, filha do Coronel Manoel Lopes de Oliveira, deixando numerosa descendência, digna continuadora dos seus ilustres ancestrais.

PEDRO VICENTE DE AZEVEDO SOBRINHO

Colaborador do escritório de engenharia Ramos de Azevedo foi um dos seus mais eficientes auxiliares. Teve também um engenho de açúcar em Roseira. Terminou seus dias como funcionário público na Secretaria da Educação e não tendo se casado foi dedicado companheiro de sua mãe, que lhe dedicou devotada afeição.

D. MARIA VICENTINA DE AZEVEDO PEREIRA DE QUEIROZ

Nascida em 22 de maio de 1868, tinha apenas nove meses quando ficou órfã de pai.

Do Coronel José Vicente, seu pai, temos a carta em que participando a sua mana Jesuína, a dama da Côrte, residente no Rio, casada com Lázaro José Gonçalves, o nascimento da filhinha, convidava-a para madrinha da recém-nascida; e que vamos reproduzir, completando com o agradecimento da irmã e futura madrinha.

Ei-las:

"Minha mana Jesuina.

Tenho a maior satisfação em participar-lhe que minha mulher deu à luz, com muita felicidade, hontem às 5 horas da manhã, uma menina que apresento à sua bôa amisade e do meu amigo o Snr. Lazaro e toda sua Familia, a quem terá a bondade de transmitir esta comunicação.

"Deve recordar-se que o anno passado, quando se achava em nossa Fazenda, lhe fiz vêr que teria grande prazer em poder ainda convidal-a para madrinha de um de meus filhos: e tão verdadeiros são os meus desejos que em parte estão realizados e resta que Vmcê acceitando esse meu convite com que só pretendo demonstrar-lhe minha estima, consinta em tornal-o completo em ocasião opportuna, da qual lhe farei sciente" (sendo borrão não vem assinado, apenas traz a data), 23 de Maio de 78."

Em resposta escreve D. Jesuína:

"Rio 29 de Maio.

"Recebi huma carta sua de 23 a qual muito estimei por saber que sua mulher deu a luz huma menina e que foi muito feliz e com muito prazer aceito o seu convite para ser madrinha e ahinda (sic) mais grata fico vendo que hé somente pela amisade que me tem pois eu pobre madrinha nada posso cervir (sic) a afilhada e sim a afilhada a madrinha. Dará por mim os parabens a sua mulher que deve estar muito satisfeita por ser menina..."

Em nova carta remete a procuração para batizar a afilhadinha em caso de doença, mas diz: "muito hei de estimar que não precise que eu quero ter o gosto de leval-a á Pia por isso pesço a Deuz que ella esteja sempre bem que possa esperar pela Madrinha que quer ter esse prazer" etc. etc.

Manda uma pequena lembrança para a afilhada e "outra para a Senhora" (tratamento usual entre cunhadas).

"Aceite hum abraço de sua Comadre muito amiga

Jesuina".

Foi Maria Vicentina sempre a companheira de sua mãe, que dela nunca se separou. Isso não impediu, porém, que tivesse recebido aprimorada instrução, iniciada no excelente colégio que o casal Pinto Pacca mantinha em Lorena e de que ela mesma dará notícia. Tendo sua mãe se mudado para São Paulo, em 1885, quando aqui se casou o seu filho José Vicente, veio a jovem Maria Vicentina, que tinha apenas 16 anos, completar a sua educação com os melhores professôres da Capital da Província.

Na sociedade paulista, que freqüentou desde então, salientava-se sempre como cultora das artes, especialmente da música, encantando os amigos e familiares com audições musicais de piano e de harpa que executava magistralmente.

Em 1888, casou-se em São Paulo com o jovem republicano José Pereira de Queiroz, filho do Tenente Coronel Manoel Elpídio Pereira de Queiroz, "O Fazendeiro Paulista do Século XIX", assunto de um outro livro sôbre a mesma época, pela autora dêste estudo, nesta mesma coleção.

Apesar de fixar residência em São Paulo conservou D. Maria Vicentina ou antes D. Mariquita, como a chamavam os íntimos, sempre fiel veneração pela sua querida Lorena, que nunca deixou de visitar. Desaparecendo aos 90 anos de idade recebeu ela uma consagração em São Paulo.

O Estado de S. Paulo, no seu necrológio, assim se exprimiu: "Com a ilustre extinta não desaparece apenas uma figura de relêvo da sociedade. Desaparece uma de suas figuras mais altamente representativas. Refletiam-se, realmente, em seu espírito, e no mais elevado grau, as virtudes das velhas famílias bandeirantes, que vão por seu turno desaparecendo, com o perecimento das velhas tradições e dos nobres costumes que dignificavam no Império e nas primeiras décadas da República a nossa sociedade.

"Mesmo já entrada em anos, como ao tempo da Revolução de 1932, distinguiu-se pela sua ativa participação em nossas grandes campanhas políticas e sociais. Por ocasião daquele movimento, figurou como uma de suas mais eminentes animadoras femininas. A ela se deve a adaptação, naqueles dias históricos, do Hino Acadêmico de Carlos Gomes aos motivos que inflamaram contra a ditadura os brios paulistas, compondo uns versos a que deu o nome de "Vamos Todos". Vencida a revolução, teve-a São Paulo, ainda, nas fileiras que prosseguiram incruentamente a batalha pelo restabelecimento no País do regime constitucional.

"Posteriormente, e em particular depois da queda do regime estadonovista, voltou a participar ativamente de tôdas as nossas grandes campanhas cívicas. Distinguiu-se, assim, não só pelo brilho da inteligência, mas também, e sobretudo, pelo vigor do caráter entre os baluartes femininos da candidatura do brigadeiro Eduardo Gomes, em São Paulo."

Para completar a apreciação sôbre a sua personalidade vamos transcrever os trechos, referentes a Lorena e aos costumes da época, das respostas que, em 1948, já com 80 anos, deu a um questionário que lhe foi dirigido por Gilberto Freyre e publicado pela revista **Anhembi**, em que conta episódios interessantes de sua meninice.

Vamos reproduzi-las no que diz respeito a Lorena.

"Até 3 anos vivi na fazenda de minha mãe, D. Angelina Moreira de Azevedo, tendo ficado órfã de pai aos 9 meses. Meu pai, o Coronel José Vicente de Azevedo, ex-deputado da Província pelo Partido Conservador, foi assassinado numa emboscada, no caminho de sua fazenda, por três indivíduos pagos pelos chefes liberais.

"Lorena era nessa época uma das principais cidades do Norte de São Paulo à beira do Rio Paraíba, no meio do caminho entre São Paulo e Rio (a Côrte, como dizíamos naquele tempo). Nas proximidades havia prósperas fazendas de café e de cana.

"Na cidade, havia grandes casas comerciais, destacando-se entre elas a de meu avô José Joaquim Moreira Lima, e a de meu tio João José Rodrigues Ferreira... A igreja matriz, hoje Catedral, era naquele tempo muito primitiva, constando apenas de quatro paredes socadas a mão pelos escravos dos principais fazendeiros da redondeza, com chão batido e telha vã.

"Nas solenidades religiosas as famílias levavam seus tapêtes, em que se ajoelhavam e se sentavam senhoras, môças e crianças. Os homens ficavam dos lados, em pé. Essa igreja foi abaixo em 1885, mais ou menos por iniciativa do vigário da época, padre José Ferreira da Silva; e, no local, construída uma suntuosa igreja matriz pelo engenheiro arquiteto Dr. Francisco Ramos de Azevedo.

"Em Lorena, no tempo da minha meninice, havia um bom hotel, o "Hotel da Figueira" — no largo do mesmo nome, onde existia uma figueira centenária. Eram três as ruas principais; a alguma distância da cidade, numa elevação, ficava o Cemitério, cercado por grades de ferro e com bonitos túmulos. Havia também um pequeno teatro, construído por meu pai, para receber uma companhia lírica italiana, que foi transportada do Rio de Janeiro em animais, bangués (carros primitivos com varais na frente e atrás conduzidos por burros) para se exibirem numa festa do Divino Espírito Santo... As comunicações marítimas se faziam pelo pôrto de Mambucaba, onde iam tomar os vapôres para a Côrte os que não viajavam por terra, porque estas viagens demoravam de 10 a 15 dias, precisando os viajantes levar cargueiros, conduzindo todo o necessário para pouso e alimentação. O trem de ferro não tinha sido inaugurado. Aos meus sete anos um de meus tios levou-me de trole, até Cachoeira para ver o trem que ali tinha o seu ponto terminal com a denominação de Estrada de Ferro Pedro II... (1).

"Freqüentei um colégio particular em Lorena mesmo, onde aprendi a ler. Era proprietária da Escola uma viúva, Senhorinha de Azevedo Pinto Pacca. Ali estudei até 10 anos, quando o colégio se fechou. Era um externato só para meninas. Havia palmatória pendurada na parede mas nunca a vi em uso. Posteriormente continuei meus estudos em casa com aulas particulares dadas pelo professor Alexandre Riedel, de origem alemã, que dirigia um colégio para meninos na localidade. Com êle aprendi gramática, aritmética, francês, princípios de inglês, história, geografia e astronomia.

"Os meus companheiros de brinquedo eram um irmão, três anos mais velho do que eu, e meus primos...

"O meu sonho de criança era estudar a composição das terras, porque quando viajava de trole para a fazenda ia observando a variedade das suas côres... No meio em que eu vivia na minha meninice não podia ter outras aspirações.

"Não fiz estudos profissionais. Mais tarde estudei piano e harpa, tendo chegado a tocar relativamente bem os dois instrumentos, para o que tive professôres na Côrte e em São Paulo.

"No meio em que vivi quando menina não se falava em República nem havia em Lorena republicanos. Aos 15 anos comecei a freqüentar a Côrte, onde vim a conhecer a Família Imperial, que me habituei sempre a respeitar. Nessa ocasião fui ao Paço cumprimentar o Imperador e ao Palácio da Princesa Isabel, no fim da Rua Paissandu, para cumprimentá-la também. (1) Fui em companhia de meu Irmão, o Barão da Bocaina. Para essa cerimônia os homens se apresentavam de casaca e as senhoras com belos e vistosos vestidos de sêda. Fui com um vestido de sêda côr de rosa, feito na Côrte, numa modista francesa. Ambos

(1) Pela Lei n.º 38, de 28 de março de 1870 da Assembléia Provincial, foi o Govêrno autorizado a garantir uma verba para o prolongamento da Estrada de Ferro Pedro II, desde os limites do Rio até o pôrto da Cachoeira, no Município de Lorena. O primeiro trecho, do Campo da Aclamação a Belém, data de 1858. Seguiu-se o trecho das serras, com perfuração de 13 túneis, datando o Túnel Grande de 1865.

(1) Hoje Palácio Guanabara.

me trataram com carinho devido à tradição da minha família, tendo sido meu pai chefe político e tratado sempre com tôda a consideração pela Família Imperial.

"Tendo me casado em 1888 com um republicano, cujo pai tomou parte na Convenção de Itu, vim a conhecer e me familiarizar com os nomes de Benjamim Constant e Rui Barbosa. Quando fiquei noiva, a Baronesa de Jundiaí, monarquista conservadora e tia do meu noivo, enviou-lhe uma carta que ainda hoje possuo e na qual, com fina ironia, o cumprimentava dizendo que os republicanos fanfarronavam muito mas iam buscar noivas na toca dos cascudos.

"Dos Estados Unidos, da França, da Inglaterra e da Alemanha só ouvi falar vagamente, até o meu convívio com a sociedade.

"Quando môça dancei quadrilhas, lanceiros, valsas, polkas, mazurkas, varsovianas e schottishes. Gostei sempre de dançar, freqüentei bailes da Côrte, do Palácio do Catete, do Casino, depois, Club dos Diários, do Itamarati, mas não tinha predileção por dança alguma, apreciava tôdas. Sempre gostei de ouvir modinhas e especialmente desafios entre môças e rapazes, em que se improvisavam versos com tocatas de violão.

"Das óperas as que mais aprecio são Guarani, Traviata, Rigoletto, Barbeiro de Sevilha, Lúcia de Lamermoor, Elisir d'Amore, Ballo in Maschera, Don Pasquale, Carmen, Andréa Chénier, Madame Butterfly, Werther e Manon de Massenet. Operetas: Vendedor de Pássaros, Boccaccio, Sinos de Corneville, Filha de Mme Angot, Viúva Alegre, Geisha, Conde de Luxemburgo.

"No meu tempo de môça nos divertíamos com jogos de prendas, piqueniques e assustados familiares.

"A primeira confeitaria que conheci foi a Confeitaria Pascoal, aqui no Rio, que muito freqüentei. Em São Paulo no fim do século lembro-me das confeitarias Nagel e Castelões, onde como grande novidade serviam sorvetes.

"Aqui no Rio, em 1883, hospedei-me no Hotel Giorelli, na Praça da República, que era o melhor da época. Os seus hóspedes eram principalmente senadores e deputados do Norte e do Sul, sendo que muito poucos traziam suas famílias. Três anos depois havia na Rua do Catête um hotel inglês, Carlton, onde me hospedei e se observava etiquêta inglêsa, sendo obrigatória a toilette de cerimônia para o jantar. Depois tenho vindo sempre ao Rio e aqui me hospedado nos hotéis Avenida quando inaugurado, Palace, Estrangeiros, Splendid e Central, em que me encontro atualmente. Tomei parte em muitos almoços e jantares na Rôtisserie Americana, que já se fechou. Os mais são da atualidade e agora que sou bastante velha não freqüento.

"No meu tempo de menina o hotel de luxo de São Paulo era o Hotel da França e depois a Rôtisserie Sportsman. Sendo de família paulista hospedava-me em casa de parentes e nunca em hotéis.

"Quando môça os meus vestidos de cerimônia eram encomendados nas modistas da Côrte e recordo-me do nome de Mme Wallencap (não sei exatamente como se escreve).

"Nesse tempo uma toilette completa (há mais de 60 anos), um vestido de cauda, de sêda pura, acompanhado de meias de sêda, sapatos de cetim da mesma côr com salto Luís XV, leque de madrepérola ou marfim com rendas ou pinturas a mão, luvas de pelica tomando todo o braço, flôres para o peito e a cabeça, regulava de 400 a 500 mil réis. O veludo de sêda custava na mesma época 10 mil réis o metro.

"Desde menina vi sempre em minha casa o **Jornal do Comércio** de que existia desde o n.º 1 na fazenda de minha mãe. Lembro-me da **Revista Ilustrada**, de Ângelo Agostini e como figurinos **La Saison**, francês, e **A Estação**, brasileiro, publicado no Rio.

"Dos romances que li quando môça os que mais apreciei foram de José de Alencar: **Tronco de Ipê, Senhora, A Viuvinha** e **Cinco minutos, Iracema, Guarany**; de Macedo: **A Moreninha** e **O Môço Louro**; **Titio e o Sr. Vigário**, de cujo autor não me lembro.

"Lembro-me das crônicas de Macedo, assim, bem como de contos que escreviam no jornal de modas, **A Estação.**

"De Lorena saí pela primeira vez para vir à Côrte com uns dez anos de idade, ocasião em que estava pronto, mas ainda não inaugurado, o Campo de Sant'Ana, hoje Jardim da Praça da República, tendo-me hospedado à Rua do Areal (hoje Moncorvo Filho), em casa de um tio. Nessa ocasião lembro-me de um de meus tios ter ouvido no teatro a "première" dos **Sinos de Corneville** e lamentar muito não levar minha tia, porque era impróprio para família. Como criança, pouco saía e não tenho outras recordações.

"Já tinha 20 anos quando se deu a libertação dos escravos, de modo que me criei no tempo da escravidão e me recordo de cenas de negros ajoelhados aos pés da minha mãe, pedindo que os comprasse porque sabiam que ela era muito boa — sendo chamada por todos de mãe dos escravos. Tive por ama de leite uma preta liberta por um de meus tios...

"Sempre gostei de negros e mulatos, que eram todos muito bons e nos tratavam com amizade e carinho. Foi com grande alegria que recebi a notícia da abolição e em São Paulo, onde já residia, assisti às grandes festas que fizeram na data de 13 de maio. Armaram grandes coretos nas ruas principais e ao som de bandas de música os escravos dançavam e cantavam, dando vivas e mais vivas à Princesa Isabel, a Redentora, a José do Patrocínio, Antônio Bento e outros defensores da raça negra."

Tendo sido o quarto filho sobrevivente do casal José Vicente de Azevedo — Angelina Moreira de Azevedo, foi a primeira sobrevivente do sexo feminino, razão pela qual se tornou o ídolo dos irmãos, que procuravam substituir a falta prematura do carinho de um pai. Acrescia essa situação o fato de ter o casal perdido a primeira filha, também Maria, em São Paulo, quando êle era deputado provincial.

Representaram essa menina e seus irmãos, cujas biografias esboçamos, o traço de união entre o regime que se extinguia e a época republicana.

O Barão da Bocaina, fiel à Monarquia, e cujo título foi dado em 1887, deixou a Imperial Cidade de Lorena e mudou-se para a Capital onde contraiu núpcias como dissemos, com D. Rosa, filha também do Coronel Manoel Lopes de Oliveira, irmã de sua cunhada Cândida, casada com o Dr. José Vicente de Azevedo. Logo após a queda da Monarquia ausentou-se do país e fêz uma viagem ao Velho Mundo. Na sua volta continuou a prestar relevantes serviços à Pátria, desenvolvendo as mesmas atividades de interêsse pelo bem público, doando terrenos para a construção de estabelecimentos de assistência e concorrendo para grandes melhoramentos. Assim também os seus descendentes, que muito honram a geração.

O Conde José Vicente, agraciado com êsse título pela Igreja Católica, em 1935, por atos de benemerência, pela criação do bispado de Lorena e de numerosas obras de assistência, deputado provincial do Império, mudado o regime não mudou a orientação da sua vida. E prosseguiu também demonstrando sempre a mesma generosidade, o mesmo interêsse pela causa pública, a mesma capacidade de trabalho. E em 1898 foi novamente eleito pelo povo de sua cidade e arredores para representá-lo na Câmara Estadual. E no regime republicano foi nomeado, graças aos seus méritos, professor de estabelecimentos públicos de ensino, como referiu Aroldo de Azevedo no seu estudo biográfico.

E a órfã de 9 meses, a pequena Maria Vicentina, que passou a meninice em Lorena, através das suas próprias impressões, das respostas dadas a Gilberto Freyre, deixa também sentir essa transição.

A crônica familiar conta quê, na sua passagem por Lorena, em 1868, quando, com desaponto dos liberais, a Princesa Isabel e o Conde d'Eu foram atraídos pelo chefe conservador, Coronel José Vicente, para ouvir missa na sua fazenda, ao lhe ser apresentada a pequena Maria Vicentina, de meses de idade, a Princesa Imperial teve o gesto carinhoso e simples de beijar-lhe a mãozinha, o que representou, para a família e especialmente para os conservadores, um gesto de grande significação política.

Depois de ter passado a sua meninice numa fazenda colonial, entrado em contato com a Côrte para onde fazia freqüentes viagens, o seu casamento com um republicano em São Paulo transportou-a para um mundo diferente e ali foi testemunha da queda da escravidão e da proclamação da República, como ela própria nos contou.

Tudo isso se passava já no último quartel do século XIX.

CAPÍTULO — XI

DECADÊNCIA DE LORENA

A grandeza de Lorena começava a apresentar os primeiros sinais de decadência, mas os descendentes de Manoel Pereira de Castro ali se mantinham, sendo poucos os que permaneceram na cidade. Contemporâneos do Coronel José Vicente sobreviviam o Major Joaquim José Moreira Lima, nascido em 1842, e o seu irmão Dr. Pedro Vicente de Azevedo, de 1843. Tendo continuado a viver em Lorena até o fim de sua vida, em 1926, o Conde de Moreira Lima, que sempre conservou o título, foi o continuador das primazias da família. Já o vimos em 1864 interessar-se junto à Côrte pela libertação de culpa de seu irmão e sogro, Antônio Moreira de Castro Lima, um dos chefes liberais, acusado como mandante do assassinato do Coronel José Vicente.

Sucessivamente Barão, Visconde e Conde, de 1833 a 1887, Joaquim José Moreira Lima via seu prestígio aumentar na proporção dos seus títulos. Já o citamos no decorrer desta narrativa. Era um fidalgo nato, sóbrio de atitudes, sem negar a simplicidade do início de sua vida e nunca se vangloriando de seus atos. De índole aristocrata, sabendo manter, mesmo depois da proclamação da República, a situação de nobre do Império, confinado no seu solar, o majestoso sobrado da Rua da Viscondessa, antiga residência de seus pais, continuava a assistir à população de Lorena em tôdas as deficiências materiais, procurando sempre elevar o seu nível. Na sua casa proporcionava também brilhantes saraus literários e musicais, promovia festas suntuosas. Tiveram todos sempre a mesma preocupação de fazer de Lorena um grande centro social, embora tivessem muitas vêzes credos políticos diferentes.

VISITA DA PRINCESA IMPERIAL

Em 1884, a Princesa Imperial, numa excursão que fêz a São Paulo, foi ainda recebida com tôdas as honras que lhe eram devidas no velho solar do Conde Moreira Lima.

Ricardo Gambleton Daunt e João Fernando de Almeida Prado, em comentários sôbre o diário de sua excursão a São Paulo, escrito pela Princesa, fazem referências especiais à passagem por Lorena.

Está quase a findar o século XIX. De Lorena foi a própria Princesa Imperial quem assinalou nas suas memórias: "Chegada a Lorena ás 2 horas e meia com meus olhos ardendo desesperadamente por causa do carvão" (o que Ricardo Daunt nas suas notas complementares atribui também à poeira e ao leito da estrada, ainda não empedrado).

Prossegue a Princesa: "Muito bonita casa do Visconde de Moreira Lima, excellente hospedagem, jantar que durou das 7 ás 9 horas, concerto depois organisado pela Viscondessa com a colaboração de membros da família e dirigido pelo Maestro Rodenas, do Chile."

"Algumas senhoras não se sairam mal ao piano."

"A situação da casa é lindissima e della se goza uma vista extensa e magnifica."

Completa Ricardo Daunt essas impressões descrevendo a casa, da qual já nos ocupamos e dizendo que famulagem própria, duas ótimas carruagens, uma vitória e uma berlinda, forrada de sêda azul, iluminação a gás de usina particular, água encanada abundante, dois quartos de banho com banheiras escavadas num bloco de mármore, iguais às do Palácio de São Cristóvão, que estão no Museu Histórico Nacional, prataria suntuosa, cristais e porcelanas brasonadas contribuíam para o confôrto da hospedagem.

Não nos furtamos à obrigação de reproduzir o programa da soirée musical promovida depois do banquete de que participaram membros da própria família e que transcrevemos do **Anhembi**:

"Soirée musical, em honra de SS. AA. Imperiaes, promovida pelo Visconde de Moreira Lima, e dirigida pelo distinto Professor Thomaz Rodenas.

PRIMEIRA PARTE

OUVERTURE DE SEMIRAMIS, II, Rossellen, executada pela Exma. **Viscondessa Moreira Lima,** e pelo Sr. T. Rodenas.

ROBERTO IL DIAVOLO, Meyerbeer, Aria cantada pela Exma. Sra. D. Mariana Gonzaga.

GRANDE VALSE ROMANTIQUE, Louiz Gregh, pela Exma. Sra. D. Escolastica Braga.

UM BALLO IN MASCHERA, Verdi, Aria cantada pelo Sr. Dr. Theophilo Braga, sobrinho do Conde, filho de sua irmã Anna Leopoldina e de Joaquim José Antunes Braga, e marido de D. Escolastica.

SERENATA HUNGARA, V. Jonciéres, executada pela Exma. Sra. D. Clotilde Braga, sobrinha do Conde de Moreira Lima, casada em 1885, com o Dr. João Antonio de Oliveira Cesar.

JOIES DU SOIR, Ravina, executada pela Exma. Sra. D. Doralisa Rodenas de Molina e pelo Sr. T. Rodenas.

SALVADOR ROSA, Canzonetta, Carlos Gomes, pela Exma. Sra. Marianna Gonzaga.

SEGUNDA PARTE

SCHERZO BRILLANTE, Wollenhaupt, pela Exma. Sra. Viscondessa de Moreira Lima.

LA RADIEUSE, Gottschalk, valse de concert, pela Exma. Sra. D. E. Braga e pelo Sr. Rodenas.

MARCHA RUSSA, Rubinstein, pelo Sr. Rodenas.

RISSIO E MARIA, Duetto, Giraudon, pela Exma. Sra. D. Carlota Moreira Braga e Dr. Theophilo Braga, ambos sobrinhos do Conde, ela filha do Barão de Castro Lima.

LES OISEAUX, Ravina, estudo a 4 mãos, pela Exma. Sra. D. Constança Marcondes (espôsa do Visconde de Antunes Braga) e pelo Sr. Rodenas.

NON È VER, Romance, Tito Mattei, pela Exma. Sra. D. Marianna Gonzaga.

LE CHANT DES FLEURS, Rêverie poétique. Ascher, pela Exma. Sra. D. Escolastica Braga.

Lorena, 5 de Novembro de 1884."

Mas só os Moreira Lima tomaram parte no concêrto porque os Vicente de Azevedo não compareceram à festa. Os ressentimentos perduravam; nem mesmo entre as meninas convocadas para jogar flôres na Princesa à sua chegada ao solar, distribuídas em alas na escadaria de mármore, com pétalas desfolhadas em pequenas salvas de prata, contava-nos D. Angelina Moreira de Azevedo, figuravam descendentes dos Vicente de Azevedo.

Assim manteve-se Lorena até o fim do seu fastígio, conservando a mesma opulência. Já estamos em 1884, está quase a findar o século XIX.

LORENA DO SÉCULO XX

A grandeza de Lorena, como a de tôda a região do Vale do Paraíba, só esmoreceu com a queda da Monarquia.

A libertação definitiva dos escravos, em 1888, após as leis emancipadoras que a antecederam, acabou, talvez, com a maior riqueza dos fazendeiros — o braço que construiu essa grandeza. Era o escravo que trabalhava a terra, que plantava o café e a cana, que tudo colhia e transportava na tropa. E por isso mesmo representava êle um valor econômico maior do que o da própria terra. Veio em seguida a proclamação da República; e a "suave terra, onde ostentaram sua glória, em dias já perdidos, os Cavaleiros da Ordem da Rosa e da Ordem de Cristo", como tão bem cantou sua terra o poeta de Lorena, Péricles Eugênio da Silva Ramos, "viu esmaecer o seu brilho".

Para a cidade fidalga dos condes e barões foi muito duro o golpe. As velhas fazendas de açúcar e de café do século XIX transformaram-se em fazendas de gado. O café emigrara para o Oeste. As fábricas começaram a surgir e a indústria caseira desapareceu. Pão, açúcar, sabão, balas, biscoitos, doces, tudo é industrializado, tudo se vende no balcão.

A geração contemporânea da Côrte já ia desaparecendo. Seus filhos foram se mudando para os grandes centros.

Mas, fiel a seus ancestrais, Lorena subsiste com vestígios dessa suntuosidade extinta. E a tradição perdura através dos lindos templos e das velhas casas coloniais, da Matriz, com suas alfaias, que é hoje Catedral: dos velhos solares, que são universidades, escolas e até sede de um bispado; da Santa Casa centenária, abençoando a memória dos seus fundadores; do Santuário de S. Benedito, jóia de arquitetura, homenagem tocante prestada ao velho escravo pelos seus senhores, através de donativos generosos; das ruas bem traçadas, prognóstico de um futuro auspicioso; das velhas palmeiras imperiais, testemunhas mudas de um passado de nobreza; e dos jazigos do velho cemitério, que guardam para sempre dignamente as cinzas dos obreiros dessa velha pompa.

Berço de sêres privilegiados que tudo previam, Lorena mantém-se inabalável nos seus fundamentos, justificando essas profecias.

Ela viveu intensamente o Brasil do século XIX, foi uma miniatura da Côrte: o mesmo luxo, o mesmo fausto e até as mesmas lutas políticas.

Repassando assim a sua vida, desde o início, da formação do modesto povoado, onde os primeiros exploradores buscavam ouro à margem do Paraíba, junto do pôrto de Guaipacaré, até a cidade fidalga do século XIX, atingimos muitas vêzes o século XX.

E vimos desfilar, através dos tempos, numerosos representantes da descendência do Capitão-mor Manoel Pereira de Castro.

Alferes, Sargento-mor, Capitão da Guarda, Capitão-mor, finalmente, êle foi "Senhor de Engenho", "Fazendeiro em seus Prados", e o tronco inicial de uma geração que se espalhou pelas localidades vizinhas primeiro, atingindo até as Capitais das províncias próximas.

Prosseguindo nessa ânsia de progresso, a sua descendência vai sempre se renovando com o mesmo cunho de amor à sua terra.

À medida que desaparece uma geração, outra a ela se sucede e assim "deixou a vida presente" o Capitão-mor Manoel Pereira de Castro — para dar lugar a uma nova civilização, que resultou da

VIDA E MORTE DE UM CAPITÃO-MOR...

RETRATOS DE FAMÍLIA

DESCENDENTES DO CAPITÃO-MOR
FILHAS DO CAPITÃO-MOR

D.ª Maria da Guia e seu espôso Comendador José Vicente de Azevedo

D.ª Carlota Leopoldina de Castro Lima — Foi casada com Joaquim José Moreira Lima e depois de viúva agraciada com o título de Viscondessa de Castro Lima

Vestido com que D.ª Maria da Guia assistiu à coroação do Imperador em 1840 — Fotografia do original, em sua bisneta Maria Vicentina Pereira de Queiroz

FILHOS DO COMENDADOR JOSÉ VICENTE DE AZEVEDO E DE D.ª MARIA DA GUIA
(NETOS DO CAPITÃO-MOR MANOEL PEREIRA DE CASTRO)

D.ª Maria Leopoldina de Azevedo Ferreira

Coronel José Vicente de Azevedo, quando ainda delegado de polícia

Coronel José Vicente de Azevedo, já deputado provincial

Dr. Pedro Vicente de Azevedo

FILHOS DE D.ª CARLOTA LEOPOLDINA, NETOS DO CAPITÃO-MOR

D.ª Eulália, que foi casada com Antônio, filho de sua Tia Maria Leopoldina

Joaquim José Moreira Lima, mais tarde Conde de Moreira Lima

D.ª Anna Leopoldina, que se casou com o Comendador Joaquim José Antunes Braga

D.ª Maria Lina (casou-se com seu primo João Antunes de Azevedo Guimarães)

Barão e Baronesa de Santa Eulália, já casados, êle filho de D.ª Maria Leopoldina, bisneto do Capitão-mor e ela, neta do Capitão-mor

Quadro da família, em que estão várias netas, bisnetos e tetranetos do Capitão-mor

D.ª Maria Vicentina e D.ª Albertina, netas do Comendador José Vicente de Azevedo — a primeira filha do Coronel José Vicente de Azevedo e a segunda do Dr. Pedro Vicente de Azevedo (Bisnetas do Capitão-mor)

FILHOS DE D.ª MARIA LEOPOLDINA, NETOS DO COMENDADOR E BISNETOS DO CAPITÃO-MOR

Antônio Rodrigues de Azevedo Ferreira, Barão de Sta. Eulália

D.ª Adelina Ferreira, depois casada com o Dr. Henrique da Ponte Ribeiro

D.ª Zenira, foi casada com o Dr. Machado Pedrosa

D.ª Ambrosina, casada com o Cons. José Bento da Cunha Figueiredo

FILHOS DO CORONEL JOSÉ VICENTE DE AZEVEDO, NETOS DO COMENDADOR E BISNETOS DO CAPITÃO-MOR

Francisco de Paula (Barão da Bocaina)

Pedro Vicente de Azevedo Sobrinho e Maria Vicentina de Azevedo, casada com o Dr. José Pereira de Queiroz

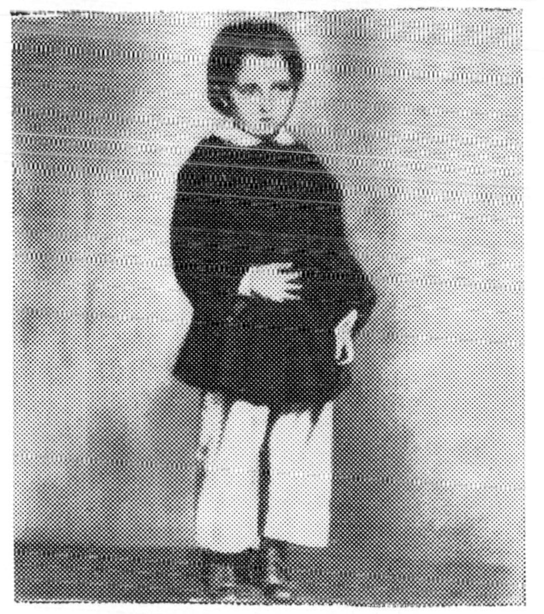

José Vicente de Azevedo — Conde José Vicente de Azevedo

Desenhos feitos por José Vicente no Colégio de Instrução Elementar da Côrte — 1847

Devo que pagarei ao Senhor Capitão Manoel Pereira de Castro a quantia de vinte mil oito
centos e trinta reis procedidos de fazenda que compre-
i na sua loja e recebi a meu contento tanto em preço
como em bondade, cuja quantia de 20$830 rs pa-
garei ao dito Senhor, ou a quem este me mostrar da
factura deste a dois meses sem a isso pôr duvida alguma
e para cuja satisfação obrigo minha pessoa e
bens presentes e futuros, e por ser assim verdade
passo o presente somente por mim assinado. Lorena 23 de Mayo de 1799.

Manoel [illegible]

Como testemunha que este fiz a rogo do obrigado e vi assinar
José de [illegible]

Pertencendo o [illegible] deste credito
ao Sr. Capitão [illegible] Roiz [illegible]
[illegible] divida [illegible] propria [illegible]
[illegible]
[illegible] he verdade [illegible] de 1801.
de 1801.
Manoel [illegible]

**Papéis pertencentes a Manoel Pereira de Castro
com seu autógrafo — 1801**

Compra de uma escrava pelo Comendador José Vicente de Azevedo

Envelope da carta enviada ao Capitão-mor Manoel Pereira de Castro de Ouro Prêto, em 1842 (página anterior)

Tratando de imprimir-se a obra constante do prospecto junto, a qual pelo seu objecto se torna digna do interesse, e acolhimento de todos os Brasileiros, os Encarregados d'esta publicação tem a honra de convidar o Illm.º Sr. *Manoel Pereira de Castro* para assignar por um, ou mais exemplares; e certos dos patrioticos sentimentos que o distinguem, e de que S. S.ª avalia devidamente a utilidade, que deve resultar da vulgarisação de semelhante obra, onde, em quadro resumido, se apresentão os mais notaveis acontecimentos, que tiverão lugar durante a terrivel revolução com que lutou a Provincia de Minas Geraes, tomão ainda a liberdade de rogar-lhe, que, empregando sua bem merecida influencia, e consideracão de que gosa, haja de promover pelos seus Amigos a acquisição de mais algumas assignaturas, dignando-se, em todos os cazos, remetter a inclusa relação até *20 de Fevereiro futuro* ou antes se for possivel, aos Srs. João Pedro da Veiga, ou Manoel José Cardoso, este morador na rua do Ouvidor, e aquelle na de S. Pedro em o Rio de Janeiro.

Cidade do Ouro Preto *20*

de *Dezembro* de 1842.

Cópia da circular enviada de Ouro Prêto (Minas) ao Capitão-mor Manoel Pereira de Castro, fazendo propaganda de um livro sôbre a Revolução de 1842

Dom Pedro por Graça de Deos, e Unanime Acclamação dos Povos,
Imperador Constitucional, e Defensor Perpetuo do Brazil, como Grão
Mestre da Ordem da Rosa, Faço saber aos que esta Carta virem:
que Querendo Condecorar e Honrar a Manoel Pereira de Castro
Hei por bem Nomeal-o Official da dita Ordem. Pelo que lhe Mandei passar a presente Carta a qual depois de prestado o juramento
do estilo, será sellada com o Sello das Armas Imperiaes. Pagou
sessenta mil reis de Joia, como consta do respectivo Conhecimento em forma. Dada no Palacio do Rio de Janeiro em cinco de
Maio de mil oito centos quarenta e seis, Vigesimo quinto da
Independencia e do Imperio

Imperador

Concessão da Ordem da Rosa — 1846

Rº a impᵗᵉ Constante do mandado, Lorª 16 de Novbro de 1833

J. Vicente de Azevedo

Autógrafo de seu genro, Comendador José Vicente de Azevedo — 1833

Ernesto não é máo, he mui gentil,
Olivier não tem graça, he sem sabor,
Moreau quando Robert he de primor
Guenée quando affectado he mulheril.

O Segond como elle não ha mil,
Adrien só não serve no terror
E Piel falla ás vezes com fervor
E o Paul porém excede de imbecil

Sofrivelmente canta a Albertine
Dimon em Edouard é formozo
Segond em toda a scena e mui benino

Gauthier só tem de máo não ser formoza
A Moreau com de gorda quer ser fina:
Nenhuma sabe o Isabel é preguiçoza.
Feito por S. M. Imp.or no Theatro Fr...

Sonêto — Autógrafo de D. Pedro II

Ao Ill.mo Sr. Lazaro Joze Gonçalves Coronel do Regimento de Caçadores, e Deputado Secretario da Repartição da Guerra da Capitania de S. Paulo, pelo plausivel motivo de ter subjugado os Insurgentes que commettião hostilidades na Villa de Santos.

Soneto

Derrubaste com tatica subida
De humanas feras a brutal fereza
De quem for a Razão infausta preza
No seio da Desgraça combatida.
Suspendeste da morte enfurecida
A carnagem fatal, atroz empreza;
Immortal tu serás na redondeza,
Dos Heroes o transumpto he gloria, he vida.
Imitando de Lyzia os Defensores,
Tu marchaste a punir o crime rude,
Perpetrado por barbaros traidores.
Por mais que triumphar o crime [illegible],
Desses cegos mortaes, vis oppressores
Triumphou teo valor, tua virtude

(Anonimo)

Da Gazeta do Rio de 27 de 7br.º de 1825 –

O filho do Coronel Lázaro José Gonçalves casou-se com D.ª Jesuína, filha do Comendador José Vicente de Azevedo

THEATRO PROVISORIO

COMPANHIA LYRICA ITALIANA

Segunda Feira 23 de Agosto de 1852

BENEFICIO DA PRIMA-DONNA ABSOLUTA

ROSINA STOLTZ

Representar-se-ha o seguinte:

LA PARTIE DES CARTES

DE

CHARLES VI.

Musica de *Havely*, paroles de *Casimir Delavigne*.

Terceiro e quarto actos da opera

FAVORITA

Grande bailado em caracter da dansa NABUCODONOSOR, composição do Sr. *Yorck:*

A FAVORITA DO BACHÁ

Os bilhetes encommendam-se no escriptorio do theatro, em casa da beneficiada, e, por obsequio, na loja de Paula Brito.

EMP. TYP.—DOUS DE DEZEMBRO—DE PAULA BRITO IMPRESSOR DA CASA IMPERIAL.

Reprodução do programa impresso em cetim da festa artística de Rosina Stoltz no Rio de Janeiro (1852)

Ill.mo Sr.

Tendo meu mano Pedro Vicente de Azevedo concluido com distincção sua carreira litteraria, tomando o grau de Bacharel em sciencias juridicas e sociaes pela Faculdade de Direito de S. Paulo, e sendo isso para a nossa familia um justo motivo de jubilo do qual pretendo dar-lhe uma demonstração, desejava reunir para esse fim todas as pessoas que me honrão com sua amisade, convidando-as para um jantar e soirée campestre em minha Fasenda no dia do corrente; e como n'esse numero eu teria o maior prazer em considerar V. S., tomo a liberdade de o convidar, esperando que se dignará concorrer com sua

para que se torne completa essa festa de familia.

A acceitação por parte de V. S. d'este meu appello, importará para mim uma prova que muito apreciarei de que é correspondida a estima e subida cosideração com que tenho a honra de a[illegible]nar.

Convite enviado pelo Coronel José Vicente de Azevedo para a festa de formatura de seu mano Dr. Pedro Vicente de Azevedo, na Faculdade de Direito de São Paulo

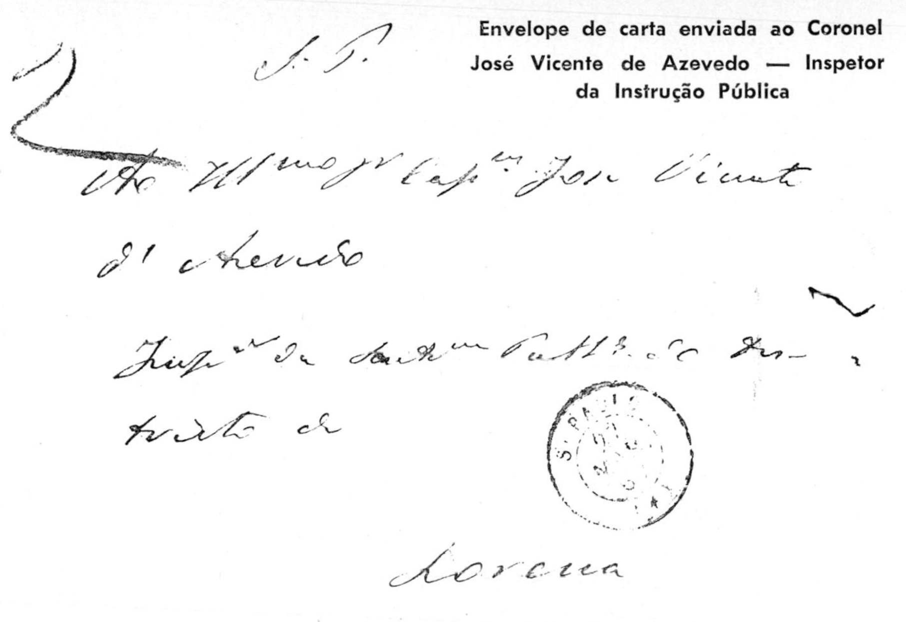

Envelope de carta enviada ao Coronel José Vicente de Azevedo — Inspetor da Instrução Pública

Rio de Janeiro, [illegible] de Março de 18[illegible].

Os abaixo assignados tem a satisfação de participar a V. S. que formárão uma sociedade commercial de fazendas por atacado e commissões sob a razão de Pinheiro, Irmão & Azevedo, em substituição da antiga firma de Pinheiro & Irmão no mesmo estabelecimento que esta tinha n'esta Côrte á rua da Quitanda n. 91.

Nestas circumstancias tomamos a liberdade de offerecer a V. S. o nosso [illegible], onde encontrará sempre um variado sortimento de fazendas e por preços razoaveis; assegurando-lhe ao mesmo tempo, que envidaremos todos os nossos esforços a fim de bem satisfazermos aquellas pessoas que nos honrarem com sua confiança e amizade.

Lisongeamo-nos, pois, de que V. S. não nos negará sua valiosa coadjuvação, dignando-se tomar nota de nossas assignaturas.

De V. S.

Amos. Vos. e Cos.

Assignaturas

O Sr. Joaquim Antonio Fernandes Pinheiro — Pinheiro, Irmão & Azevedo

O Sr. João Antonio Fernandes Pinheiro Filho — Pinheiro, Irmão & Azevedo

O Sr. José Vicente de Azevedo — Pinheiro Irmão [illegible]

Sociedade com a firma Pinheiro & Irmão

Despezas com o Carnaval

2 perús a 2$	4$	Pg. 4$000
aos pretinhos p.a pôr [illegible] em 12 d.as de foguetes		Pg. 3$240
1 (@) de carne de vacca		Pg. 4$000
1 perna com lombo ...		Pg. 2$720
3 gallinhas a 500 rs.		Pg. 1$500
ao Ignacio Carvalho p. tocar clarim a [illegible] dia		Pg. 1$000
[illegible]		Pg. 1$000
[illegible] de toucinho		*
[illegible] a flores q. comprei em S. Paulo		Pg. 8$000
[illegible] a 400 rs. e caixa p. 200 rs.		Pg. 5$000
carneiros a 2$500, um [illegible]		5$000
1 leitão		3$000
12 duzias de foguetes		20$000
[illegible]	880	11$220
[illegible] de bollas de estalo	a 180	6$400
lata p.a as mesmas		$500
1 carneiro, manteiga, [illegible], carretos [illegible]	4$320 / 4$750	9$070
[illegible] p.a azeitonas, [illegible] e mais miudezas p.a [illegible]		3$000
ao Ignacio [illegible]		Pg. 5$000
ao Antonio Carr[illegible] p.a conduzir [illegible]		Pg. 10$000
Imp.to da conta do [illegible], [illegible] e [illegible]		Pg. 152$240
[illegible] a 40$ p.a tocar baile [illegible]		Pg. 160$000
Imp.to da conta do [illegible]		Pg. 21$830
[illegible] p.a os [illegible]		Pg. 50$000
		484$830
[illegible] e outras miudezas [illegible]		Pg. 3$500
Contribuição [illegible]		Pg. 108$100
		596$430
Imp.to da conta da casa de Castro Lima & C.		Pg. 14$918
		621$343
[illegible]	504$ com 13$ [illegible]	510$000
		1056$343

Carnaval de 1862

Relação trimensal dos Alumnos da Escola particular de primeiras lettras da Cidade de Lorena

Informação: Calligraphia · Leitura · Doutrina Christã · Arithmetica · Grammatica nacional · Procedimento · Outras Observações

Cidade de Lorena 30 de Setembro de 1875. O Professor Francisco Gonçalves Ramos de Lorena

Mapa de escola em Lorena — (1875)

Copias de algumas cartas mais necessárias 1

1860

1ª –

Lorena 30 de Janeiro de 1860 – Meu compº Amº (Snr Jm Pinheiro)
Por me achar com a familia na Fazenda, deixei de escrever-lhe pelo corrº passado, e ainda hoje o faço apressadamente para que isto vá a tempo. A viagem do amº Graciano está marcada para 8 ou 9 de Fevereiro e eu estou ainda indeciso a partir, visto duas cartas de 17 e 21 do corrente não me terem trazido uma decisão qualquer sobre o proje[illegible] que encomendei-me. A indecisão em que estou é motivada não só pelo estado de meu restabelecimento em que ainda me acho que tornaria incommodo e mui arriscado a minha viagem, [illegible] que de certo me privaria além de gozar completamente dos festejos que vão montar, como tambem, porque indo eu doente não posso deixar adiados certos arranjos que deveria terminar. Entretanto [illegible] procurarei que siga e pº melhor me decidir ainda espero o que me trouxer o proximo correio. Com a familia é que decididamente não vou, nem poderia ir este anno, pois ainda estão bem presentes na memoria os incommodos que lhe deram e trabalhos que passamos em viagem com um filho [illegible] Sinto dizer-me que ainda continua a molestia [illegible] de grande uso lhe tem [illegible], estimarei porem, que isto já se encontre melhor [illegible]

Lorena 9 de Fevereiro de 1860 – Meu compº e Amº (Gmo)
Estava a nossa viagem adiada por alguns dias em consequencia de um incommodo leve do amº Graciano e hoje que nos chega a noticia da chegada do Imperador para o dia 11, e reconhecendo a impossibilidade de ali nos acharmos a tempo para assistir aos festejos, temos deliberado demorar a partida pª

Primeira página de um copiador (1860) do Coronel José Vicente

CASA DA ESTRELLA

PREÇO FIXO — PREÇO FIXO

Perfumarias, Aparelhos de Porcelana, Vasos e enfeitos diversos, Candelabros e Casticaes, Caixas de Costura.

FERAUDY E Cª.

Rua do Ouvidor

106

Grande Sortimento de Fazendas e artigos diversos Recebidos em direitura de Paris

O Illmo. Snr. Jose Vicente de Azevedo — Comprou

Rio de Janeiro 17 de Outubro de 1857

1	Espanador	4$500
1	Dz.ia de Botões de Linho p.ª Camisas	36$000
	Rs.	40$500

Recebi o importe acima
p. Feraudy & C.ª
Ph. Kaltenbach

AO COLLETE PRETO — RUA D'AJUDA N.º 10.

Colletes de puchar a barbatana, a 8, 10, 12, 16 até 20$000; ditos de preguiçosa, a 7, 8, 9, 10 até 20$000; ditos elasticos com ilhóses para Sras. gravidas, a 20, 25, 30 até 40$000; ditos superiores, a 9, 10, 12, 16 até 20$000; ditos ordinarios, a 4, 5, 6, e 7$000; ditos sem costuras de Wally, a 12, 16 e 18$000; ditos de chamalote, a 20, 25 até 30$; cinta para sahir do parto, de 8 a 16$000.

Grande sortimento de camisas para Sras., a 24, 30 e 50$000 a duzia. Tem tambem com tiras bordadas e rendas; ditas de cambraia bordada para casamento; enxoval para noivas, ditos para crianças recem-nascidas, e encarrega-se de fazer estes objectos sobre medida á vontade dos compradores. Grande sortimento de basquines, saias de clina com babados a rouleaux e ditas balão. Encarrega-se de qualquer encommenda para Paris tudo por preços razoaveis.

MADAME HAUGONTÉ

COSTUREIRA DE COLLETES DE S. M. A IMPERATRIZ E ALTEZAS IMPERIAES.

O Illm. Snr. ... Recebi 22$000 para 2 colletes — Compr[illegible]

Rio de Janeiro, [illegible] de 1 Maio de 1859 — femme Haugonté

Typ. de Brito & Braga — Travessa do Ouvidor n. 14.

Notas comerciais de compras feitas na Côrte (1857 e 1859) pelo Coronel José Vicente de Azevedo

Rio de Janeiro 10 de Março de 1859

O Illmo Snr José Vicente d'Azevedo — Comprou

Grande Sortimento de SELINS PARA HOMENS E SENHORAS, LITEIRAS, Banguês

ANTONIO MANOEL DOS PRAZERES

Arreios PARA 2 e 4 RODAS, DITOS PARA CAVALLARIA E TUDO MAIS PERTENCENTE a seu Estabelecimto

COM FABRICA DE Correeiro, Selleiro e Bahuleiro NA

RUA DO OUVIDOR Nº 120

	1	Sella	40$000
	1	Capa na dita	6$000
	1	Sellim para menino	24$000
	1	Capa bord.a em 1 Sellim de Senr.a	12$000
	1	Loro	1$000
	1	Cabeçada	3$000
			Rs 86$000

Receby o impta supra

Por Antº Mel dos Prazeres

Vicente Jº da Sª

Março 24	1	Sellim de Senrª	Rs 20$000

Receby o impte

Por Antº Mel dos Prazeres

Vicente Jº da Sª

Compras feitas na Côrte (1859)

VICTOR RESSE

Nº 48, RUA DOS OURIVES Nº 48.

FABRICANTE DE COMMENDAS E HABITOS,

E FORNECEDOR DA CASA IMPERIAL.

O Ill.mo Snr. Azevedo Deve

Lith. Ludwig & Briggs, Rio.

Rio de Janeiro 26 de Abril de 1859

1 talher [illegible] e letreiro [illegible] 23$000

[illegible]

Por Victor Resse

[illegible]

AO NOVO BASTIDOR DE BORDAR

GOMES & SANTAREM

Nº 32 B.

RUA DOS OURIVES

Completo sortimento de fazendas da moda e fantasia

O Ill.mo Snr. Comprou

Lith. [illegible]

Rio de Janeiro 12 de Maio de 1859

1	[illegible] de Lã [illegible]	8$000
3/4	" " " liza	4$500
	Rs	12$500

Recebi o Importe Acima

Em 12 de Maio 1859

Por Reis & Santarem

Alves Junior

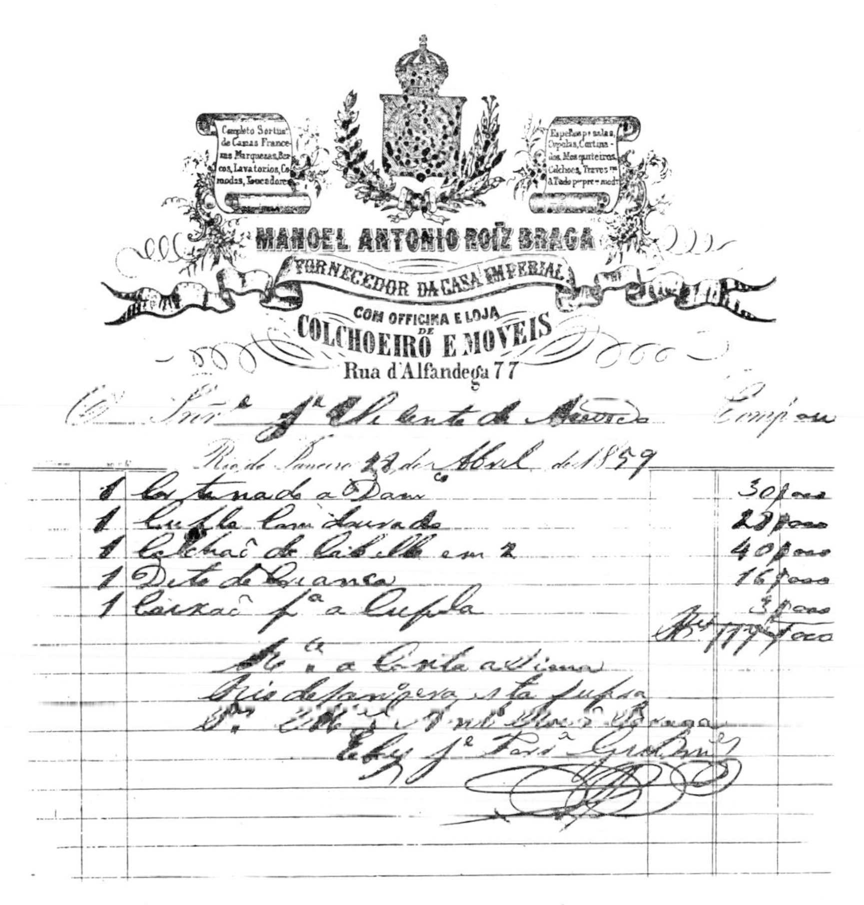

Completo Sortimto de Camas Francezas, Marquezas, Berços, Lavatorios, Comodas, Toucadores

Espelhos pa salas, Cupolas, Cortinados, Mosquiteiros, Colchões, Travesseiros & Tudo por preço modico

MANOEL ANTONIO ROIZ BRAGA

FORNECEDOR DA CASA IMPERIAL

COM OFFICINA E LOJA DE

COLCHOEIRO E MOVEIS

Rua d'Alfandega 77

Illmo Snr. Dr. Vicente de Azevedo Comprou

Rio de Janeiro 22 de Abril de 1859

1	Cortinado a Dama	30$000
1	Cupola com lavrado	20$000
1	Colchão de cabello em 2	40$000
1	Dito de criança	16$000
1	Caixão pa a cupola	3$000
	Rs	1[illegible]$000

Recebi a conta acima

Rio de Janeiro data supra

P. Manoel Antonio Roiz Braga

[illegible]

Nota de compras feitas na Côrte

Para o Sr. Cel. José Vicente

N.º 5204

R. Xe. de thriaca — 2 onças 430

N.º 5205 com vidro

Dt. Laudano liquido de Sydenham — 4 oit.
com um vidro 640

N.º 5206

Dt. Cataplasma de linhaça — 1 lb. 640
com espatula de R.

Rs 1.760

Dr. Castro

(19 de Fevr.º de 1855)

Receita do médico no momento em que foi atirado o Coronel José Vicente

Ill.ma e Ex.ma Snr.a D. Angelina de Azevedo Castro e Lima, minha presadissima Comadre!

Côrte, 12 de Março de 1857.

Cópia de uma carta enviada à viúva do Coronel José Vicente (Pêsames)

[illegible] la-mentavel acontecimento do passamento de seu muito adorado marido e meu estimado Compadre o Ill.mo e Ex.mo Snr. Coronel José Vicente de Azevedo, fallecendo em dias do mez proximo passado, cuja infeliz noticia tive-a de sorpresa pelos jornaes desta Côrte que convidarão a seus amigos para assistirem á Missa de septimo dia, á q.l concorri com minhas filhas na Igreja de N. S. do Carmo; e acompanhando a V. Ex.a em tão justo quanto acerbo desgosto, permitta-me que o manifeste com a sinceridade de meu coração e com o respeito que sempre tributei a V. Ex.a, a q.m hoje o votamos eu e minhas filhas.

De V. Ex.a

muito obrigada comadre e affectuosa amiga

S. C. á rua da Floresta (Catumby) N.º 21.

Maria do Carmo Novaes Ozorio.

NOTA Nº. 12?

(Art. 6º do regulamento n. 4,835 do 1º de dezembro de 1871)

D. Angelina Moreira de Azevedo,
residente neste municipio, declara que no dia 14 de Novembro de 1873 nasceu de sua escrava, crioula, de nome Theodora, solteira, costureira, que se acha matriculada com os ns. 1.068 da matricula geral do municipio e 128 da relação apresentada pelo mesmo senhora, uma criança de côr parda do sexo feminino, baptisada com o nome de Benedicta,

Provincia de S. Paulo,
municipio de Lorena,
parochia de Lorena,
30 de Novembro de 1873

Angelina Moreira de Azevedo

Certidão do nascimento de uma criança liberta (filha de escrava nascida em 1873)

Carta autógrafa do escravo Romão a D.ª Angelina Moreira d'Azevedo com o sobrescrito

Minha Senhora e Snr.ª
D. Angilina viúva do Finado
Ill.mo Jz. Vicente de Azevedo
Ill.e
Cid.e de Lorena

Minha Senhora e Snr.ª D. Angilina

Cid.e de Itajubá 5 de Junho de 1869

pello Correio Nanhã tinha mandado
dizer que Eu tinha de hir pa Lorena
que Era para fazer hum serviço com
Eu tenho hum trato a comprir porço
de semana que Eu não Fui logo
emmidiato por isso he o motivo que
Eu mando participarlhe a Vm.ce Sin-
mor de ficar sabendo Vm.ce de sua
ta viagem mostrarão a sua Senhora
ou Sinhor muito preciso he que
me obriga a Escrever para Nanhã para
ficar Sciente os quipos não tendo mandado não he por descuido porque aqui
não tem aparecido ja mandei fazer
os quipos pello pr.o Correio que praça
Eu hei de Remeter no baixo que não
esteja pronto a de ser pello outro pr.o
Resto e Sou Seu Escravo que muito
lhe estima e muitos recomendações a todos
que for de Caza

Romão Pedreiro
hum Seu Escravo

APÊNDICE

INCLUÍMOS APENAS CLICHÊS DE ALGUNS DOCUMENTOS, NÃO SENDO POSSÍVEL A PUBLICAÇÃO DE TODOS.

A ORDEM CRONOLÓGICA DOS DOCUMENTOS NEM SEMPRE PÔDE SER OBSERVADA, DEVIDO À QUE FOI SEGUIDA NO TEXTO.

OS DOCUMENTOS RELATIVOS AO MESMO ASSUNTO SÃO DESIGNADOS POR UM SÓ NÚMERO, ACRESCIDO DAS LETRAS A) B) C) ETC.

A Autora

DOCUMENTOS

De 1 a 25 — Documentos relativos ao Capitão-mor Manoel Pereira de Castro.
26 — Carta enviada ao Comendador José Vicente de Azevedo em 16-9-1834.
27 — Carta enviada a D. Maria da Guia pela filha Jesuína.
28 — Carta de pêsames enviada à mesma — 21-1-1844.
29 e 29-A — Dois sonetos (Comemorativo da Coroação do Imperador Pedro II e dedicado ao Coronel Lázaro José Gonçalves (1821).
30 — O que coube na partilha ao filho Pedro Miguel por morte de D. Maria da Guia.
31 — Aluguel do escravo Romão.
32 — Balada da Saudade.
33 — Material escolar duma escola de Lorena em 1865.
34 — Documentos relativos ao Capitão José Vicente de Azevedo.
35 — Ofícios da Câmara Municipal de Lorena.
36 — Razões apresentadas pelo Capitão José Vicente num caso de medição de terras.
37 — Barão de Itaúna.
38 — Resposta do Coronel José Vicente ao ofício que lhe enviou o mesmo Barão.
39 — Documento relativo à Guerra do Paraguai.
40 — Dados sôbre o teatro de Lorena.
41 — Compras efetuadas na Côrte pelo Coronel José Vicente de Azevedo.
42 — Receitas médicas.
43 — Primeira carta do borrador.
44 — Cartas do sócio J. Pinheiro, relativas a extinção de negócio.
45 — Documentos relativos a escravos.
46 — Passaportes de escravos.
47 — Cópia de um bilhete de loteria de 1880 criado para fundo de emancipação de escravos (Lei de 28-9-1871).
48 — Despesas com animais.
49 — Carta de J. Lourenço de Freitas ao Coronel José Vicente.
50 — Cartas de família.
51 — Cartas de Joaquim José Moreira Lima.
52 — Documentos sôbre o carnaval de 1862 em Lorena.
53 — Razões apresentadas pelo Dr. Pedro Vicente de Azevedo, advogado de seu irmão, em sua defesa.
54 — Extrato do número de sessões para julgamento e condenação do réu José Alves Barbosa (1876).
55 — Cartas do menino Francisco de Paula a sua mãe (1870).
56 — Intimação do Juiz de Órfãos.
57 — Cartas do Dr. Pedro Vicente à Viúva.
58 — Cartas de pêsames enviadas à Viúva do Coronel José Vicente.

25 DOCUMENTOS REFERENTES AO CAPITÃO-MOR MANOEL PEREIRA DE CASTRO

DOCUMENTO N.º 1

Devo que pagarei ao Senhor Capitão Manoel Pereira de Castro a quantia de vinte mil oito centos e trinta reis procedidos de fazenda que comprei na sua loga e recebi a meu contento tanto em preço como em bondade, cuja quantia de 20$830 rs. pagarei ao dito Senhor ou a quem este me mostrar da fatura deste á dois mezes sem á isso pôr duvida algua, e para cuja sattisfação obrigo minha pessoa, e bens presentes e futuros, e por ser assim verdade passo a presente somente por mim assinado. Lorena 23 de Mayo de 1799.

(a) **Manoel S. Figr.do Castelo Brco.**

Como testemunha que este fiz a rogo do Sobredito e o vi assinar.

(a) **José de Figueiredo** (Capitão).

Pertençe a Cobrança deste Credito.

Ao Sr. Cappam. José Roiz Neves que poderá cobrar como divida sua propia que he e fica sendo perçizo o constitúo procurador em cauza propia, he verdade, fiz este e firmei, Lorena 7 de setembro de 1801.

(a) **Manoel Pera. de Castro.**

DOCUMENTO N.º 2

Devo que pagarei ao Sr. Capitam Manoel Pereira de Castro a quantia de settenta e oito mil reis procedidos de duas Bestas brabas, e huma mansa que lhe comprei, e recebi a meu contento, em preço, e bondade, a qual quantia de settenta e dito mil reis pagarei ao d.º Senhor, ou a quem este me mostrar da factura deste a dous annos, em dous pagamentos iguaes, sem a isso por duvida alguma; e de hoje em diante se o mesmo Senhor Capitam percizar algumas cargas da villa de Paraty para esta, serei obrigado a trattar pelo preço que se costuma; e para cuja satisfação obrigo minha pessoa, e bens, prezentes e futuros, e o mais bem parado, delles tanto moveis como de raiz, especialmente animaes e bestas; e não pagando no pre-fixo tempo pagarei os juros da Ley té sua ultima satisfação; e por ser isso verdade passo este somente por mim assignado.

Lorena 4 de Maio de 1803.

(a) **Francisco José de Lima**

Como testemunha que fiz a rogo ao Sobredito e vi assignar.

(a) **Francisco Vaz dos Reis**

São 78.000 res.

DOCUMENTO N.º 3

Recebi a conta deste credito Sento e vinte e hum mil e quatro sentos e pello o ter recebido passei o presente.

Villa de Rezende 8 de Agosto de 1805.

Ass. **Manoel Pereira de Castro**

Pertençe a cobrança deste credito ao Sñr. Antonio Coelho Borba e sendo percizo o constituo procurador em cauza propria. Villa de Lorena 1 de Abril de 1810.

Manoel Pereira de Castro e sendo percizo o constituo procurador em causa propria. Villa de Lorena 1 de Abril de 1810.

DOCUMENTO N.º 4

Sra. D. Maria Domingas da Reçureição,

Paraty 27 Marco 1811.

Recebi a estimada carta, e logo escrevi ao Coronel Macedo. Estimarei que seja servido o seu afilhado e como elle he o portador desta lhe poderá dizer.

Quero que Vmcê me diga **ao Sr. Mano** Capt. Manoel Pereira que se deve lembrar de que tracta com os omem em todo o Janeiro ficou a mandarme farinha de trigo, eu o escrevi-lhe coando chegou o barco para elle partir dessa para o Rio, em escrever-lhe da viagem não tive resposta coando o barco chegou lhe dey parte o coando foy e agora digo que a 28 de Fevereiro estão os dois mil cruzados na mam do Alferes José Monteiro que isto mesmo já lhe mandei dizer e na mesma ocasião chegarão 3 embarcaçoens de negros. Eu ei de estimar que elle achaçe tudo serto que eu lhe disse eu estimo que todos passem muito bem que Deos guarde.

Por muitos anos fico a suas ordens.

De Vmcê

Seu Vor Cro

Ass. **Domingos José da Silva** (no sobrescrito D. Maria Domingas da Reçureição).

Lourena

DOCUMENTO N.º 4-A

Sñr. Juiz Ordinario

Dizem João da Costa Manso e sua mulher D. Maria Honorina da Em Carnação moradores da Villa de Taubaté que eles suplicantes são verdadeiros senhores e possuidores de umas terras contempladas em huma carta de sismaria em corporada na carta de ordem junta no termo desta Villa parte della onde tem principio as quaes partem com terras de Ignacio Caetano Vieira de Carvalho e por que ellas se achão indeviso thé o presente que vem os suplicantes fazer medir e demarcar judiciosamente para cujo fim devem ser citados os erros e hum delles he o dito Ignacio Caetano Vieira de Carvalho e nos fundos que pertence a sysmaria deste tem principio o dos suplicantes portanto requer a Vmcê Meritissimo Juiz Ordinário que na comformidade da Ley que competia aos pretendentes de medições escolher o Juiz sismeiro ou o ordinário do Territorio os suplicantes que vem Vmcê como seu Juiz medir e demarcar as terras de suas sismarias se digne asignar dia para se principiar a dita medição e se digne fazer mandado para ser o dito Ignacio Caetano citado para no dia que Vmcê assignar achar-se com seus titulos na paragem chamada Santa Barbara para se dar principio do competente lugar a dita medição para se que não comparesendo no lugar já dito seguir a medição a sua divisa e em tempo algum poder mais alegar cousa alguma e protestar os suplicantes reclamar da medição feita citar a qualquer outro (ilegível) da medição se em contrar. Posse do mesmo na forma requerida, consigno dia 20 de outubro para se dar principio a medição. Vila 28 de Setembro de 1812.

Vmcê seja servido mandar pasar mando para ser o suplicado citado para no dia que V.mcê for servido asignar achar se ão os suplicantes no princípio da medição com seus titulos.

O Capitam José Correa Leite Juiz Ordinário ...... nesta Villa Real e seu termo com jurisdição ...... no civel e crime por eleição de ...... na forma da Ley.

Mando ao escrivam deste Juizo e no seu impedimento a qualquer official... deante mim que viste este meo mandado que vay por mim assignado esse seo comprimento e na forma delle cite ao mesmo Ignácio Caetano Vieira de Carvalho para a presente medição e dia declarado como despaxo tudo na forma da petição o que assim o cumpra como fór dado e passado nesta dita Villa Real de Pindamonhangaba dos 28 de Setembro de 1812 annos eu Manoel de Oliveira Silva escrivão que o escrevi.

Segue-se uma declaração ilegível de Pedro José Barbosa, assinada, datada da Villa Real aos 2 de Outubro de 1812.

DOCUMENTO N.º 5

Digo eu João Francisco Vieira que he verdade que vindi ao Sr. Capitãm Manoel Pera. de Castro huma escrava por nome Rita por perço e coantia de Sento e dois mil e coatro sentos rs. ... ao fazer deste e por verdade de tudo... feito na Freguesia de N. S. da Piedade hoje Lorena 19 de Janeiro de 1812.

João Francisco Vieira

(Papel pouco legível por estar comido por traças).

DOCUMENTO N.º 6

Devo que pagarey ao Sr. Capitam Manoel Pereira de Castro a quantia de sento e seçenta mil procedida de hum casal de escravos Custodia e Manoel que lhe comprei e recebi a meo comtento em presso e bondade cuja quantia de 160$000 pagarey da fatura deste a hum anno e neste tempo poderei darlhe dous muleques de seis palmos de altura para sima e não para baixo e o dinheiro para voltar-me 51$200 e quando não possa dar-lhe os muleques o farei em sal a 1$600 a carga; para oque obrigo minha pessoa e bens prezentes e futuros e para verdade passo este somente por mim assinado.

Villa de Lorena, 10 de Março de 1815.

Ass. **José Cordeiro da Silva Guerra**

Recebi a Escrava mencionada por mam do proprio devedor em preço de cento seçenta mil reis Lorena 10 de Agosto de 1815.

Manoel Pereira de Castro

DOCUMENTO N.º 7

Actta da Eleição para Juiz de Paz desta Capella Curada do Embahú.

Anno do Nascimento de Nosso Senhor Jesus Christo de mil oito centos e vinte e hum dessimo da Imdependençia e do Imperio aos desasseis dias domês de Janeiro do ditto anno nesta Capella Curada da Senhora da Conceição do Embahú no Corpo da Igreja della aonde se achava o actual Juiz de Paz da Villa de Lorena o Capitão Mór Manoel Pereira de Castro com o Revmo Capellão Antonio João Pereira e o Povo pertençentes a Estolla da mesma Capella convocados por Editaes do referido Juiz de Paz para efeito de proceder-se a Eleição Popular de Juiz de Paz e Supplente que deve servir nesta Capella na forma da Ley novissima, e para este fim tomando o referido Juiz de Paz a cabesseira de sua Mesa destinada no Corpo da Igreja em qualidade de Presidente tendo a seu lado o Revm.º Capellão, propoz para Secretários a F. e F. e para escrutadores F. e F. os quaes sendo da aprovação do Povo presente passarão ao lugar de seos asentos e formarem a Meza, depois do que declarou o mesmo Presidente se alguns dos Circunstantes sabião de algum Suborno ou Colloquio (?) por onde viesse recahir a presente Eleição em algum "individuo e sendo... declarado o que de tal não tinhão noticia ordenou elle ditto Presidente que todas as pessôas que ally se achavão apresentasse sua lista por ellas designados, ou outrem a seu rogo em que fosse contemplado o nome de Dois individuos hum dos quaes que obtivesse a mayoria serviria de Juiz de Paz e o immediatto supplente do mesmo e que poderião apresentar lhe tão bem aquellas listas enviadas por mutivo de justo impedimento com a solenidade devida o que em atto sussecivo foi cumprido introduzindosse as mesmas dentro de uma urna que aberta se achava sobre a meza, findo oque passando-se a contar achouçe serem tantos, que fexadas na forma das instruçõinz procedeo esta meza a competente tempo para a Camara Municipal vespertina para proceder a apuração das mesmas acompanhadas do competente officio fazendo se por esta forma a presente Eleição por concluida a meza por desobrigada constar foi esta actta em que asigna-se a meza, Secretario da meza Parochial que o escrevy.

Presid
Capellão
Secret.ºs
Escrutadores

Officio

Illmo.º Senhor

O Presidente e os mais abaixo asignados que formarão a Mesa Parochial da Capella Curada da Senhora da Conceição do Embahú desta Villa depois de terem proçedido com a solenidade legal a popullar Eleyção de Juiz de Paz e suplente para a mesma Capella remettem a essa Camara Municipal tantas sedullas que são quantas se obtem daquele Povo afim de VV. Sia. proçederem a competente apuração, pois que tudo comprova a Actta da Eleição proçedida na conformidade da Ley.

Deos guarde a VV. Mcês

Capella do Embahú 16 de Junho de 1831

Illmº Sñr Presidente e Vereadores da Camara Municipal da Villa de Lorena

Presidente
assignão Capellão
Secretarios
Escrutadores

DOCUMENTO N.º 8

Carta do Sargento do Distrito

Em cumprimento do oficio que arecebi de V. Sª dou parte que me emformando do dito caminho nunca foi caminho senão uã pequena picada pelos quintais de Luiz Pereira nese lugar sendo duas entradas seguidas de comercio para Paceio e Devertimento que tem Antonio M. Caldas com huma familia de José Joaquim Antonio homem..............(ilegível) cazado idade de 30 annos pouco mais ou menos e hum Irmão por nome Pedro solteiro idade dezoito annos a thé vinte e como este dito mora na Estrada do Comercio para comunicação como este dito que mora em outra Estrada do Comercio e a razão por onde despoticamente veio abrir ese caminho em terras alheya a ordem de quem eu não sei esse dito não serve a pessoa alguma senão do supra dito Caldas eu notifiquei a ordem de V. S.ª e elle me, disse que havera seguir pello caminho não fazia caso do Sargento mór nem de Capitam quanto mais de mim que sou Sargento este Luiz Pereira achasse com prejuizo pela razão de estar esse caminho aberto porque estão as suas criação sahindo pelos visinhos como a mim me foi representado e ele husa como caminho só por amofinar a Luiz Pereira V. Sia. mandará o que fôr servido
Deos guarde a V. Sia. por muitos annos
Bucaina 12 de Setembro de 1827

Illm.º Snr. Sargento Mór Manoel Pereira de Castro

De V. Mcê mto obr.º e cr.º
Antonio Roiz de Mello
Sargento do distrito

DOCUMENTO N.º 9

Illmo.º Sñr Sargento Mór Manoel Pereira de Castro

S. Paulo, 12 de Julho de 1827

Meo estimadissimo Amigo. Recebi a sua de 2 do corrente e com ella a importancia da Provisam do Altar portatil que lhe remeti e lhe agradeço a boa moeda em que veio e por tudo mais que lhe puder prestar aqui me tem muito pronto. Desejo-lhe bôa saúde e felicidades. Deus guarde a Vmce

De Vmcê
Am.º mt.º obr.º
José Gomes d'Almeida

DOCUMENTO N.º 10

Illm.º Sñr. Sargento Mór Manoel Pereira de Castro

S. Paulo, 17 de Janeiro de 1827

Premiado e certo no contheudo das suas estimadissimas de 15 do pp. e 6 do corrente, espero me diga se supoem com algum fundamento, ou só de conversa oque disse o Sargento Mór Bras sôbre a parte restante da Fazenda do Fallecido João da Costa.

Não ha duvida que a muito assignei e creio foi pelo Correio p.p. a Portaria da Junta incumbindo-lhe a administração das sizas dessa Villa, onde me diz ficava em Praça a factura da ponte sôbre o rio da mesma, com receio de não ter licitante, oque succedendo, e havendo ahi perito que seja capaz de a fazer com segurança, queira com franqueza dizer-me se da inspecção da mesma quer, ou póde incumbir-se, para então anunciar o seu prestimo e reconhecida probidade a este objecto. Fica em lembrança de sua conta os Rs. 50$680 que recebeo de José Novaes da Cunha.

Seguindo o parecer de V. Sia comprei a João da Costa e Oliveira oque á este hera a dever para Escriptura de hipotheca José de Oliveira Cabral, cujo resto do principal e juros de 11 de Outubro do anno findo não he menos de 1:251$853, como verá do original pertence que em 8 do passado mez me deu o authorisado Procurador daquelle e levo a sua presença para conhecimento dos bens hipothecados, e assim V. Sia. para obsequiar-me sollicitará a cobrança, pelos meios que achar mais conveniente ao sabido fim, mandando se lhe parecer a minha inclusa carta e do primario credor, ao referido Cabral, ou a seo filho, se he que este está nos sentimentos e legitimamente autorisado para a venda assim dos Campos como das terras de cultura, que ao mesmo pertence na Fazenda de João da Costa, avisando-me do ultimo preço que a sua costumada diligencia puder conseguir, pois que ao caso de dar por 800$000 alem da Siza, ultime a compra por meio de competente Escritura, dando ao devedor algum suficiente prazo para com comodo me embolsar do restante, para ver-mos se isso serve de melhor farol dos demais herdeiros quando se deliberem a venda de suas partes, cujo resultado sei presente em sua lembrança.

Quanto a verificada sahida do Monte-Mór, Joaquim da Costa, nada posso providenciar ainda pela Fazenda do Natal, em quanto não se dicide a sabida etiqueta de Minas com esta Provincia, oque talvez aconteça no corrente anno; e em taes circunstâncias mesmo a ver se não vem abaixo, as Casas, estimaria, que achando V. Sia. algum suficiente agregado, o enviasse a residir ali para desfrutar o que plantar, e vigiar a entrada de algum intruso, inda que seja com algûa pequena despeza e se ouver proporçóes a fazer deitar ali em tempo proprio algûas roças para fejão e milho a pagamento por alqueire do que fôr plantado, estimarei, afim de haver algum mantimento para a escravatura que em fins do corrente anno deverei mandar para ali, com algum gado e egoas; o que tudo sendo possível providenciará V. Sia. como entender melhor, na certesa de que fará passar carta de favor pelo aggregado quo mandar; e diga-me se no Regimento paga-se o imposto para entrada de gado, e egoa e quanto para minha intelligencia.

Tenha paciencia com tantas impertinencias, pois sabe que tambem para quanto lhe possa ser prestavel fico pronto, desejando-lhe a melhor saude, porque sou De V. Sia Am.º affect.º e obrmo vor

Manoel Roiz Jordão

Respondida 5 de Fevereiro de 1827

DOCUMENTO N.º 10-A

NOTA: — No verso de um dos documentos está um borrão da resposta enviada pelo Sargento-Mor à "Illm.ª Snr.ª D. Gertrudes" a qual concluímos tratar-se de uma irmã do Brigadeiro, datada de "21 de Mayo de 1829 porque êle assim trata ("o Snr. Brigadeiro seu Mano"). Diz ter incumbido seu Primo Capitão Custódio da mesma Freguesia do terreno em questão e que por ter sido passada a escritura em nome dela e do Irmão não pode voltar atrás. Diz ter prometido perdoar os juros vencidos. Conseguiu a compra dos mais herdeiros pelo mesmo preço não convindo entrar "outrem" (sic) no negócio. Acha que vendia por mais e pagava a divida, por isso o fêz. Pede aprovação para pagar a siza e tornar "Legal" a compra. O resto das terras estava hipotecado por 437$200. Termina com as seguintes expressões: "Estimarei a sua saúde e da Illm.ª Snra. D. Joana e que me destribua suas ordens pois confeço ser De V. S.

O mais obrigado servo"

(Sem assinatura por ser borrão).

Num rascunho de carta ao "Illm.º Sñr. Brigadeiro Manoel Rodrigues Jordão", como inicia, chama-o de estimadíssimo Sr. e agradece o "conseito com que de cada vez mais me honra", como diz, para informar o seguinte: "A maior parte do gado não he conduzido pelos proprios donos sim por capatazes e escravos que não sabem escrever para assignar no livro e outros muito mal o fazem e para assignar lembrei como em tar cazo irei praticando com vale".

Participa que mora "no meu Sitio distante da Villa Hua legoa" mas assim mesmo já administrou êsse impôsto "hum par de annos e na Villa ha pessôa pronta para cobrar e paçar as guias que deixa assignadas". Em Lorena não consta o gado que "entra por diversas partes e só em Bananal he que se vão juntar".

É um borrão e por isso não vem assinado e nem reproduzimos na íntegra. (São complementos das incumbências do Brigadeiro Jordão.)

DOCUMENTO N.º 12

É uma conta corrente.

"Snr. José d'Oliveira Cabral á Illma. Snra. D. Gertrudes Galvôa d'Oliveira e Lacerda Deve

Por uma Escriptura de divida e obrigação a Hyputheca, passada a João da Costa d'Oliveira em 11 de Julho de 1829	1:267$200
Recebido pelo mesmo João da Costa d'Oliveira em 20 de Novembro de 1827	230$000
Resta	1:037$200
Recebido pelo Capitam **Manoel Pereira de Castro,** em compra que este fez de metade das terras em 5 de Abril de 1829	600$000
	437$200
Juros de 5% desde 5 de Abril de 1829 the 1.º de Março de 1832, 2 annos, 10 mezes e 23 dias	63$310
	500$510
Recebido pelo mesmo Capitam Mor em 1.º de Março de 1832	185$000
	315$510
Juros de 6% desde 1.º de Maio de 1832 the 1.º de Maio de 1844 (12 annos e 1 mez)	182$845
Resta do principal e juros	498$355

Não se contarão os juros the 5 de Abril de 1829 por se terem perduado."

DOCUMENTO N.º 11

É um bilhete enviado ao Illm.º Snr. Capitam-Mór Manuel Pereira de Castro — Lorena — com o algarismo 60 a tinta no envelope (anterior ao sêlo).

É de Joaquim Mariano Galvão (Será o marido de D. Gertrudes Galvôa ou mesmo irmão, tendo ela outros sobrenomes?)

É datada de 2 de Dezembro de 1831 e reza o seguinte:

"Não sei porque fatalidade perdi a carta e o titulo dos campos comprados por V. S. a José d'Oliveira Cabral, desejo me diga o tempo que foi feita quanto foi a siza paga em Minas e quanto os juros que se perdoou ao mesmo isto desejo no proximo correio. Desejo-lhe saude e sou

De V. S.
Amigo obrigado
Joaquim Mariano Galvão

À margem, em nota do Capitão Mór
Respondida a 2 de Dezembro
de 1831

DOCUMENTO N.º 13

Conta de venda e liquido rendimento de vinte e sete saccas, com Café e Guia, que de Lorena me consignou o Sñr. Joaquim José Moreira Lima, para dispôr por conta do Sr. Capitam Mor Manoel Pereira de Castro, vindos de Paraty pelo barco S. Francisco e do Mestre José Martins Barbosa e por intervenção de Francisco Antonio Pereira Lisbôa, a saber:

27	27 saccas com 12 arrobas e 18 alq. de Café de 1.ª novo a 3750		455$272
Guia			145$600
			469$832
	A Deduzir		
Frete por arroba 140		16$996	
Carreto por saco 40		1$080	
Dizimo pela guia			
Despeza ao dito			
Commisão de venda 3%		14$094	32$170
Liquido creditado em conta do mesmo Sr. Lima		Rs.	437$662

Rio de Janeiro, 2 de Setembro de 1840

As. **Benjamin José Dias**

(Em papel impresso.)
n.º 12.694
R. do Rosario n.º 52 (*)

DOCUMENTO N.º 16

Conta de venda de 62 Saccas com Café consignados pelo Sñr. Manoel Pereira de Castro (de Lorena) por sua **conta e risco** por intermedio do Sñr. Manoel Fer.ra da Silva Campos (de Paraty) vindo na (ilegível) Flor do Mar Me Luiz Corrêa Marques.

A Saber

1845
Março 24 31 saccas com 12 a 18 lb. de Café

(*) A nota vem em papel impresso. Não foi feito clichê por estarem os algarismos muito apagados.

regular	2$700	339$018
30 ditos com 120 a 2 lb do de	2$700	324$168
1 Dito com 4 a de 2.ª ordem	2$300	9$200
Guias para 226 arrobas de de	$105	23$730
		696$116
Deduz-se		
Frete a 140 rs. por arroba	34$947	
Carretos a 60 rs. por volume	3$720	
Despezas por conta do D.º Campos	159$760	
Commissão de venda a 3%	20$883	
	219$310	219$310
Liquido creditado ao Sñr.		
Manoel Pereira de Castro		476$806

Rio de Janeiro, 1.º de Abril de 1845

Ass. **Manoel Cornellio dos Santos.**

DOCUMENTO N.º 15 (manuscrito)

Rio de Janeiro, 28 de Fevereiro de 1844

Conta e venda e Liquido Producto de 22 Saccos com Caffé, que de Paraty nos remetteo o Sñr. Manoel Fernandes da Silva Campos pela Sumaca Flôr do Mar seu Mestre Joaquim Henriques, de conta do Illm.º Sr. Cappm. Mór Manoel Pereira de Castro a Saber — Vendido a Antônio Luiz Zamith.

22 Saccos L.º 86a 13 Lb	2350		203$054
Guia de 90 a.	100		9$000
		Abater ...	212$054
Carretto para caza	$880		
Frete a 140 rs. por arroba	12$110		
Despeza que fez o D.º			
Campos em Paraty			
Com o ditto Caffé	55$460		
Comm de 3 p. 100	6$361		74$811
			137$243

O liquido acçima mencionado entregamos por ordem do Snr. Capitão Mór a José Bernardino Teixeira çento e trinta e sette mil duzentos e quarenta e trez reis por conta do Sr. Joaquim José Moreira Lima como consta do reçibo que junto a esta lhe remettemos

Rio de Janeiro 12 de Março de 1844

Vieira e Pinto Dias

Recebi do Sñr. Benjamim José Dias por ordem do Snr. Capm. Mór Manoel Pereira de Castro a quantia de tresentos e quatrocentos e setenta e quatro reis que tenho creditado em conta do Snr. Joaquim José Moreira Lima e para sua claresa passo o presente duplicado. Rio de Janeiro 21 de Agôsto de 1845.

Por meu Pai Sr. Manoel Cornelio dos Santos

Manoel Cornelio dos Santos Jr.

DOCUMENTO N.º 14

Illm.º Snr. Capm. Manoel Pereira de Castro.

Rio de Janeiro, 21 de Junho de 1845.

Meu amigo e Senhor. Serve este de capa á conta de venda de 43 saccas com caffé e guia de 165 arrobas que por intermedio de Manoel Fernandes de Campos dignou-se remetter á minha consignação os quaes liquidárão Rs. 327$424 que na respectiva data levei ao crédito de sua conta. As noticias recentemente recebidas da Europa e de diversos lugares onde se dá consumo dos nossos cafés tem sido terriveis e desanimadoras no presente; porrém temos esperanças que ellas melhorem logo que cessem as abundancias que por lá tem chegado repentinamente. Os cafés novos e bons ainda tem no mercado soffrivel animação mais os velhos e ordinarios estão em um estado tal, que só com grande custo se podem obter alguns preços regulares; contudo eu me não descuido de applicar toda a minha actividade a seu benefício esperando por isso que se conformará com os preços cotados, pois que na actualidade não deixão de ser favoraveis.

Desejo a V. Sa. muito bôa saúde e com estima e consideração sou

De V. Sia.
Seu am.º mto adm.ºr

Ass. **Benjamim José Dias**

DOCUMENTO N.º 14-A

Illm.º Sñr. Capitam Mór de Lorena Manoel Pereira Castro

Rio de Janeiro, 21 de Agosto de 1845

Meu Amigo e Senhor

Accuso a recepção da sua estimada carta de 8 do corrente mez e bom intoirado do quanto nella se digna dizer-me respondo.

Em observancia do que determinou passei a entregar a meu irmão Manoel Cornello dos Santos, para abonar em conta do Sñr. Joaquim José Moreira Lima a quantia de 327$474 que a V. Sa. tinha debitado e junto faço remessa do competente recibo; cuja quantia aqui liquidarão de 43 saccos com café que ultimamente servio-se consignar-me por via de Manoel Fernandes de Campos.

Em consequencia das entradas terem sido mui diminutas, os café ficão sendo procurados principalmente os novos bons e superiores que alcanção de 300 a 3500 rs.

Estimarei que V. Sia. esteja na posse de bôa saude para assim dispôr de quem com amizade e consideração

De V. Sa.
Seo Am.º mt.º obr.º Cr.º

Ass. **Benjamim José Dias**

DOCUMENTO N.º 23

Illm.º Snr. Capptam-mór Manoel Pereira de Castro

Rio de Janeiro, 12 de Septembro de 1844

Meo am.º e Senhor

Não me podendo ser indifferente nas próximas eleições a Assembléa Geral a candidatura do Snr. João Evangelista de Negreiros Sayão

Lobato para Deputados, ex-deputado na Câmara ultimamente dissolvida, vem rogar-lhe com o maior empenho toda a sua efficacia em favor da eleição deste meu candidato.

Motivos bem ponderosos me determinaram á dirigir-me á V. Sia de quem espero receber esta prova de amisade, na certeza de que não é por uma simples formalidade que assim pratico, mas antes com verdadeiro interesse e decidido empenho.

Contando com a sua bondade e amizade neste particular, espero que o meo candidato seja tambem o seo e que protegido por tão digno campeão seja muito bem aquinhoado na votação do Colégio dessa Vila e n'aquelles em que V. Sia se exforçar por elle.

Desejando-lhe a melhor saude e muitas felicidades, tenho a honra de assignar-me

De V. Sia.
Seo am.º mt.º obr.º
Ass. **Benjamim José Dias**

DOCUMENTO N.º 17

Illm.º Snr. Manoel Pereira de Castro

Villa de Pouzo Alegre

21 Outtubro 1841

Amigo e Snr. Desejo que esta lhe seja entregue gozando saude vigorosa junto a Illm.ª Snra. D. Anna e mais familia. Não tenho remedio senão de vez em quando importunar ao meu amigo, na certeza do bom eixito que sempre tenho obtido dirigindo-me a sua pessôa, o Sñr. José Francisco Porta devendo a João Pedro de Oliveira a quantia de tres contos e quinhentos mil reis 3:500$000, ha annos e não sendo pago este se dirigio ao dito Porta faz quatro annos tempo que lhe deu de espera comtanto que lhe desse garantia, ao que dito Porta annuio passando hypotheca dos escravos siguintes José de vinte annos Maria mulher deste Joaquim da Nação de Idade de 24 annos, Marcelina creola mulher do Joaquim, Adão creolo, Pedro Creolo, Lucindo creolo e Lucinda creola cuja hypotheca he paçado no livro de nottas do Tabellião Domingues José Alves Guimarães e esta vencido a divida e hypotheca desde o dia 17 de Septembro proximo passado mez, esta divida se tornou por assim dizer a meu cargo por me dever dito Oliveira e quer somente pagar com o valor da Hypotheca, motivo por que rogo a V. Sia. queira mandar promover a execução, e quanto fosse intregue amigavel dos mesmos Escravos não me opunho para debaixo de auspicio de V. Sia. ser avaloados tantos quanto cheguem para o pagamento, tudo isso peço no caso não haja comprometimento da parte do meu amigo pois huma fez que nisso me quer e pode servir estou descançado e sendo preciso judicialmente então desejo que V. Sia. empregue todo seu valimento para breve finalisação na certeza que alem da despeza que promptamente satisfaço lhe serei gratto, na certeza de que cá me tem sempre a seu dispôr por ser com estima seu am.º mt.º obr.º vor e

Julião Florencio Meyer

P. S. — Se precisar de procuração em casa do Sñr. José Vicente existe huma do dito João Pedro em tal caso póde ser substabelecida em V. Sia.

DOCUMENTO N.º 22

Illm.º Snr. Capitam Mór Manoel Pereira de Castro.

Villa de Pouzo Alegre, 13 de Setembro de 1844

Meu respeitável Senhor — Em Agosto do anno passado dirigindo-me ao Rio de Janeiro, e tendo de passar por Lorena, o Amigo e Sñr. Coronel Julião Florencio Meyer em carregou-me de fazer contar os Autos de Execução que corria naquella vila de Lorena, contra meu Cunhado José Francisco Porta, e pagar as custas que se contasse, bem como 150$000 ao Sñr. Felipio Germano, pelo ajuste de Procuratorio nesta execução: o que tudo fiz, contou-se os Autos, e paguei todas as custas feitas athe ali, bem como os ditos 150$000 do Procuratorio, oque tudo consta dos recibos que trouxe na dacta de 22 de Semtembro do anno passado. Este pagamento de custas teve lugar em razão de parar a execução por compozição que se fez entre as partes em que eu intervy em favor de séu Cunhado, e o Julião para nos fazer favor anuio. A poucos dias o dito Sñr. Julião falou-me com uma Carta de V. Sia. em a qual V. Sia. diz haver dado a aquelle Sñr. Felipio 73$000 por conta do ajuste, o Procuratorio desta mesma Cauza, recordei ao Sñr. Julião de eu ter tudo pago como constava dos recibos que lhe tinha aprezentado e o que recordando-se me pedio que escrevesse a V. Sia fazendo ver oque vai exposto, deixando elle de escrever por oras em razão de estar sofrendo os seus ataques de dores de cabessa. E he por isso que levo ao conhecimento de V. Sia quanto se tem passado a este respeito.

Estimarei que V. Sia. esteja gozando perfeita saude e tudo quanto lhe pertencer, por ser com estima e consideração

De V. Sia.

Affetuoso amigo

Jozé Borges de Almeida

DOCUMENTO N.º 19

Acta da apuração das Seculas para Eleitores desta Villa digo desta Parochia da Villa de Lorena, e Curato do Embaú.

Aos dezaçete dias do mez de Outubro de mil oitocentos e quarenta e dous annos vigesimo primeiro da Independencia do Imperio, nesta Villa de N. S. da Piedade de Lorena primeira Comarca ao Norte da Provincia de S. Paulo na Igreja que actualmente serve de Matriz, se reunio a Assembléa Parochial em virtude do competente Edital e Portaria do Excellentissimo Presidente da Provincia de dezanove de Agosto do corrente anno de mil oito centos e quarenta e dous para proceder-se a Eleição de vinte e trez eleitores que tem de dar esta Paroquia e Curato do Embaú em relação ao numero de fógos publicado no Edital do Reverendo Vigario, sendo prezidida a prezente apuração pelo Juiz de Paz o Cidadão Antonio Gaspar Martins Miranda com assistencia do Reverendo Parocho José Lopes de Miranda achando-se igualmente prezente os Escrutadores Dr. Candido Rebello de Araujo Palhares, e José Vicente de Azevedo, e os Secretarios Tenente Jozé Maria Saraiva e Domingos José Alves Guimarães e ao depois de prehenxidas as sollenidades de que trata as Instruções do Decreto numero cento e cincoenta e sette de quatro de Maio do corrente anno a respeito e forma da Meza no dia aprazado, e recebidas as sedulas dos votantes e sanadas algumas faltas verificou-se acharem-se seiscentos e quatorze, as quaes foram todas numeradas e rubricadas, na forma que determina as mesmas Instruções tendo sido recebidas as mesmas sedulas no dia desaceis e principiadas a apurar no mesmo dia e concluida a apuração no dia de hoje obtendo a maioria de votos os siguintes José Vicente de Azevedo seiscentos e treze votos, o Capitão Mór Manoel Pereira de Castro seiscentos e dez — o Doutor Candido Rebello de Araujo Palhares seiscentos e seis = o Tenente Antonio Luiz Domingues Bastos quinhentos e noventa e nove = João José Rodrigues quinhentos e noventa e nove = o Padre Joaquim José Fernandes Leite 598 = João Rodrigues Ramos 597 = Rodrigo Antonio de Oliveira Leite 596 = Tenente José Maria Saraiva 594 = o Padre José Lopes de Miranda 593 = Chrispim José Gomes 592 = Domingos José Alves Guimarães 592 = Francisco Gonçalves Ramos 590 = José Pinto Barbosa 589 = Ignacio Monteiro de Noronha 588 = Joaquim dos Reis Guimarães 584 = Bento Barboza Ortiz 582 = Francisco Barbosa Ortiz 580 = Bento José da Silva Barboza 577 = José Novaes da Cunha 577 = Manoel Antonio Moreira 415 = José Antonio Fernandes Guimarães 403 = Mariano Ferreira da Silva 296 = Antonio Joaquim Barbosa 114 = José Camillio Guedes 47 = Lucas Antonio de Abreu 25 = Antonio Dias Telles. de Castro 23 = Antonio Gasper Martins Varanda 23 = José de Araujo Novaes 22 = Furtunato José do Rego 18 = Demiciano Ferreira da Encarnação 17 = Victorianno Ferreira da Encarnação 17 = Bento José de Lorena 15 = José Fernandes de Oliveira 14 = Marcos Rodrigues da Motta 14 = Faustino Xavier de Moraes 14 = Francisco Ferreira dos Reis 14 = João Joaquim Flemenes 13 = Manoel Pinto Barbosa 12 = Joaquim Guedes de Castilho 12 = Francisco de Godoi Bueno 11 = Francisco Rodrigues da Motta 11 = Pedro de Almeida Palma 10 = Antonio Pinto Barbosa 9 = José da Silva Villas Boas 8 = Antonio José Ferrás de Oliveira 8 = Antonio José da Silva Coelho 7 = José Francisco Tosta 7 = Angelo Bento Pereira 6 = Joaquim Alves de Mello 6 = Fernando Lopes da Lavra 5 = Claudino Teixeira Guimarães 5 = Antonio da Silva Villas Boas 5 = Joaquim de Oliveira 5 = Antonio Gomes Pereira 4 = Antonio Pereira de Carvalho 4 = Bento Francisco Simões 4 = José Gomes Teixeira 4 = Antonio Pinto de Castilho 4 = Felicio Germano de Oliveira Mafra 3 = José Vieira de Siqueira 3 = João de Aquino Leme 3 = Manoel Pereira de Carvalho 2 = Francisco das Chagas Pereira 2 = Tiburcio Pinto da Silva 2 = Ignacio Pinto Barbosa 2 = Manoel Pereira Jorge 1 = Joaquim Miguel Simões 1 = Floriano Alves de Abreu 1 = Antonio Manoel da Silva Gurgel 1 = Antonio Lopes da Lavra 1 = Theodoro Pereira dos Santos Saraiva 1 = Thomaz de Aquino Leme 1 = Diogenes Ferreira da Encarnação 1 = Lourenço Maximiano Ribeiro 1 = Francisco Vieira de Siqueira 1 = Antonio Rodrigues Pinto 1 = Manoel Dias dos Santos 1 = Joaquim Pereira de Castro 1 = Antonio da Motta Paes 1 = E por esta forma ouve a Mesma cedulas por apuradas sendo no mesmo acto publicada a lista geral dellas. e reconhecidos por eleitores desta Parochia os vinte e tres primeiros com maioria de votos, fazendo os avisos competentes a todos aquelles que se achavão na villa para assistir ao Te Deum Laudamus que se hia sellebrar na Igreja Matriz na comformidade da Ley. E para constar se lavrou a presente acta em que assignarão os membros da Meza e eu Domingos José Alves Guimarães Secretario que o Escrevy = Antonio Gaspar Martins Miranda = O Vigario encommendado José Lopes de Miranda = Candido Rebello de Araujo Palares José Vicente de Azevedo = José Maria Saraiva = Domingos José Alves Guimarães.

Assinou: Antonio Gaspar Martins Varanda
O Vigario encomendado José Lopes de Miranda
José Vicente de Azevedo
Candido Rebello d'Araujo
José M. Saraiva
Domingos José Alves Guimarães

DOCUMENTO N.º 20

Havendo no dia d'hontem prestado juramento e tomado posse do Cargo de Chefe de Policia d'esta Provincia para o qual fui por S. M. O Imperador nomeado, assim o communico ao Sr. Subdelegado da Freguezia de Lorena para sua intelligencia; e aproveito a occasião para declarar ao mesmo Sr. Subdelegado que conto com a sua franca e leal coadjuvação no exercício das funcções do emprego que occupo, na certesa de que achar-me-ha sempre prompto para dar as providencias que forem pelo Sr. Subdelegado reclamadas á bem do serviço público, assim como para apoiar e coadjuval-o no cumprimento dos deveres, que a Lei lhe impõem.

Secretaria da Policia de S. Paulo, 27 de Novembro de 1843.

Joaquim Firmino Pereira Jor.

DOCUMENTO N.º 18

Illm.º Snr. Capitão Mór Manoel Pereira de Castro.

Meo Amigo e Senhor do Curação.

havendo eu remetido huma parcela de Solla e vaqueta ao Finado Francisco de Paulo Sogro do Cappitam Bento José Xavier da Silva para me dispôr. Falecendo o dito Paulo passarão estas Solas e vaquetas para a mão do Tenente Antonio Luiz Domingues Basto: a quem em carregui a Sua despozição e avendo passado mais de 18 annos já mais posso conseguir que o dito Tenente me preste a Conta de venda da ditta Solla e vaqueta: havendo eu esgotado para este fim todos os meios pulíticos, e apenas pude conseguir do mesmo responder-me que a ditta Solla e vaqueta havia rendido 40$000 que não é crivel que a solla era uma grande purção e como me he indispençavel a Monta de venda da dita Solla por ter Soçio nesta negociação: vou rogar a V. S. queira fazer com que o ditto Antonio Luiz que preste a dita e pois elle sabe e deve saber oque recebeo e oque dispós: Lembro a V. S. que o dito Tenente ultimamente entregou de ordem 21 meios de Solla inferior a Joaquim do Reis Guimarães como constará do recibo que este lhe passou, e toda mais foi por elle desposta.

Eu devo ao dito Antonio Luiz, a quantia de trinta mil reis 30$000 de Sizas de humas terras que rematei nesta villa no tempo en que elle era contratador da dita Siza quantia que deve encontrá no rendimento da dita Solla por tanto vou rogar a V. S. queira por seu respeito fazer com que o mesmo Tenente preste a conta por elle a Signado do rendimento da dita Solla por elle a Signado: declarando os meios que dispós com seus preços pois não deseja perpetuar este negocio em Juizo por que de Serto elle não ficará noso(?): e a Juntarei este favor aos mais de que já lhe sou tributario, e de qualquer rezultado disso lhe merecer logo reposta pois estou no fim da vida desejo ver este negocio decidido.

Desejo a V. S. boa Saude e muitas o Cazeão de lhe prestar e servir e q- Deos Guarde por muitos anos.

Vila de Cunha 21 de Abril de 1842

Am.º mt.º Seo admirador e criado

Antonio José de Macedo e Sampaio

DOCUMENTO N.º 21

Digo eu abaixo assignado Antonio Ferreira Leme que entre os mais bens que possuo livre de desembaraçados e bem assim humas moradas de Casas na Villa de Lorena na rua do Rosario, que consta de dois Lanços e Corredor e Cosinha cubertas de telhas e humas taipas da parte direita e são comfrontadas de hum lado com Choeus (chão?) de João Henrique e de outra com terreno de Maximo .... Ribeiro e no fundo com humas taipas de José Antonio de Carvalho, cujas Cazas assim comfrontadas, asVendo como de facto vendido tenho ao Sñr. Capitão Mór Manoel Pereira de Castro pello preço e quantia de trezentos e cincoenta mil reis em notas cuja quantia recebe ao fazer desta ficando elle Comprador obrigado a pagar a competente siza e por estar pago e satisfeito, me obrigo a fazer esta Venda firme e valiosa, e se for neçeçario, me obrigo a passar escritura publica e para verdade de tudo mandei passar a prezente somente por mim a Signada. Vila de Lorena 3 de Mayo de 1844.

ass. **Antonio Ferreira Leme**

Como testemunha que este fiz e vi asignar

Francisco Gez (= Garcez) Ramos

Testemunha **Antonio Gez Ramos**

Illm.º e Exm.º Sñr Francisco de Paula Souza Mello

Os altos serviços prestados por V. Excia para sustentação da Monarchia Constitucional, e pela constancia que V. Excia. sempre tem manifestado em defender a causa da liberdade a noticia que tenho por meo Amigo Capitam João Moreira da Silva que V. Excia. se acha a testa da marcha de nossa administração, faz com que eu tome a liberdade de dirigir-me a V. Excia. certificando que o actual Governo goza de mais subido conceito na maioria da Nação e estamos decididos a lhe prestar-mos nosso franco e leal apoio, e julgo que teremos huma maioria decidida geralmente nas eleiçoem se o Governo se decidir a demetir a nos, e nossos inimigos que se achão com todos os empregos nas mãos, sem o que não podemos contar com a victoria apezar de que tenha o Governo denotado agrande maioria da Nação, como penso que Governo algum nunca teve Sim, Exm.º Sr., he uma medida geralmente reclamada, a demissão de todos os impregados de Policia nos Municipios, desde Juizes Municipaes the os Inspectores de Quarteiroens e todos os officiaes da Guarda Nacional desde o Commandante Superior the os Officiaes imferiores pois com mui raras excepçoens, estão todos estes empregos ocupados pelos homens mais abjectos do Municipio, e nem podia ser de outra forma, pois he so dignamente (?) podia lançar mão o Governo cahido, de execranda memoria, visto que só estes achava derrotado. Já não deixa de haver alguma desconfiança no povo, do Governo conservar nos empregos os seos maiores inimigos, pois que unicos inimigos que tem o Governo actual são os empregados publicos, e alguns eleitores. A vista do que toscamente tenho a honra de levar ao conhecimento de V. Excia. pareceme que sabido fica a confiança depositada no Governo e as necessidades publicas. Aproveito a ocazião para certificar a V. Excia. a estima que tributo a V. Excia. oferecendo o meu fraco prestar para tudo que fôr do serviço de V. Excia. (*)

(*) Parece ser o borrão de uma carta porque não está assinado, mas a letra parece do Capitão-mor.

DOCUMENTO N.º 24

Dom Pedro por Graça de Deos, e Unanime Acclamação dos Povos, Imperador Constitucional e Defensor Perpetuo do Brasil como Grão Mestre da Ordem da Rosa, Faço saber aos que esta Carta virem que Querendo Conceder e Honrar a Manoel Pereira de Castro Hei por bem Nomeal-o Official da dita Ordem. Pelo que lhe Mandei passar a presente Carta a qual depois de prestado o juramento do estilo, sera sellada com o Sello das Armas Imperiaes. Pagou sessenta mil reis de joia, como consta do respectivo Conhecimento em forma. Dada no Palacio do Rio de Janeiro em cinco de Maio de mil oitocentos quarenta e seis, Vigesimo quinto da Independencia do Imperio.

As. Imperador P

Joaquim Marcelino de Brito

Carta pela qual Vossa Magestade Imperial. Ha por bem nomear a Manoel Pereira de Castro Official da Ordem da Rosa, como nella se declara.

Para Vossa Magestade Imperial ver

No verso

Por decreto de 14 de Março de 1846

Prestou juramento por procurador hoje, 22 de Junho de 1846.

Joaquim Marcelino de Brito

N 180 40$000
Pg quarenta mil rs.
Aos 4 de Junho de 1846

Oliveira

Registrada a f. 11 do L competente
Secretario d'Estado dos Negocios do Imperio em 22 de Junho de 1846

Ildefonso Joaquim Barbosa de Oliveira

DOCUMENTO N.º 25

Lorena 7 de Outubro de 1846

Depozito Officio e Missa no Funeral do Snr. Capitam-mor Manoel Pereira de Castro

Dispendi o seguinte:

1	Habito de S. Francisco		8$000
1	Par de Meias Pretas		$400
10	Covados de Belbutina preta pa o caixãm	560	5$600
28	varas de galão dourado	240	6$720
300	Faixas amarellas	240	$720
100	Ditas de ferro		$120
2	Taboas para o caixão		1$440
	Pregos		$240
	Feitio do caixão pelo meo rapaz		—
	Dobradiças e parafussos		$560
7 3/4	varas de brim para fôrro	400	$700
20	lb e uma vella de cera de 3 comprada na villa	1500	30$500
18	vellas de 5 para a Irmandade dos Pretos	300	5$400
64	lb. de dita ms de 3 comprada na Capella do Assis Borges	1200	76$800
	Dinheiro que dei ao Vigario		

da Vara M. da C.P. (Companhia de Permanentes)	50$000
Item ao Pe. Antunes	„
„ ao Pe. Bitancourt	25$000
„ ao Pe. José Victoriano	25$000
„ ao Pe. João Buzchio	25$000
„ ao Olavo e Filho Gratificação no valor	6$400
„ ao José Marcelino de Guarantinguetá	10$000
„ ao Nillo pela Muzica do 5 R.	
„ ao Pe. Motta Carvalho para acompanhamento, officio, missa solenne e oitavario	35$000
Item do Pe. José Lopes (só missa)	18$000
Item do Pe. Justino (só vitovario)	16$000
Item ao Vigario C. T. de C.	
Item ao Sacristão conste. da C.	10$620
Item ao Antonio Gerreira, por seu trabalho	5$000
Item á Irmandade dos Pretos que devia	$800

Lorena, 14 de Novembro de 1846

As. **Joaq. José Mor.ª Lima.**

(Documentação relativa a D. Maria da Guia e ao Comendador José Vicente de Azevedo.)

DOCUMENTO N.º 26

1834 Carta enviada ao Comendador, que transcrevemos. O envelope é formado pelo próprio papel de carta endereçado a Lorena e com um carimbo ilegível. (Sendo do ano em que nasceu seu filho de igual nome, só a êle próprio podia ser dirigida.)

Illm.º Sr. José Vicente de Azevedo

Rio de Janeiro, 16 de Setembro de 1834

Amigo e Senhor

Tenho presente a sua muito estimada de 10 do corrente que fico certo em todo o conteúdo da mesma. Nesta ocasião remeto a Vmcê esse credito de João José da Costa Guimarães que terá a bondade de mandar cobra-lo nos competentes premios, pois este homem já perdeo para commigo o brio e portanto espero que Vmcê o aperte o mais possivel, antes que eu seja mais prejudicado, eu não perdôo nem vintem, espero toda a sua diligencia a este respeito; assim como do amigo José Joaquim da Costa que tambem he um homem dos diabos. O café tendo declinado a semana paçada bastante para menos a ponto de se ter vendido já a 3.500 o ordinario e o superior a 3.800; acontesse çue fica outra vez em espara, para so oferecerem 3.300 e custa a chegar a 3400; mas isto deve durar pouco tempo em rezão de que a safra deste anno julgase ser muito diminuta contudo achão-se oito mil sacas no Mercado. Desejo a sua saude e o mais do seu serviço por ser com amisade seo am.º obr.º

Joaquim José Dias.

P.S. Rogo-lhe todo o cuidado com o credito que já tem mais de 60$000 de premio.

DOCUMENTO N.º 27

Minha May e Amiga

Rio 20 de Fevereiro

"Muito heide estimar que esta va achar-lhe com saude igual vamos hindo sem novidade graças a Deos.

"Por hua carta que recebi sua vejo que o Pedro não vem este anno (o irmão 14 anos mais môço do que ela) com oque bastante cinto, recebi as medidas de Nossa Senhora da Parecida e muito lhe agradesço a sua lembrança e pesço-lhe quando viher a tropa me mande um poco de porvilho que o que eu tinha já ce acabou e aqui he muito caro e não presta para nada e e por isso tenha paciencia com estas maçadas e no mais muitas recomendação a todos um abraço em Nha Angelina (a cunhada, que se casou com seu mano José) que não seja ingrata que me de noticias della e dos meninos (a carta deve ser entre 1850 e 1860, seu mano já casado e com filhos) que por mim dará muitos bejos e acceite muitas saudades do Lazaro, de Quita e Rozita que muito lhe agradesce a medida que a Snra. mandou a ella. Lance sua benção nesta sua Filha que mto lhe estima

Jesuina

DOCUMENTO N.º 28

Carta enviada a D. Maria Pereira da Guia em 21 de janeiro de 1844 por José Bernardino Teixeira, dando pezames pela morte de seu marido — o Comendador José Vicente.

Minha Snra. Inda bem consternado com a lugubre noticia da morte do meo muito presado amigo Snr. José Vicente de Azevedo, julgo de meu dever patentear-lhe a grande magoa que me acompanha por tão infausto acontecimento!!! Sinceramente a acompanho em seus tão justos sentimentos, porque perdy um amigo que a todos os respeitos mais se fazia digno de toda minha gratidão.

Mandei celebrar missas por sua alma para amar, guiar e proteger seo filho: estimar e respeitar sua boa familia ex oq me cumpre fazer na qualidade de amigo, e oque de boa vontade me dedico na occazião de vestir o seu filho de luto lhe disse que tinha morrido hum seo tio em Portugal, porque não tive animo de lhe dar de xofre tão grande magoa: elle porem no outro dia amaneceo a chorar muito porque o Coração preçago o avizava da morte de seu Pai!!!

Elle contou a todos que na noite sonhou que vio seu Pae morto em seo quarto sercado de medicos e muita gente tb todos os de caza o despersuadirão desta ideia procurão entertello, como criança facilmente se esvaeceo tão triste impreção. Pouco a pouco se lhe hade hir dispondo o animo para tal noticia. Elle continua em seos estudos, e inda hoje me disse que esta applicando muito porque seo Pae lhe promettheo hum relogio de ouro se elle fizesse este anno, hum exame e eu logo lhe disse que pode contar com o relogio. Na caza do General Lazaro elle he extremamente estimado de toda familia vive contente e com muito bôa sáude, e nada lhe falta, devendo V. Sia. a este respeito ficar inteiramente descançada. Em outro corrêo lhe falarei em alguns negocios que o meu fallecido amigo me havia emcumbido, oque não faço agora por julgar inoportuna a occazião. Na religião e na ordem natural das couzas deste mundo deve V. Sia. procurar consolações, no seio de sua familia destrações necessarias para que o fizico não participe tanto dos encomodos moraes.

Para tudo que lhe prestar aqui me achará sempre muito pronto as suas ordens por ser com toda estima e consideração.

De V. S.

Muito obr.º e att.º S.

José Bernardino Teixeira

(Documento gentilmente cedido pelo Desembargador Vicente de Paula Vicente de Azevedo, bisneto de D. Maria da Guia.)

DOCUMENTO N.º 29

Da-me Apollo da lyra o dom Formoso
Ornando a minha voz dum som robusto
Um padrão erquerei ao grande e justo
Segundo Pedro no Brasil bondoso

Dous de Dezembro Oh! dia portentoso
Em que ao risonho império não vetusto
Doaste o Bom Monarcha douto e justo
Eu te saudo perene e glorioso!

Zelo ardente embebes afagado
Entre o grato prazer prazer fecundo
Mais sublime que a gloria has desejado

Benigno tu desceste sobre o mundo
Risonho dando ao brasileiro Estado
O sabio, nobre e leal Pedro Segundo

DOCUMENTO N.º 29-A

Ao Ilm.º Sr. Lazaro José Gonçalves
Coronel do Regimento de Caçadores, e
Deputado Secretario da Repartição da
Guerra da Capitania de S. Paulo pelo
plauzivel motivo de ter subjugado os
Insurgentes que comettião hostilidades
na Villa de Santos.

SONETO

Derrubaste com tatica subida
De humanas féras a brutal fereza
De quem foi a Razão infausta preza
No seio da Desgraça combatida.
Suspendeste da morte enfurecida
A carnagem fatal, atroz empreza;
Immortal tu serás na redondeza,
Dos Heroes o triumpho he gloria, he vida.
Imitando de Lyzia os Defensores,
Tu marchas-te a punir o crime rude,
Perpetrado por barbaros traidores.
Por mais que triumphar o crime estude,
Desses cegos mortaes, viz oppressores
Triumphou teo valor, tua virtude.

(Anonimo)

Da **Gazeta do Rio** de 27 de
setembro de 1821

DOCUMENTO N.º 30

DR. PEDRO VICENTE DE AZEVEDO

1	Cordão de ouro	152$000
1	Rosario com cruz	41$000
2	Pares de castiçaes de prata	149$700
1	Faqueiro	180$000
1	Par de jarras de porcelana	12$000
4	Marquezas	20$000
1	Meza de jantar	12$000
12	Cadeiras de palhinha	36$000
1	Comoda	20$000
1	Mobilia na chacara	122$000
1	Carro em bom uso (na fazenda)	40$000
1	Dito velho (na fazenda)	20$000
12	Cadeiras de palhinha (na fazenda)	36$000
4	Marquezas	16$000
1	Mobilia na casa da cidade	92$000
1	Tapete aveludado	2$000
1	Lampião de Kerosene	10$000
1	Par de Canastras	6$000
1	Ventillador (fazenda)	50$000
1	Alambique	60$000
4	Taxas grandes	100$000
1	Cavallo Moreno	95$000
1	Besta escura (Sucena) arreada	50$000
1	D.ª Farofa	60$000
3	Machos (Foguete, Mansinho e Ligeiro)	135$000
2	Bestas (Giboia e Codorna)	50$000
5	Vaccas (Cambraia, Faceira, Tourina, Araça e Laranzinha, com crias)	110$000
1	Touro Caracú	36$000
2	Vacas — Fusca e Mulatinha com crias	50$000
1	Vacca Chita com cria	24$000
2	Vaccas (Pintasilgo e Pratinha com crias)	38$000
1	Vacca Boneca com cria	30$000
4	Bois — Dourado, Campanha e Moreno	—
5	Bois — Ramalhete, Brinquedo	—
	Brinquinho, Velludo e Marimbondo	125$000
	Albino e Eva	2:300$000
	Faustino	200$000
	Manoela	900$000
	Anna parda	1:000$000
	Thomazia	800$000
	Leopoldina	1:200$000
	Anna da Nação	1:100$000
	5a. parte de Adão e Joaquina	30$000

Caza da Cidade

Metade do Engenho de socar	550$000
Metade do Moinho	25$000
Metade da Caza da Fazenda	—
Engenho de Moer, Senzallas, Tulhas e mais bemfeitorias	1:400$000
Metade nos cafezaes	1:300$000

	Metade nas terras da Fazenda	3:200$000
1	Arrozal	80$000
1	Canavial novo	16$000
1	Mandeocal	120$000
1	Dito novo	50$000
1	Roça de milho	150$000
100	Alqueires de feijão	320$000
50	Alqueires de Arros	60$000
339	arrobas de café	1:356$000
88	Cabeças de porco	224$000
5a.	parte nas dividas perdidas	998$302
5a.	parte no dinheiro do Couto	5:190$000
	Divida de Domingos Pereira de Aquino	993$753
	Divida de Manoel José Carios	525$165
	Divida de Manoel Guedes da Cunha	3:091$595
	Divida de Domingos José Alves Guimarães	76$796
	No Dinheiro existente na Casa de Manoel Joaquim da Rocha	1:269$716
	No Dinheiro na Casa d'Bahia & Irmão	7:346$206

DOCUMENTO N.º 31

LORENA, 1858

Veio o Romão para minha casa no dia 22 de Novembro, dia em que trabalhou 1 dia

Trabalhou nos dias 26, 27 e 29 3 dias

Idem „ „ 30 e 1.º 3 e 4 de dez. 4 dias

Dez.	9	3	Dias nesta semana	
	16	3	d. idem	
	23	3	D.ºs idem	
1859				
Jan.	8	4	D.ºs idem	
	14	3	D.ºs idem	
	23	21/2	D.ºs idem	
	29	6	D.ºs idem	
Fev.	5	5	D.ºs idem	
	15	6	D.ºs idem	
	19	1	D.ºs idem	
	26	6	D.ºs idem	
Março	3	4	D.ºs idem	

(Falhou até o dia 29. Trabalhou em casa de D. Maria e seu cunhado.)

Abril	1.º	2	Dias d'esta semana	
	9		Din. pa. uma broxa de caiar	1$280
	„	5 1/2	dias d'esta semana	
	16	3 1/2	„ idem	
	23	3 1/2	„ idem	
	30	6	„ idem	
Maio	7	6	„ idem	
	11	3	„ idem	
	28	2	„ idem	
	31	2	„ idem	
Junho	4	3	„ idem	
	11	6	„ idem	

	18	6	„ idem
Junho	25	1 1/2	„ idem
Julho	2	5	„ idem
	9	5 1/2	„ idem
	11	1	„ idem
(Parou nesta data)			
Set.	17	4	Dias no terreno do Barboza
	24	6	„ Idem
Out.	1.º	6	„ Idem
	8	6	„ Idem
	15	6	„ Idem
	22	6	„ Idem
	29	6	„ Idem
Nov.	5	5	„ Idem
	7	1	„ Idem
	162	Dias	
	1.200		
	32.400		
	162		
	194$400		

DOCUMENTO N.º 32

BALADA DA SAUDADE

(Para meus irmãos)

Está fechada a porta do Solar...
....
Eu quero entrar e vou subindo a escada,
O corredor tão largo! A porta alcanso
Da sala de jantar, clara, espaçosa,
Naquele canto... a cadeira de balanço
Vovó sentada, boa, carinhosa,
Fazendo crivo com suas mãos de fada!
E tem ao lado a mêsa e uma sacola.
É ali que guarda tudo o que a auxilia
No "fazer bem" à gente que a procura:
A caixa de moedas para a esmola,
Uma farmácia em que a homeopatia
Leva aos enfermos diariamente, a cura.

Virgem de Lourdes... de branco vestida!

Numa saleta está. É sua "gruta"
Essa saleta — coração do lar!
E sempre ali, rezando, tia Fiuta...
E sempre ali a infancia reunida
A compreender que a Deus se deve amar!
É o mês de Maio... um bando de meninas
Está cantando e vai oferecer

Rosas e lirios à Virgem Maria
E a gente ouve vozes cristalinas
A terminar o canto: "Virgem Pia,
Aceita... aceita o nosso bom querer!"
O corredor estreito leva ao quarto
Onde Francisca, com a colher de pau
Mexe os quitutes frescos, de Nhanhã
A preparar aquele lanche farto
Em que broinhas, doces e curau
Irão sortir a mesa de "Nhanhã"
Lá fora o tio Mané tocando bomba.
Tão velho! Foi escravo e a caducar
Só fala agora no "acugelê"...
De assombração parece que ele zomba
Quando levanta seu porrête ao ar

E dá pancada em sombras que não vê!
Lá no jardim, ao sol, a tia Honoria
Pretinha velha, com seus passos bambos
Trocou a alcova pelo dia claro
Coitada! Está bem fraca da memória!
Detesta o tio Mané... Escravos ambos.
Que não ficaram, nunca, ao desamparo!...
Está fechada a porta do Solar...
....

Celina Azevedo de Castro Santos

DOCUMENTO N.º 33

Notta dos móveis e utensis que se dão para as Cadeiras de Latim e Frances e de primeiras lettras do sexo masculino da Frequesia do Embaú, e da Capella da Caxoira do Distritto de Lorena.

Cadeira de Latim e Francez da Cid.e de Lorena

Móveis

1	Meza de 5 palmos um quadro e uma Cadeira para o Professor		40$000	15 anns.
2	Bancos de 10 palmos de cumprido	4500	9$000	Idem

Utensis.

1	Tinteiro e Areieiro para o Professor		1$600	10 anns.
		Rs.	50$600	

Cadeira de primeiras lettras de sexo masculino da Freguesia da Cachoeira

Móveis

1	meza de 5 palmos, um quadro, uma cadeira sobre um Estrado para o Professor		40$000	15 anns.
3	Bancos de 10 palmos de cumprido..	4500	13$500	Idem
1	Banca idem idem e 2½ de largura		5$000	Idem

Utensis.

1	Tinteiro e Areieiro para o Professor		1$600	10 anns.
1	Campainha para o mesmo		1$000	Idem

1	Canivete fino idem idem		1$600	1 ann.
1	Dito ordinário pa. o aparo dos lapis de pedra		$400	2 anns.
1	Porção de Esponjas		$320	1 ann.
9	Lousas	360	3$240	5 anns.
9	Canetas de latão	180	1$620	Idem
		Rs.	68$280	
30	Traslado surtidos		$900	1 ann.
		Rs.	69$180	

Cadeira de primeiras lettras do sexo masculino da Capella do Embaú

Móveis

1	Meza de 5 palmos um quadro, uma Cadeira sobre um Estrado para o Professor		40$000	15 anns.
6	Banco de 10 palmos de cumprido	450	27$000	Idem
2	Bancas idem idem e 2½ de largura	500	10$000	Idem

Utensis.

1	Tinteiro e Areieiro para o Professor		1$600	10 anns.
1	Campainha idem idem		1$000	Idem
1	Canivete fino para o mesmo		1$600	1 ann.
1	Porção de Esponjas		$640	Idem
50	Traslados sortidos	30	1$500	Idem
		Rs.	83$340	
10	lousas	360	3$600	5 anns.
10	Canetas de Latão	180	1$800	Idem
2	Canivetes ordinarios para o aparo dos lapis		$800	2 anns.
		Rs.	89$540	

RESUMO

Para a Cadª de Latim e Francez da Cidade de Lorena		50$600
Idem de 1as. Lettras de sexo masculino do Embahu ..		69$180
Idem de 1as. lettras de sexo masculino da Caxoeira ...		89$540
	Rs$	209$320

Secretaria da Inspectoria Geral da Instrucção Publica de São Paulo, 20 de Setembro de 1800.

Conf.e **Francisco da Costa Silveira**

Sob n.º 34 reunimos vários documentos relativos à vida política e social do Coronel José Vicente de Azevedo.

DOCUMENTO N.º 34

Senhor José Vicente da Silveira

Lorena 18 de outubro de 1860

Fico de posse de suas cartas de 14 e 16 do corrente e sciente de todo o seo conteudo sinto ter a dizer-lhe que não posso hoje decidir qualquer negocio com V. S. e seo procurador porquanto não tendo V. S. me procurado em sua passagem aqui como havia emprasado para tratarmos da causa da nossa caza existente nesta villa eu julguei-me dezonerado desse compromettimento e estou em negocio com outra pessoa que tambem pretende a referida caza. Pretendendo-a a V. S. com empenho como disse e sabendo eu que por um capricho não deveria consentir que outrem fosse o possuidor daquela caza, V. S. fez mal em não tratar de decidir o negocio quando estava em suas mãos faze-lo. Agora, pois tenho que esperar a resposta dessa outra pessoa, entretanto não julgo ainda impossivel esse negocio com V .S. cazo não me convenha a proposta do outro comprador.

Sem assinatura porque é borrão.

Ilm.ª Snra. Viuva Figueira, Genro & Cia.

Lorena 30 de outubro de 1860

Am.ºs e Snrs.

Vou rogar-lhe o favor d'apresentar a inclusa carta ao Snr. Joaquim Alves da Costa dessa Freguezia, e cazo o mesmo Snr. ainda esteja resolvido a saldar uma conta que deve a Mariano Alves da Rocha Barreto á Sociedade em liquidação de Lazaro, Pimenta & Cia., Vs. Sas. terão a bondade de receber do referido Snr. J. Alves a quantia de 500$000 que me remeterão pelo mesmo portador d'esta da tropa de meu sogro. Por essa authoriso V. S. passarem recibos de saldo de contas do dito Barretto fazendo na mesma occasião das cartas junto dirigindo esta Joaquim Antonio Rabelo de Angra dos Reis com o qual o dito senhor José Alves e o proprio vendedor procura obter o crédito ali existente ou em poder de sua filha, viuva do finado Antonio Pedro... Assim rogo-lhe tambem que me comuniquem se ja conseguimos receber do Snr. Colgext (?) o valor de 860$000 que lhe havia eu passado e para cujo pagamento em seu vencimento foi entregue a VV. SS. com minha carta de 25 de agosto pp. a referida quantia.

Sem assinatura por ser borrão.(*)

NEGÓCIOS NA CÔRTE

DOCUMENTO N.º 34

Associação Commercial

Lazaro, Pimenta e Compia.

N.º 18 Rs. 5:000$000

Capital primitivo de cento e cincoenta contos de reis, divididos em trinta acções.

A C Ç Ã O

Ao proprietario desta Acção, o Sñr. José Vicente de Azevedo competem todos os direitos que pelos Estatutos da associação commercial Lazaro, Pimenta e Cia. lhe são conferidos, por isso que entrou para o capital da referida associação com a quantia de cinco contos de reis, de conformidade com o estipulado na escriptura de contracto lavrada nas notas do Tabellião José Cardozo Fontes, em data de 3 do corrente.

Rio de Janeiro, 3 de Abril de 1854
Os socios gerentes
Lazaro José Gonçalves
Antonio Pimenta Bueno
Luiz José Pimenta Bueno

(*) No mesmo sentido e data aos Srs. Joaquim Alves da Costa e Joaquim Antônio Rebelo para fazerem entrega do crédito.

Como procurador do Snr. José Vicente d'Azevedo recibi do Sñr. Luiz José Pimenta Bueno, socio liquidante da sociedade commercial estabelecida nesta praça sob a firma de Lazaro Pimenta e Cia. a quantia de um conto de reis, pelo quarto dividendo correspondente a dez por cento na parte por elle tomada na refferida sociedade. E para clareza passei dois recibos que só um valerá.

Rio de Janeiro, 30 de Novembro 1857

As. **Manoel Joaquim da Rocha**

É datado de 15 de Julho de 1857.(*)

Essas importâncias eram entregues à firma Rocha Sobrinho e Cia. a que pertencia o Procurador.

O Snr. Cappitam José Vicente d'Azevedo, em c/c com
Manoel Joaquim da Rocha e Cia.

				Juros	Haver
1857	Junho	15	Recebido do 3.º Dividendo de Lazaro Pimenta		2:000$000
„	Nov.	30	D.º „ 4.º D.º „ D.º		1:000$000
					3:000$000
			Juros desde 15 de Dezbro. de 1857 (conforme a minha carta de 21 do dito mez) athe 14 de Maio 1858 que vão 4 mezes e 29 dias a 7%	86$920	
1858	Maio	14	Dinheiro que entregamos a Antonio Marques Oliveira		2:000$000
					1:000$000
1858	Agost.	11	Juros desde 14 de M.º athe hoje, 2 mezes e 20 dias	17$120	104$040
„	„	„	Liquido af.º do P. J. Vicente, juros e principal	Rs.	1:104$040
			——— DEDUZINDO ———		
1858	Agost.	11	Entregue por sua ordem a Rocha Sob.º & Cia.	20$880	
			Passado ao credito do Snr. J.º J. Rois & In.	1:083$160	1:104$040

%
Saldado

Rio de Janeiro, 11 de Agosto 1858

(*) Em documento semelhante há outro do mesmo senhor declarando ter recebido 2:000$000 pelo terceiro dividendo, correspondendo a vinte por cento na parte que subscreveu.

Rio de Janeiro, 1.º de Junho de 1861

Illm.º Sñr. José Vicente d'Azevedo

Lorena

Amigo e Snr.

Somos de posse de sua muito estimada Carta de nove de Maio findo e sciente em seu conteudo respondemos. Conforme nos ordena entregamos ao Snr. Mauá e Mack Gregor e C. a quantia de Rs. 965$360 que V. Sia. ordenou como melhor verá do recibo junto.

Sem outro assumpto por agora

Somos com muita estima

De V. Sia.

Amigos mt.º obr.os

Machado, Belfort e Cia.

P. S. — O seu amigo Machado agradece suas saudações e lh'as retribúe

Sôbre uma capa sôlta de caderno encontramos: Sociedade Bancária

Mauá, Mac Gregor e C.º
Snr. José Vicente de Azevedo.

DOCUMENTO N.º 34

Rby do Illm.º Sñr. Capitão José Vicente de Azevedo a quantia de cinco mil reis da assignatura do Almanak Laemmert, deste anno, que lhe será entregue logo que fôr publicado.

Lorena, 23 de janeiro de 1856.

J. B. G. S. Campos

(Papel timbrado BV)

Ilm.º Snr. Capitão José Vicente d'Azevedo.

Tenho a vista honroso favor de V. S. datado de 5 do Corrente em o qual me recomenda a pretenção do Sñr. João Neponuceno de Campos ao lugar de Tabelião dessa Cidade em resposta cumpre-me dizer que achando-me de partida para a Côrte pessoalmente tractarei deste negocio, empenhando todos os meus fracos recursos afim de que seja-mos felizes.

Creia V. S. que muito folgarei de poder mostrar a consideração e alto apreço em que tenho as suas ordens pois sou com muita fé e simpathia

De V. S.

Patricio e Cr.º muito affeiçoado
Obr.º Amigo

Barão da Bella Vista

DOCUMENTO N.º 34

CÓPIA DA SENTENÇA

Visto estes autos julgo não provado ter o Réo José Vicente de Azevedo feito a participação constante do documento de fls. na qual é atribuido ao Auctor o Dr. José Rodrigues de Souza o crime de tentativa de morte contra o dito Réo, porquanto sendo apenas o refferido documento uma copia de um escripto, cuja authenticidade não se acha devidamente provada, não póde em face da Lei constituir prova, e porisso julgo improcedente a queixa quanto a este fundamento, e absolvo o Réo da accusação contra elle intentada.

Quanto ao segundo ponto da queixa, deduzido do facto de ter o Réo apresentado contra o Autor a queixa constante do documento de fls. em virtude da qual organisou-se o summario crime em que foi o mesmo Autor pronunciado sendo depois revogada a pronuncia em Recurso, tambem julgo improcedente, por quanto tendo o Autor adduzido para prova da falsidade da impugnação que lhe foi feita unicamente a sentença de despronuncia a fls, não póde esta como tal ser considerada visto como é princípio corrente da nossa Legislação Criminal que a sentença de não pronuncia, não estabelece definidamente a não culpabilidade do indiciado, decidindo apenas que elle não deve ser sujeito a accusação, accrescendo ainda que das próvas e documentos offerecidos pelo Auctor, não resulta a convicção de que a queixa dada contra elle fosse intentada de má fé, como se acha allegado na petição de fls., oque foi satisfactoriamente contestado na defeza de fls. produzida pelo Réo. Fação-se as intimações necessarias, pagas pelo Autor as custas em que o condemno.

Lorena, 11 de Septembro de 1858.

Carlos Canuto Malheiros.

DOCUMENTO N.º 35

Copia

Illm.º Exm. Snr.

A Camara Municipal da Villa de Lorena em sessão ordinária de hoje resolveo a accusar a recepção da Portaria de V. Excia. dactada de 22 de Setembro pp. communicando a nomeação de José Vicente de Azevedo, para o Emprego de Delegado de Policia d'este Municipio, e determinando sua posse e juramento, cumprindo por tanto a esta Camara levar ao conhecimento de V. Excia. a inclusa certidão pela qual se verifica que este homem é menor de 21 annos de idade, tanto que não foi ainda qualificado votante, como assevera a inclusa certidão, e não se achando presentemente nas circunstancias exigidas pelos art. 20 do regulamento de 31 de Janeiro de 1842 e 22 § 1.º da Constituição do Império para o exercício de Delegado de Policia, por cujo motivo estando esta Camara em duvida se devia ou não conferir-lhe a posse e juramento resolveo ultimamente consultar a V. Excia. o que deve com acerto proceder neste caso a vista d'um documento e disposição da Lei a respeito. Releva observar a V. Excia. que esta Camara em outra occaziāo irreflectidamente defferio juramento a este homem do Emprego de 3.º supplente do Delegado do qual se acha effectivamente em exercicio, sem que tivesse conhecimento do documento que ora tem a honra de levar a presença de V. Excia. Cumprindo essa Camara com huma de suas obrigações determinada pelo art. 58 da Lei de 1.º de Outubro de 1828, faz chegar a conhecimento de V. Excia. os gravissimos veixames e perseguições acerrimas que continuam a sofrer os pacificos habitantes d'este Municipio com as arbitrariedades violencias e prevaricações d'este Empregado Público desde que assumio a jurisdição de 3.º Supplente de Delegado, afim de que, tomadas as devidas consideração digne-se V. Excia. dar as providencias que julgar convenientes a bem da justiça, e da tranquilidade d'este Municipio.

Em Agosto p.p. por occazião da festividade da Padroeira nesta Villa forão tantos as arbitrariedades deste Empregado, Exm. Snr. já com insultos a individuos no recinto do Templo, foi com prisões sem motivos legaes, e já finalmente com estrídor d'armas, pelas praças de permanentes aqui estacionados, que com alarme percorrião as ruas a toda hora, oque obrigou o delegado de então Ignacio Monteiro de Noronha a reassumir a jurisdição, não ainda bem restabelecido de sua saude, foi quando tudo se tornou em perfeita paz, e harmonia: entretanto Exm. Snr. grande foi a magoa que sofreo o Povo deste Municipio quando vio exonerado do Emprego este Cidadão honesto, e substituido por aquelle sem habilitação alguma para tão importante Emprego. Hua outra perseguição desvairada tem elle desenvolvido contra os habitantes d'esta Villa, e é o recrutamento sem ordem, e sem prudencia, fazendo prender a individuos pacificos que effetivamente se empregão uns em seos serviços como são Brasilino Candido Ferreira e Joaquim Gomes: aquelle official de Carpinteiro e este official de Sapateiro: causando com este procedimento hum dessanimo na população, e não só com essas prisões assim feitas, como ainda com as tomadas das portas do Templo pelos Soldados em occazião que o Povo assistia a festividade religiosa, pra na sahida efectuarem-se as prisões, percorrendo ainda aquelle Empregado, acompanhado da escolta, as ruas para o mesmo fim. O resultado desta imprudencia, Exm. Snr. é ficar a Villa quasi deserta, com paralização completa do Commercio, e sobre tudo exaustos de viverem com soffrimento de todos, e expicialmente da pobreza que sem recurço lastimão esta desgraça passando a maior das mizerias. A poucos dias ordenou elle fosse avizado o Guarda Policial Antonio Caetano para fazer parte no destacamento da Cadeia, este achando-se inpossibilitado de prestar o servisso por incomodos de Saude, pagou a outro Guarda para Substituir, requerendo ao Delegado se Admittia, ao que respondeu que não acceitava, e que o mesmo Antonio Caetano havia prestar o Servisso pessoalmente e como não obdecesse incontinentemente, e a esta determinou vocalmente que para effectuar a deligencia impregassem a força, e que si o matassem não fazia mal, pois que pretendia acabar com os tais farrapinhas cuja ordem foi dada na rua publicamente. Ainda não é tudo Exm. Snr. No dia 16 do corrente foi dentro da sua caza Daniel Gonçalves homem pacifico, e sem crime algum, accomettido por hua escolta de Permanentes que dando-lhe a voz de prizão a ordem do Delegado, e sem que houvesse a menor resistencia descarregarão-lhe golpes e pancadas que o deixarão moltamente ferido, que a não sucumbir, tem de ficar aleijado de ambos os braços, entre tanto que seos aggreçores ponião impunemente pelas ruas destas Villa, empregados nas mesmas Delegacias. A Camara Exm. Snr. se tornaria enfadonha se se propusesse a descrever miudamente quantas arbitrariedades e violencia tem este homem desenvolvido com a influencia da jurisdição que exerce, permita-se por tanto unicamente aos factos referidos, dos quais podem a (...) de si consequencias funestas, e bem desagradaveis, e por isso apressa-se essa Camara, em cumprimento de seo dever, em pedir providencias a V. Excia. a quem Ds q. ms. assina Paço da Camara Municipal de Lorena em Sessão extraordinária de 31 de Outubro de 1853. Illm.º Exm. Dr. Jovino do Nascimento Silva Presidente d'esta provincia Joaquim Honorato Pereira de Castro e Antonio Bruno de Godoy Moreira — Marciano Maximo Francisco — José Joaquim da Silva Caldas — João Baptista da Silva Veado — Esta Conforme...

O Secretário

Nuno José Olivaz

DOCUMENTO N.º 34-A

Cópia

Illm. Exm. Snr.

Constando a esta Camara que o Delegado em exercicio José Vicente de Azevedo, pretende ante V. Excia. arguir de falça a certidão de seo baptismo por meio de huma ephemera justificação promovida no Juizo Municipal d'esta Villa, resolveo a mesma Camara em sessão extraordinaria de 23 do corrente exigir do Reverendo Vigario d'esta Parochia minuciosas explicações a respeito obtido em resposta os exclarecimentos constantes do incluzo officio, comprovados com o documento junto o que tudo julga esta Camara de seo dever levar a presença de V. Excia. firmando assim a validade d'aquella Certidão, e mostrando a inefficacia da justificação que sem duvida foi submetida a conhecimento de V. Excia., com o intento de conservar-se aquele menor no Emprego de que se acha impossado, para o qual realmente Exmo Snr. não tem capacidade alguma, não só por ser menor de 20 annos de idade, como mesmo por se ter tornado hum accelerado desordeiro, que com suas bravuras insolitas e desregradas, tem sem duvida de anarquizar o Municipio, provocando na População talvez acontecimentos desastrosos! A Camara Exm. Snr. teme, e teme com razão que em seo Municipio se represente scenas de horror e desgraça; e por isso sempre assidua na prevenção de tais resultados, e zeloza pelo bem estar de seo Municipio, fará quanto estiver em seo alcance para manter a segurança individual, procurando com esforços a concervação da paz, e da tranquilidade Publica, de que tanto depende a felicidade de todos e para concervação deste assim conta com a valioza proteção de V. Excia: possuida deste sentimento Patriotico será feito no cumprimento de seos deveres participando constantemente a V. Excia. tudo quanto ocorrer neste Municipio a fim de que as providencias sejão dadas, e a ordem Publica não seja alterada. Já em outra occazião esta Camara fez chegar ao conhecimento de V. Excia. alguns factos arbitrarios praticados por aquelle Delegado no exercicio de sua jurisdição; tendo agora a participar mais outros que recentemente acaba de apparecer. Hera domiciliado no termo d'esta Villa, a mais de sette annos João Rodrigues Junqueira, homem pobre, cazado, com sette filhinhos sendo a maior huma menina com 11 annos de idade; este individuo era qualificado votante e adiverçario politico do mencionado Delegado José Vicente de Azevedo. No dia 18 do corrente tendo aquelle Junqueira vindo de seo sitio a esta Villa, no caminho encontrou-se com o official de justiça Prudente de Jesus Fernandes o qual por intrigas antecedentes com elle, e ebrio como estava deu-lhe algumas pancadas, aquelle voltou para o seo sitio e este vindo a Villa derigiu-se ao Delegado, e fez com que se determinasse a prisão do referido Junqueira;

de modo que no mesmo dia ao escurecer em sua casa engatilharão digo caza apresentou-se huma escolta de permanentes aqui estacionada, e todos de armas imbaladas, apenas o avistarão na porta de sua caza engatilharam as armas em ponto de tiro sem que lhe dessem ordem de prisão, e nem lhe apresentasse o competente mandato; o infeliz querendo escapar com a vida se poz a correr precipitando-se logo em hum buraco em pouca distancia da caza, e foi quando a escolta o alcançou e lhe fez fogo; e assim baleada a victima, e ja nas ultimas parossimas da vida, pelos tiranos soldados conduzida a rasto ate o terreiro da caza, e onde sem mais socorro meterão-lhe em hua rede e a conduzirão a cadeia desta Villa e no dia seguinte terminou sua existencia. O Delegado procedeu o competente auto de corpo de delicto, fazendo reter os soldados na sala livre com as portas abertas: nesse mesmo dia na salla da Cammara veio o Dr. Juiz Municipal com seo escrivão para exercer funções de seo emprego, e foi quando entre os soldados apareceu grande alarido de vozes tão altas que pertubarão os trabalhos d'aquelle Juiz, o qual dirigindo-se a elle os chamou a ordem impondo-lhes silencio, com pena de serem recolhidos a enxovia, neste acto em voz alta e arrogante respondeo o Cabo da Guarda que não conhecia no Juiz authoridade alguma para lhe impor silencio e gritou a mesma guarda! a esta voz incontinente todos os soldados lançarão mãos das armas, e enbalando as puserão-se assim de baixo d'armas. O Juiz que vio esta disposição dos soldados, prudentemente se tornou para sua caza e la concluio com os trabalhos da Justiça. O Delegado porem em vez de cumprir o seo dever prendendo aquelles soldados em prisão segura, proceçando-os por tão audacioso attentado, pelo contrario acintozamente ordenou a soltura de todos, a exepção de hum que na mesma datta e com portas abertas ficou com o nome de prêzo, e entretanto que estes delinquentes de tantos crimes passarão armados pelas ruas d'esta Villa, impunenmente sem o menor temor da Justiça.

A vista disto Exm. Snr. pondere V. Excia. que este Delegado assim procedendo pode ser por um momento assim conservado no Emprego que actualmente exerce? Cumpre por ultimo observar que esta Villa, antes que este Delegado entrasse no exercicio do Emprego, e antes que aqui chegasse o destacamento de permanentes permanecia em completa paz e harmonia, conservando-se tudo em perfeita tranquilidade; e hoje vesse nos povos um clamor geral, pelos continuos sofrimentos de graves veixames e persiguição do Delegado e soldados a seo mando. Esta Camara espera que tomada em consideração o que fica expendido sejão remediados tantos males com a energica procedencia de V. Excia. a quem Deos guarde por mais annos. Paço da Camara Municipal de Lorena em Sessão extraordinaria de 25 de novembro de 1853. Illm.º Ex. Dr. Josino do Nascimento Silva Dign. Pres. desta Prov. Joaquim Honorato Pereira de Castro. Antonio Bruno de Godoy Moreira. Marciano Maximo Franco. José Joaquim da Silva Paiva. João Baptista da Silva Veado. Conforme João Baptista Gonçalves da Silva Campos.

Esta confere

O Secretario

Nuno José Olivaz

Cópia

Illustrissimo Senhor Doutor Juiz Municipal e de Orphãos.

Justino José De Lorena preciza que Vossa Senhoria por no respeitavel despacho determine ao Escrivão de Orphão que passe por certidão o inteiro theor do titulo de herdeiros, declarados no Inventario a que se procedeu por falecimento de José Vicente de Azevedo, e o dia, mes, e anno em que se fizerão essas declarações, e por bem forão feitas; pelo que espera receber justiça. Despacho na forma requerida. Lorena 18 de Janeiro de 1854. Rodrigues de Souza. Representação dos que vão. Illustrissimo Senhor Doutor Juiz de Orphãos tendo duvida em passar a certidão ordenada por V. S., visto que encontro nos autos uma emenda na cidade de Lorena de um dos herdeiros e suponho já tivesse passado uma certidão que me foi pedida, contudo bem refletindo parece-me não dever passar esta pela razão da emenda ali feita entretanto Vossa Senhoria mandarão o que for servido. Lorena, 18 de janeiro de mil oitocentos e cincoenta e quatro o Escrivão de Orphãos Manoel da Silva Castro Replica. Ilustrissimo Senhor Doutor Juiz de Orphãos, com a devida venia, diz o supplicante que a vista da informação do escrivão digo informação suppra digne-se V. S. ordenar um exame judicial em sua presença sobre a emenda de que trata o Escrivão. Declarando o mesmo debaixo de juramento quem o autor desse vicio, que encontrou nos autos, nomeando V. S. dois peritos para o referido exame, e tudo autuado seja depois entregue ao Supplicante para seo documento. Pede a V. S. se sirva assim defferir marcando dia e hora para o procedimento do auto de exame com citação do escrivão de Orphãos e dos peritos nomeados por V. S., nomeando-se igualmente um escrivão ad hoc para este fim pelo que recebera justiça. Justino José de Lorena. Despacho — Visto a informação do Escrivão de achar-se viciada pela emenda a declaração de idade e ter não obstante o Escrivão passado certidão, e havendo suspeita de falsidade, ordeno ao Escrivão que apresente em Juizo o Inventário para proceder-se o exame hoje as tres horas da tarde e nomeio para peritos o Escrivão do publico e João Baptista Gonçalves da Silva Campos e o Escrivão do Publico cite ao Dr. Promotor Publico para assistir ao exame. Lorena 19 de janeiro de mil oitocentos e cincoenta e quatro. Rodrigues de Souza. Juramento do perito nomeado. Aos 19 dias do mes de janeiro de oitocentos e cincoenta e quatro annos, nesta Villa de Lorena em caza de morada do Dr. Juiz Municipal José Rodrigues de Souza, commigo Escrivão de seu cargo diante nomeado fui vindo, e sendo ahi presente o perito, nomeado João Baptista Gonçalves da Silva Campos, a quem elle Juiz deferiu o juramento dos Santos Evangelhos, na forma da lei, e lhe encarregou que debaixo do mesmo com boa e sã consciencia, malicia ou má fé procedeo-se ao exame requerido pelo Supplicante da petição retro Rev. Vigario Juiz José de Lorena, conforme se acha. E sendo por elle asseito dito juramento, debaixo do mesmo o prometteu cumprir. Do que para constar mandou elle juiz fazer este termo em que se assignou com o perito. Eu Domingos José Alves Guimarães. Escrivão que o escrevi. Rodrigues de Souza. João Baptista da Silva Campos.

Auto de Exame. Anno do Nascimento de Nosso Senhor Jesus Christo de 1864, aos dezenove dias do mes de janeiro anno de ditto anno, nesta Villa de Lorena em caza de morada do Dr. Juiz Municipal José Rodrigues de Souza, onde eu Escrivão de seo cargo adeante nomeado fui vindo, e sendo alli presentes O Reverendo Vigario Justino José de Lorena, supplicante da petição retro, o Dr. Promotor Publico da comarca José Candido de Azevedo Marques, o perito nomeado João Baptista Gonçalves da Silva Campos, e o Escrivão de Orphãos Manoel Lopes da Silva Castro, afim de se proceder o exame requerido pelo mesmo supplicante nos autos de inventario aque se procedeu por fallecimento do Commendador José Vicente de Azevedo, para o que sendo apresentado pelo ditto Escrivão de Orphãos no mesmo inventario, ordenou elle Juiz a mim Escrivão e ao perito nomeado e juramentado que debaicho do juramento prestado, e a mim ou de meu officio procedermos a exame referido, declarando todos o viciamento e emendas que encontrassemos na declaração de herdeiros do mesmo inventario, e passando nós a rever o mesmo inventario em presença de todos nelle a fls. 4 da declaração de herdeiros examinando o perito João Baptista Gonçalves da Silva Campos, por este foi declarado que sendo escrivão digo que sendo elle o escrivão que escreveu o ditto inventario na qualidade de escrivão digo de ajudante, reconhece da declaração feita, quanto ao herdeiro José Vicente de Azevedo ter escripto dez annos de idade, do mesmo, e que o — o — que existe era hum — e — que foi emendado para — o — e que acha mais groço o — o — na emenda feita ao lado de cima, e que a tinta e quasi igual. Disse mais que diante do — z — que existe na ditta palavra, achaçe um — e — que visivelmente se ve que foi feito com tinta diferente, e mais apagado achando-se o mesmo — é — um tanto raspado: achando-se por isso a ditta palavra viciada. E sendo igualmente por mim vista e examinada a ditta declaração, entendo que o — o — não paresse que fosse imendado, achando adiante do — z — uma letra parecida com um — e — fazendo este — e — alguma diferença na tinta das mais letras, conhecendo-se que nesse lugar ao pe do — e — e raspadura ao pe d'elle e na causa do — e — digo nada mais achamos para declarar. E logo no mesmo acto pelo Doutor Juiz Municipal foi ordenado ao escrivão de Orphãos que presente se achava, que debaixo de juramento do seo officio declarasse a respeito da emenda encontrada si foi em tempo de seus antessesores ou em seo tempo, e finalmente quando passou a certidão já se achava tais emendas, ou não, visto não ter declarado, e que desse todas explicações a respeito e prometeu cumprir, declarou o seguinte. Respondeu que foi elle digo Respondeo que não foi elle respondente que fez a emenda, mas que no dia quinze do corrente que João José Antonio Guimarães compadre d'elle respondente mandou pedir em confidencia o ditto inventario e enviando-lhe pelo mesmo portador, este ditto seo compadre o teve em seo poder atté o outro dia de manhã, quando mostrou a elle respondente, e não achando o portador a elle respondente em casa, entregou a sua mulher, e no mesmo dia foi em caza d'elle respondente Domingos José Alves Guimarães, com um pedido por escripto em nome de Dona Maria Pereira da Guia e Azevedo pedindo por certidão o titulo de herdeiros do mesmo inventario, dizendo-lhe que José Vicente lhe tinha pedido que exigisse aquella certidão, e que me fisesse lembrar que não me enganasse na idade delle, pondo dez annos em vez de doze, pois que na realidade era doze e indo elle respondente com o ditto Domingos José Alves Guimarães, examinar o inventario achavão com effeito aquelle viciamento e pondo elle respondente alguma duvida em passar aquella certidão, o ditto Domingos, dise-lhe que supunha que não lhe pudesse resultar mal algum em passar a ditta certidão, e em virtude do que elle respondente passou a ditta certidão e por falta de refleção não declarou que estava viciada, e depois de ter entregue a ditta certidão, pensando bem n'aquelle viciamento derigio-se a caza do ditto seo compadre João José Antunes Guimarães, por conhecer a probidade deste, e lhe perguntou, se aquelle inventario que elle tinha mandado pedir a elle respondente era para ver alguma coiza, ou era para outrem, pois que se achava viciada a idade de José Vicente, e que elle respondente ignorava quem tinha feito, respondendo-lhe que indo José Vicente de Azevedo em sua casa pedir-lhe que mandasse pedir a elle respondente os autos de Inventario do finado seo pai, o mesmo lhe disse que podia mandar pedir por si, e o mesmo José Vicente lhe disse que quanto se desse com elle respondente, que não queria mandar pedir, a vista do que elle João Antunes mandou pedir em nome por hum bilhete, e logo que chegou entregou ao ditto José Vicente, e este lhe disse que os levava e que logo os trazia, o que com effeito assim o fez, entregando a elle ditto João Antunes o que elle João Antunes nem abrio os dittos autos, e por isso ignorava tudo. É o que na realidade sabia. E logo neste acto sendo por elle Juiz dada a palavra ao Doutor Promotor Pubblico para requerer o que convier a respeito do exame disse que nada tinha a requerer a vista do que elle Juiz ordenou que fisesse encerramento deste auto e tirado fosse entregue ao Doutor Promotor Pubblico, para requerer por parte da justiça o que lhe convier dando-se a original á parte. O que de tudo eu escrivão dou fé e para constar manda fazer este auto em que se assignou com a Supplicante, Promotor, escrivão de Orphãos e perito. Eu Domingos José Alves Guimarães — João Baptista Gonçalves da Silva Campos — José Candido de Azevedo Marques — Manoel Lopes da Silva Castro — Justino José de Lorena.

Está conforme

O Secretario

Nuno José Olivaz

Illm.º Rem. Senhor Vigario

Nuno José Olivaz Secretario da Camara Municipal d'esta Villa, em cumprimento d'ordem da referida Camara percisa que V. Rma. em face dos Livros de assentos de Baptisado n'esta Parochia passe por Certidão o inteiro theor do assento de Baptismo de José Vicente d'Asevedo, filho do finado José Vicente de Azevedo, pelo que

R. M.

Certifico, que a fls. 42 do Livro 11.º de assentos de baptisado brancos e libertos desta Parochia de Lorena acha-se o assento do theor seguinte — José. Aos desesseis de Fevereiro de mil oito centos e cincoenta e dois auctorisado abro o assento seguinte — Aos seis de Abril de mil oito centos e trinta e quatro nesta Matriz de Lorena o **Padre Manoel Theotonio de Castro** baptisou e poz os Santos Oleos a José, filho legitimo de José Vicente de Azevedo e de Dona Maria Pereira da Guia: forão Padrinhos o Capitão-Mór Manoel Pereira de Castro, hoje fallecido, e Dona Anna Vicencia de Azevedo, todos fregueses desta Parochia. O Vigario Candido José de Castro — Nada mais continha o dito assento ao qual e ao Livro respectivo me reporto, e afirmo por Sancta Dei Evangelia. Lorena 22 de Julho de 1854.

O Vigario Justino José de Lorena.

D. Gratti

DOCUMENTO N.º 36

Illmo.º Snr. Dr. Juiz de Direito da Comarca

É com o mais profundo respeito que passamos a responder a accuzação e responsabilidade que perante V. S. nos é promovida em nome de D. Feliciana Joaquina do Amor Divino e José Antonio Nogueira.

Quando um empregado publico serve um cargo com o unico fim de prestar seu fraco contingente a bem de seu pais, quando não tem outro interesse em vista mais do que o interesse publico, a bem da Justiça, é sobremaneira doloroso que a baba peçonhenta da calunnia pretenda tocar seus actos para disvirtua-los e dar-lhes um caracter criminoso.

Se porem o acuzado por um lado sente profunda magoa ao ver-se inculpado de crimes que não commettera, por outro lado o anima a consoladora ideia de que a sua causa tem de ser julgada por um Juiz letrado, imparcial e próbo, que saberá com firmesa pesar na balança da mais recta Justiça os factos de que passamos a occuparmos.

Aceitou o acuzado o cargo de 1.º supplente ao Juiz municipal d'esta cidade, p. que acostumado desde os primeiros annos de sua vida publica a não recusar-se a qualquer sacrificio em bem de seu municipio, entendeo que era um dever sujeitar-se ao pesado ônus de um emprego p. que não tem as necessarias habilitações, e procurou esforçar-se por corresponder a alta confiança que o Governo da Provincia nelle havia depositado, consultando sempre que lhe era possivel, e nas questões de maior importancia, a homens lettrados, e habeis para dirigi-lo: de nada valeu porem, quando o accusado empunhou para por-se acoberto de mal cabidas arguições, a calunnia quando é filha do odio e vingança, transpõe todas as metas, e pois, a despeito de tudo é hoje impedido a comparecer perante V. S. p. defender-se da accuzação de haver incorrido nos arts. 142 — 145 — 160 — 162 — 266 — 2.ª parte do cod. crim.

Entre as cauzas que forão submettidas a minha jurisdicção como Juiz municipal supplente d'esta cidade, figura a acção civel de divisão entre partes (D. Feliciana Joaquina do Amor Divino e seu genro, como RR). (e Cap. José Fernandes d'Oliveira e Silva e sua mulher, como AA.)

Ha pessoas, Ilm.º Snr., que substituem o bom direito pela estrategica rotina das aldeias e que em falta de razão juridica para faserem vigorar suas intenções, procurão socorrer-se de auxiliares menos proprios, mormente quando os sonhados crimes por elles engendrados só tem por mira inutilisar o Juiz que não satisfas a seus caprichos, e que procura nas leis e na lição dos doutos o norte p. que deve guiar-se.

Tinha esta causa marchado por longo tempo, e obtido final sentença n'este Juizo quando seguio por appellação para a Relação do Districto, e dali em gráu de Revista para o Supremo Tribunal de Justiça, em ambos este superior Tribunal (por Accordãos constantes 16 Out. de 1856 do documento n. 1,) foram prefixados os extremos das terras dos AA. com aquellas sobre que ainda restava duvida e mesmo davão litigio, isto é, estavão reconhecidas as cinco primeiras quartas de legua e meia da sesmaria primitivas, ficando apenas o sexto quarto para ser ventilado em acções ordinarias. N'este estado de cousas em execução d'aquelles Accordãos requererão os AA. (Reus na execução) que se procedesse a uma linha de demarcação entre o quinto quarto reconhecido e legitimado pelos ditos Accordãos, e o sexto reservado para posterior litigio, nenhuma razão militava p. que se lhes negasse aquella execução, e sim lhes foi concedida essa demarcação por despacho de 25 de Abril do corrente anno. Estava designado o dia 4 de Maio para a demarcação quando nesse mesmo dia appareceu uma petição dos RR. appelando da decisão que a determinou; deferi pessoalmente — essa petição e prosegui nos ulteriores termos da demarcação pelas razões que passo a expor.

Tendo sido a demarcação designada para o dia 4 de Maio, como fica dito, isto em 25 de Abril com antecedencia de 9 dias tiverão os RR. conhecimento d'esse acto e só se lembrarão de procurar obstal-o no dia para elle marcado e na hora em que deveria ter logar, e ainda assim foi demorada a publicação em poder da parte até o dia 6, dois dias depois, como consta do Documento n. Se pois os RR. se julgarão com direito de embaraçar aquelle acto, devião ter logo procurado realizar por termo nos autos o seu direito, pois é sabido que a petição em mão da parte não surte effeito, porem assim não aconteceu p. que não só retiverão a publicação p. todo o tempo acima referido como ainda mais só cuidarão de ractificar a appelação em audiencia apenas de 9 de Maio, isto é, cinco dias depois do acto da demarcação. É pois evidente, que esta appellação não era um acto serio, de que os RR. tivessem consciencia, era apenas uma estrategia, uma chicana, um ardil empregado para embaraçar ou protelar um acto a que se não podia oppor com razão de direito.

Entendemos p. isso que não podia a simples petição despachada sobrestar a demarcação principalmente quando estavamos como ainda hoje estamos convencidos de que ella devia verificar-se a despeito da appellação interposta.

Trata-se de uma acção summaria p. sua natureza e tanto mais sumaria, quando n'esse momento se ventilava apenas uma execução de sentença nos Accordãos que validarão e reconheciam o direito dos A.A. até o quinto quarto, não era pois possivel de forma alguma que tal appellação fosse recebida senão no effeito divolutivo unicamente. Tinha-se determinado a execução dos Accordãos da Relação e supremo Tribunal de Justiça, e essa execução offerecerão os RR. os Embargos que nos autos respectivos constão de fls. 198, os quais p. sua materia forão registrados a fls. 216, e determinada, como anteriormente disse, a demarcação p. o dia 4 de Maio, appareceu o incidente da interposição da appellação, a qual segundo então pensavamos, e ainda hoje pensamos, não podia ser recebida senão no effeito divolutivo, e em prejuizo da deligencia determinada como se ve das 1.as linhas sobre o processo civel Brasileiro do Dr. José Maria Frederico de Souza Pinto, nota 1667, onde depois de tratar dos effeitos em que devem ser recebidas as appellações, enumera as que só devem ser recebidas no divolutivo e na citada nota dis — "e da mesma forma nas execuções de sentença, havendo regeição, ou não recebimento dos embargos".

Fomos p. estas razões demovidos a proceder d'esta forma, seguirmos neste ponto uma opinião de direito que julgamos sã, e ouvimos o juizo de pessoas competentes na materia, como pois faser-se de um tal acto um crime, e muito menos uma serie de crimes como se vê do acto de occupação? Póde por ventura o accuzado ter seguido uma opinião menos juridica, mas nem por isso se poderá provar que foi impellido a isso por um motivo reprovado; e estará mesmo provado desde já a illegalidade do seu procedimento? Não está a solução da cauza e seus incidentes pendente da decisão do Tribunal Superior?

Se o accusado não confiasse de sobejo na avantajada illustração do Meritissimo Juiz que tem de tomar conhecimento do auto de accusação, desceria á analise de cada um dos artigos de que se acha inculpado e mas isso seria desconfiar da rectidão e juizo esclarecido do Meretissimo julgador, os crimes a que se fás carga ao accusado, não só não existem pelas razões que acima ficão produzidas, como quando mesmo algum d'elles podesse existir, não era possivel que todos conjuntamente tivessem logar, p. que um ou absórvem os autos ou os repillem; foi um luxo de perseguição, ou antes com mais exatidão, foi uma dessas miseraveis tricas de que a chicana pouco esclarecida costuma lançar mão para inutilizar aquelles Juizes que se não tem podido dominar.

Tranquillo espero a decisão final deste processo, e seja ella qual fôr, respeita-lo-hei como a decisão de um Juiz competente, guardando sempre no fundo de minha consciencia a satisfação que tem todo o homem honesto que está convicto de haver bem obrado.

a) **José Vicente d'Avezedo**

OFÍCIO DO BARÃO DE ITAÚNA

DOCUMENTO N.º 37

Palacio do Governo da Provincia de São Paulo, em 6 de Outubro de 1862.

Illm.º Sñr.

Cumpre que V. Sia. informe com urgencia esta Presidencia sobre os factos constantes dos trechos de um officio, que por copia lhe remetto, isso proceder, é uma desculpa esfarrapada e frivola que é preciso ter grande coragem para leva-la ante V. Excia. quando é filha da irregularidade que tem commettido de não ter ainda se dirigido á legitima Secretaria do Commando Superior, ou pedido se quer a menor informação daquillo que só nella deve constar, e não na subdelegacia ilegalmente nomeada ou improvisada Secretaria, sem sciencia alguma do verdadeiro Secretario, sem um recado ao menos ter mandado á este de que estava substituido. E como apresentar essa desculpa ainda se ao guarda que é intimado por sua ordem e que, e lhe apresenta reclamando, disendo — Senhor eu sou da reserva por ser visivelmente doente, ou pela idade, ou por tal ou tal isempção, os do serviço activo não tem sido nem são occupados, ahi estão vadiando e rindo-se de nós; elle lhes responde — é por isso mesmo que são da reserva que eu os occupo, e eide occupar para mostrar que agora sou eu quem mando, que todos os Concelhos de Gualificação com a minha nomeação caducarão e são nullas — salvo se vota comigo em Janeiro, então os dispenso, como tenho dispensado á outros. Á um que sempre foi da reserva, e que no ultimo conselho passou para o serviço activo elle disse — Ah! não e da reserva, então foi por engano, mas como veio, irá fazer serviço. É assim que tem sido chamados e cossados no serviço. Nuno da Silva Reis, da reserva por doente, maior de 50 annos, asmathico e sensiphthisico, que já tem as faces fundas e olhos encovados, e que não passa uma lua que não esteja atacado, estando-o quando foi occupado n'uma viagem de 11 leguas para levar um preso em Arêas. Benjamim Celso Nogueira, da reserva por doente, com uma grande rotura. Antonio Galvão da Silva, da reserva por aleijão, pois manca por ter uma perna mais curta do que a outra. José Gonçalves Leal da reserva por doente e quasi invalido. Celestino Ferreira Valle, da reserva por doente á quem se deu para levar á Silveiras (7 leguas) um officio tão importante, que a pessôa que o recebeu lhe disse — pois para isso carecia de mandar um guarda nacional! Como vai isso por lá! José Francisco Florencio, da reserva por doente, Chefe de numerosa familia. Manoel José da Silva, da reserva pela idade que foi forçado á levar um impresso capeado como Serviço público. Roque da Silva Magalhães, da reserva por doente, que foi levar cartas de convite para a instalação do Gremio Conservador com enveloppe official e que voltando teve de seguir ainda para Pindamonhangaba (9 leguas) levar um preso. João Joaquim da Silveira, da reserva por doente e pela idade, quase caduco, que foi incumbido da entrega dessas mesmas cartas. Possidonio Soares da Silva, da reserva pela idade, e por doente, manco e aleijado, á quem tocarão 3 cartas, estas até sem enveloppe official. José Alves da Rocha Barretto, da reserva por doente, e que além disso sendo Escrivão da Collectoria, repartição que funciona das 9 as 3 da tarde, foi notificado, pediu despensa por todas estas razões, e não obstante foi recolhido á prisão, apenas sahio da repartição e hia para sua casa. Pedro José da Silva Costa, da reserva por doente, Fasendeiro, Eleito da Parochia, que após 5 dias de occupação no jury, como Juiz de facto, receberá um aviso, de sua mulher que se achava doente, e que o chamava, foi notificado para ir levar um preso insignificante em Pindamonhangaba; requereu com todas estas razões, não teve despacho apesar de reclama-lo tres veses, e ultimamente fallando--lhe o coração mais alto do que a cabeça, dirigia-se á ver sua mulher quando teve de voltar, prêzo e foi recolhido á uma enxovia! E como este outros muitos que longa seria enumerar.

É assim enfim que esta importante e pacifica cidade, digna de melhor sorte, jaz n'um estado de Alarma, que é impossivel de descrever-se, ninguem conta com justiça, por mais razão que lhe assista, muita gente já se tem refugiado para as rossas, e muitos já fallão em sua mudança de municipio para fora.

do Ex Commandante Superior da Guarda Nacional desse Municipio, os que lhe são attribuidos

Deus Guarde á V. Sia.

Ass. **Barão de Itaúna**

Copia da parte do officio do ex-Commandante Superior de Lorena, relativo ao actual Commandante Superior.

"Não é porém, meu fim reclamar a reintegração do referido Commando, de que tão injustamente fui suspenso para ser conferido á um dos meus Capitães, aquelle mesmo que nem guarda, nem o menor serviço prestou-me para complemento deste contingente, e que se não fora as minhas contemplações á muito que estaria despojado de seu posto, e substituido por quem melhor a desempenhasse, para o que appelo para a consciencia delle mesmo, para a opinião publica, não é meu fim, dizia eu, se não consignar os factos, manifesta-los á V. Excia., para que se digne fazer justiça á quem merecer, e tambem queixar-me das tropelias, e irregularidades que, esse homem para quem nunca houve lei, e nem justiça, começou á cometter desd'o momento em que recebeu (não sei se já com juramento prestado) sua nomeação, e foi revestido de um encargo tão importante. Na madrugada seguinte á aquelle dia, ou antes noite, em que recebeu a nomeação, forão todas as esquinas da Cidade sabedoras por uma ordem do dia impressa, de que junto aqui um exemplar, sendo tambem destribuidas imediatamente pelos bairros cerca de 300 exemplares da mesma, e começarão apos isso as notificações sem reserva, e nem comtemplação alguma. Esta ordem do dia, o primeiro acto do novo Commandante Superior, que á laia de pasquim se afixou pelas esquinas, já é uma amostra do que delle acima disse, pois que alem do chincalhe que fazia ao seu ex Superior, e oje quando muito igual, vem ainda demonstrando que a lei, e disposições relativas a Guarda Nacional são para elle lettra morta, porquanto declara sem effeito as inspecções de saúde, por motivo das quaes forão muito legalmente alguns guardas, não por mim, mas pela Presidencia, authoridade Superior á elle, e muito competente, dispensados das designações, e ainda outra, chama um novo Secretario que nomeia interinamente, havendo um Secretario Geral do Commando Superior legalmente nomeado com diploma por S. M. Imperador, impossado, e que não foi suspenso, pelo que deve considerar-se prompto para o serviço. E quem nomea elle? Um official de Companhia que sendo Subdelegado de Policia, não está, não pode estar no exercicio de seu posto? Mandou por este Subdelegado diser-me, sem officiar, nem de outro qualquer modo requisitar, que lhe mandasse um livro de juramentos, que percisa, recado a que não quiz tomar a responsabilidade de satisfazer pela sua ilegalidade e porque devia, como é claro, requisitar-me todos e não um somente, tanto mais que todos se achão na Secretaria do Comando Superior, seo lugar proprio e competente. Não fica ainda ahi. Voltando as notificações em que só de passagem fallei, é força dizer que ellas tem produzido um verdadeiro clamor publico nesta Cidade pelo menospreço da lei, e ostentacão do — quero porque quero — com que tem sido feitas, porquanto escolhe-se de proposito a guarda da reserva para fazer serviço, e faz-se disto ostentação, disendo que é mesmo para costear e faze-los chegar ao rego. Poderá dizer á V. Excia. como já disse á uma authoridade respeitavel que não lhe soffreu a paciencia e dirigiu-se-lhe, reclamando, unica aqui á quem elle se dignou querer disculpar-se, como o quererá ante V. Excia., pois que á todos os mais que lhe fallão, ostenta que o faz porque quer; poderá diser, digo, que não sabe quem é da reserva, e quaes os do serviço activo, porque não tem os livros, mas não pode

É para tantas tropelias e arbitrariedades que vejo commetter, e de que não posso ser testemunha muda, tanto mais que á mim se tem vindo os pobres quardas queixarem-se, e á bem de socêgo enfim d'esta pobre gente, que desespera, que eu não acreditando que V. Excia. as queira authorisar ou consentir, tenho a honra de dirigir-me á V. Excia. a pedir-lhe providencias promptas e seguras afim de sobr'estar-se este estado de cousas que não pode ser mais lastimavel e doloroso. Será o maior serviço que V. Excia. pode prestar aos Lorenenses, na actualidade calamitosa, porque estão passando. Deus Guarde á V. Excia.. Lorena 26 de Setembro de 1868 — Illm.º Senhor Senador Barão d'Itaúna. D. Presidente desta Provincia de S. Paulo.

Antonio Moreira de Castro Lima

DOCUMENTO N.º 38

Ha dois annos que o Tenente Coronel Comandante e officiais do Batalhão da Gda. de Lorena têm ignorado quaes são os seos guardas, porque os livros da guarda nacional trancados mysteriosamente na casa do Comandante Superior Antonio Moreira de Castro Lima não erão vistos e nem tampouco forão mais cumpridas as disposições dos arts. 34 e 35 do Decreto n. 1130 de 12 de março de 1853 sobre a distribuição das praças.

A Lei da Guarda Nacional e a propria Guarda Nacional erão só a sua e unica vontade.

É assim que prestando ele seu juramento em 21 de novembro de 1856 ao posto de Coronel Commandante Superior para que foi nomeado por Decr. de 14 de setembro anterior (e portanto não foi criado o commando em 1867 como disse o Snr. Martim Francisco); em 15 de Dezembro immediato mandou affixar editais e no dia 22 do mesmo, com o Padre Manoel Theotonio ao lado na qualidade de Presidente da Camara Municipal, fez um conselho de revista como lhe pareceu, contra a terminante disposição do art. 25 do Decr. 1.130 de 12 de março de 1853 que marca o terceiro domingo de cada anno para sua reunião; e dispôs da Guarda Nacional do Municipio a seo bel prazer.

No Conselho de Revista de 1867, foi além. Sob o frivolo motivo de terem escapado alguns nomes na qualificação que havia procedido, foi o Conselho adiado contra a disposição do art. 45 do Dec. n. 722 de 25 de outubro de 1850, que determina que "O Conselho de Revista deverá concluir os seus trabalhos no espaço de 10 dias ao mais tardar", para o dia 23 de setembro futuro; mais ainda então "reconhecendo que as listas não estavão conformes, não se prestando porisso ao trabalho perfeito a que o Conselho queria chegar, propos-se o Sr. Coronel Commandante Superior Presidente, á consultar S. Excia. Presidente da Provincia, devendo novamente reunir-se o Conselho quando fosse a mesma consulta respondida" (pg. 8 v. do livro de Acta o Conselhos e Revista da Guarda Nacional de Lorena; e em resultado nunca mais se reuniu nesse anno e não ficou completa a qualificação e revisão anual e assim procedeu em tudo contra a disposição do art. 47 do dito numero 722 de 25 de outubro de 1880).

No corrente anno apezar de estarem as listas conformes e prestarem a um **trabalho perfeito,** porque então já o Coronel tinha conseguido do senhor Martim a reforma, sem que a pedisse, do Tenente Coronel João José Rodrigues Ferreira e nomeação do Tenente Coronel para o Sr. Bruno de Godoy; e o Conselho de qualificação tinha sido procedido pelo referido senhor Bruno que contanto houvesse sido nomeado pelo Decr. de 18 de março com patente de 24 do mesmo e só prestasse juramento em 15 de julho, já tido pelo conselho e revista como Tenente Coronel Presidente d'aquele conselho que allias tinha encerrado os seus trabalhos no dia 13 de junho anterior!

Todos esses actos constam dos respectivos livros da Guarda Nacional de Lorena e o seu author é o mesmo que qualifica de tropelias os actos de vinte e tantos dias de exercicio do seo substituto.

Suspenso o dito Coronel do **trabalho perfeito** em 29 de agosto ultimo e nomeado Commandante Superior o Capitão José Vicente de Azevedo, este assumindo o dito Comando tratou immediatamente de haver os livros justamente ao mesmo dirigido em data de 1.º de Setembro um officio mui attencioso que no mesmo dia foi entregue ao ex-comandante superior por um dos Capitães do Batalhão daquela Cidade.

Não respondendo o referido ex comandante Superior e tornando-se a entrega dos livros e especialmente o de juramento porque se achava presente para prestal-o um dos novos Tenentes Coroneis nomeado, mandou o actual comandante superior o mesmo Capitão communicar-lhe isso mesmo, então verbalmente e ainda assim nada obteve.

Com esse exemplo a insubordinação na Guarda Nacional caminhou a passos largos, pelos officiais do Estado Maior que declararão abertamente que não reconhecião como tal o novo Comandante Superior, porque o Coronel Castro Lima declarava a todo mundo que o acto de sua suspenção era illegal e com isso o Capitão Secretario Geral não so não movia a entregar o livro de juramentos como muito menos se prestaria a acompanhal-o para lavrar o termo de juramento do Tenente Coronel, que tinha se apresentado para esse fim. Em vista disso o actual Comandante Superior em ordem do dia que tinha de assignar publicando as suspensões e novas nomeações, autorizado pelo art. 11 do Dec. n. 1.354 de 6 de abril de 1854, nomeou quem servisse interinamente o cargo de Secretario Geral, e servindo-se de um outro livro deferiu o juramento, ao referido Tenente Coronel, dando de tudo parte ao Excim. Presidente da Provincia, acompanhado estes factos dos competentes orçamento.

Andavão as cousas neste gosto quando o actual Comandante Superior tendo de attender as diverças requesições de força do Dr. Delegado de Policia e Dr. Juiz Municipal, dava suas ordens e fazia-se as notificações de guardas sem conhecimento de quem fosse do serviço activo e quem da reserva e prestando-se (...) por que eram os primeiros a reconhecer que nada poderião reclamar porque os novos Commandantes, sem possuirem os respectivos alistamento e nada poderião providenciar e que os culpados erão os commandante Superior e seu Estado Maior, que agarrado ao arquivo da Guarda Nacional como naufragos aos restos do navio despedaçado, não o querião largar esperando que o governo reconhecendo a **injustiça** do seu procedimento contra quem com tanta **justiça** tinha até sido condecorado por seus bons serviços e **trabalhos perfeitos** se resolvesse a reintegral-o no seu commando superior.

Eis, porém, que é notificado Pedro José da Silva Costa pela mesma maneira porque tinha sido por vezes outros guardas e nunca por ordem vogal do Comandante Superior para a requisição do Dr. Delegado de Policia não levar preso a Guaratingueta (2 1/2 leguas) e não Pindamonhangaba para onde não foi ainda remettido um só preso de Lorena; mas o **distincto amigo** do Sr. Martim Francisco, esse **abastado fazendeiro** que infelizmente não passa de um aggregado de seo sogro João Soares de Moraes porque não possui um palmo de terreno neste Municipio de Lorena; em veis de cumprir com o disposto no art. 35 da Lei n. 602 de 9 de Setembro de 1850, apresenta-se arrogantemente ao Commandante Superior, ensaiado pelo ex Commandante para desrespeitar o seu substituto o que estava sendo pronunciado por todos que ouvião sahir constantemente da caza de um e entrar na de outro que são muito proximas e na mesma rua mas o actual Commandante Superior despedio-o mandando que esperasse a quem o tivesse notificado e como voltasse com novo requerimento, despachou aquelle que o guarda "requeresse pela forma determinada pelo art. 22 do Dec. 1354 de 6 de abril de 1854" isto é por intermedio de seo Commandante, cujo procedimento prova que o Commandante Superior nada tinha que ver directamente com a guarda Nacional e portanto não pode ser exato que em pessoa o notificasse novamente. Então vindo o guarda Pedro Costa mais conhecido geralmente por Pedro paróla que o plano assentado falhava porque não podia estar voltando constantemente á presença do commandante Superior, resolveu-se ir embora para sua fazenda e passando por seus companheiros (4 praças) que ião n'essa occazião receber o prezo que tinhão de levar á Guaratinguetá, desattendeu em altas vozes ao Sargento que por ordem do respectivo commandante tinha ido entregar a escolta ao Delegado, concluindo por declarar a esse inferior que se fossem capazes o fossem buscar no seu Itabaquaro, em cujo acto o mesmo Sargento o prendeu.

Eis como se explica toda a historia do **Pedro paróla** contado pelo Snr. Martim Francisco com todas as honras de seu **distincto amigo** (a quem, foi pena não ter feito coronel) e **abastado fazendeiro**, que provocou o rizo dos proprios liberais de Lorena.

A um dos requerimentos do dito guarda acompanhou em certidão que não tendo sido passada pelo official que estava no exercicio do cargo de secretario, não podia deixar de ser aprehendido para se proceder contra quem a passou; e o actual commandante superior em officio de 26 de Setembro remetteu a ao Exm. Presidente da Provincia para mostrar-lhe que o Secretario geral que negara-se a reconhecel-o como seu chefe e sabia já que tinha sido outro nomeado interinamente, continuava a cumprir ordem do Commandante Superior suspenso, passando certidões de livros (...) para entregar ao seu substituto. Requerido de novo o guarda, a mandado de seus patrões, para que dita certidão ahi fosse entregue, porque bem vião ja elle comprometida claramente o dito capitão secretario já talvez tenha de ser submetido a conselho de disciplina, o comandante superior despachou que a certidão a que se referia o supperior não tendo sido passada pelo official que estava no exercicio do cargo de secretario geral, tinha de servir de base para o procedimento official contra quem a passou".

E é este procedimento irregular, em vista do que se tinha passado com o novo commandante Superior desse que assumio o commando?

Quanto aos importantes serviços dos officiais suspensos a respeito dos quais "as informação do Snr. Tavares Bastos forão taes que dous delles forão honrados pela munifisencia imperial com a commenda e officialato da Roza" basta que se lembra quanto ao Tenente Coronel Bruno que elle prestou juramento em 15 de julho d'este ano e já em tantos de Junho tinha sido condecorado pelos serviços prestados como commandante do Batalhão! E as informações do Secretario Bastos que então ja não estava na Presidencia forão tais que o Srn. Martim julgou-o digno de officialato da Roza! Seria como **boticario** procurando remedios **gratis** aos designados, ou como **Collector** pagando a sua custa os pretos, que o Snr. Bruno fez jús ao officialato da Roza?

Quanto ao Coronel commandante superior em **disponibilidade**, e quasi Barão... isso é outra conta.

Em poder do actual Exm. Presidente da provincia existem documentos que provão que o seu substituto que elle "por favor e mal entendeu por comtemplação não fez despojar do seu posto insignificante de capitão... ter querido prestar-se ao serviço da guarda nacional... e relativos a guerra" é o mesmo que prestando-se como um dos capitães mais antigos do seu Batalhão com mais de 14 annos de serviço, foi quem mais trabalhou na designação da guarda nacional, a cujos auxilios sempre presidio, tendo logar em 1865 o maior trabalho para prova do que consta dos proprios livros de qualificação que em 1866 havião — 99 guardas designados; em 1867 — 59 e na qualificação do corrente anno 46, que nunca seguirão para a guerra, e aos quais o Snr. Commandante Superior se tem cuidado em dar licenças que tem sido reformadas de 4 em 4 mezes. Fasendo passar por seus serviços activos; e aproveitando-se do recrutamento feito pela policia, de accordo com a qual remettia os recrutados como guardas designados, como está plenamente provado perante o actual Presidente da Provincia por meio de um documento irrespondivel que **apenas um prezo** foi remettido para o serviço da guerra pelo ex-commandante superior; admiro que haja quem se anime de dizer que foi injusta a sua suspensão! quando em sua consciencia elle proprio conhece perfeitamente não ter prestado serviço de qualidade alguma em relação á guerra, embora condecorado por um governo amigo com interesses directos nos pleitos eleitoraes d'este districto.

Sem assinatura por ser borrão.

DOCUMENTO N.º 39

TELEGRAMA

Do chefe da Estação do Governo ao Exmo. Sr. Presidente da Provincia.

A guerra do Paraguay está concluida.

O General Camara, por um feito de armas, derrubou o Lopez; o qual foi morto, não querendo render-se. São estes os rezumos dos telegrammas. Do ministro do Brasil em Montevidéo

....

Typ. Americana.

Quinta feira 17 as ave marias (em manuscrito, em que se reconhece a caligrafia da espôsa do Coronel José Vicente — D. Angelina.)

DOCUMENTO N.º 40

Receby a quantia de novecentos e cincoenta mil reis do Sñr José Vicente de Azevedo por conta do ajuste que fizemos restando sincoenta mil reis para asentamento dos Baldrames (serão os bastidores? É assunto de teatro).

Lorena 8 de Março de 1857

Adão Lopes Pereira da Silva

Risibi Mais simquenta mil reis tamos dessididos.

Lourenna 31 de Agosto de 1858

Adão Lopes Pereira da Silva.

Em nota, por fora, José Vicente acrescentou — 1857 — Rs. 1:000$000. 1:000$000.

O carpinteiro Adão.

DOCUMENTO N.º 41

50$ 40$ 30$ 28$ pg. tirei conta

1 Cama franceza, colxão, cortinado e cupula
1 colxão de cabello com 3 p. de larg. e 6 de compr. pg.
1/2 p. de L.º p. lençois (compr 13 p. a 2$200)
reformar o meu selim
comprar um novo pa. Snra. faser capa
1 d. mt. pequeno para o menino (24$000) .
1 chapeu amazona q. encommendou o Comp.e Manoel Resende e
extracto de babosa — 3$000
1 freio q. sirva para cavallo novo — p. de estribos
1 porção de esponjas grandes para lavar cavallo
1 dita de balanço, de palhinha.
2 pares de sapatos de beserro, ou botinas inglesas para mim
1 chicote para passeio, de estoque se houver (custa 10 a 12$000)
1 botica homeopathica e um livro (30$000)
1 capa impermeavel e 1 p. de sapatos de borracha (30$000 e 40$000)
1 sobretudo frances
1 bengala de unicorne para o Snr. José Rois
1 piano de vidro para Zemira (20$000) (?)
mandar aprromptar uma cabeçada para o meu animal e muito
reforçada que posa servir de cabresto, tendo para isso separada
a corrêa que prende o freio
8 lbs. de palhinha para cadeiras
1 bandeira Brasileira (10$000)
1 caixinha com 2 navalhas superiores (10$000)
d. p. Snr. J. Reis
1 cento de cartões de visita 3$000
Chá da india
talher de prata para o menino
Pente de tartaruga para minha mãi (7$000)
1 oculos de Theatro
cassa de Sta Luzia 2 cs a 15$ — 30$
papel marcado e envelope

Saber dos preços

1 mobilia de jacaranda simples com marmore (240$000)
1 lustre de crystal para 5 luses (de 60$ até 120$)
1 aparelho de jantar, de porcelana com frisos (320$)
taboleta para o theatro, ou so as letras douradas
copos, calices e compoteiras de cristal lapidado
algumas vistas para o theatro
2 ps. de gongo, escarlate e azul claro (comprar)
1 arado
4 quadros ovaes com moldura
2 Espelhos de 4 e 6 pl. de larg. e alt. com moldura de 3/4 lavrada,
para os dois aparadores
1 pequena typographia para pequenos trabalhos

(28$)

1 tapete para o sofá (r. da carioca, 118).

Estão reunidos sob n.º 42 os documentos relativos aos médicos; como são curtos serão publicados, embora numerosos.

DOCUMENTO N.º 42

(Todos os relativos aos médicos têm o mesmo número)

R. Ipecacuanha .... 24 grãos
Hydro chlorato de morphina .... 2 grãos

Misture muito bem e divida em 12 papeis. Tomará um pela manhã outro ao meio dia e outro de noite.

Beberá em vez de agua, agua de arroz frio com assucar.

9 de abrº de 1863 Dr. Barrouin

Para o camarada do Sñr Capitam 2 V. oleo de ricino

José Vicente d'Azevedo

DOCUMENTO N.º 42

R. Sub nitrato de bismutho .... 3 grs.
Rhuibarbo .... 2 gs.
Magnesia .... 6 grs.
Canella em pó .... 2 grs.
(Nota Grs. = grãos)
Misture em um papel fará como este n.º 12
Para tomar dois por dia
21 de Setembro de 1863 Dr. Barrouin

Para casa do Sr. Capitam José Vicente d'Azevedo

DOCUMENTO N.º 42

R. Xarope de gomma .... 3 onças
" de acetato de morphina .... 1 onça
Infusão de grelos de laranja .... 3 onças
Tartaro estibiado .... 1/2 grão

Mde. Dissolvendo o tartaro estibiado em um pouco de agua depois mistura-se com o xarope. Ajunte 2/8 de agua de louro cereja.

Dará uma colher de tres em tres horas e beberá cosimento de althéa com assucar morno.

3 Janº 1863 Dr. Barrouin
Althéa 4 onças
Para casa do Snr. Capitam José Vicente
Repetida a 18 de Janeiro e 23 de Janeiro

DOCUMENTO N.º 42

Para a casa de João Antunes Braga
R. Xarope de ipecacuanha .... 1 onça
" de gomma .... 4 oitavas
Agua de flôres de larangeira .... 1 oitava
Mde.
Uma colher de chá 4 vezes ao dia.
Emulção d'amendoas doces .... 8 onças
Para tomar por calix 2$400
Dezº 1863 Dr. Barrouin

DOCUMENTO N.º 42

A Mistura salina preparada com bicarbonato de soda e que o acido domina um pouco.

20 onças

Para tomar um calix de hora em hora.

14 Agt — 1863 Dr. Barrouin

Casa do Sr. Capitam José Vicente d'Azevedo

Repetida em 15-1- 1280
1280
———
2560

DOCUMENTO N.º 42

Para a casa de João Antunes Braga

N. 3

R. Xarope de ipecacuanha .... 1 onça
" de gomma .... 4 oitavas
Agua de flores de laranjeira .... 1 oitava
mande
uma colher de chá 4 vezes no dia.
Emulsão de amendoas doces .... 8 onças
Para tomar por calix 2$400

Dr. Barrouin

19 de abril 1863

DOCUMENTO N.º 42

R. Ipecacuanha .... 24 grs.
Hydro chlorato de morphina .... 2 grs.
mist. muito bem e divida em 12 papeis
tomará um pela manhã outro ao meio dia e outro de noite
beberá em vez de agua — Agua de arroz frio com assucar

Dr. Barrouin

9 de abril de 1863
2V oleo de ricino
Para o Camarada do Sr. Cap.m José Vicente de Azevedo

1$200
640
———
1$840

DOCUMENTO N.º 42

Para o seo filho
R. Xarope de gomma .... 3 onças
Tartaro emetico .... 1/4 parte de 1 gr.
Agua de louro cereja 24 gottas
Mande dissolver o tartaro em um pouco de agua, depois misture

2/4.1863 As. Dr. Barrouin

Para tomar uma pequena colher de chá 4 vezes no dia.
De noite ao deitar uma pequena chicara de chá de viola.

DOCUMENTO N.º 42

Tartaro estibiado .... 1/2 gr.
Tintura de digitalis .... 36 gottas
Agua de louro cerejo .... 1 oitava
Xarope de morphina .... 1 onça
confere 1.000

Para tomar uma colher de soupa de 4 em 4 horas, beberá tres chicaras por dia de cha de hera terrestre ou hyssopo, morno com assucar.

DOCUMENTO N.º 42

Uso externo

R. Oleo d'amendoas dous .... 4 onças
Camphora .... 6 oitavas
Tintura d'arnica .... 2 oitavas
mist. S. A. para fazer um linimento.

Para fazer fomentações na perna duas vezes no dia, tomará banhos nagua fria logo que os outros encommodos desaparecerão.

Dr. Barrouin

DOCUMENTO N.º 42

R. Infusão de folhas de laranjeira .... 4 onças
Tartaro emetico .... 1/2 gr.
Agua de louro cerejo .... 1 oitava,
Xarope de Gomma .... 2 onças

Misture. Para tomar uma colher de sopa cada vez, 4 vezes no dias tomará algumas chicaras de chá da hyssopo

Dr. Barrouin

29 de Set. de 1861
Para Exma. Senhora Da.
Deverá vascolejar o remedio antes de tomar.

DOCUMENTO N.º 42

Rio de Janeiro 5 de Maio de 1859
O Ilm. Snr. José Vicente
ao Dr. Carron du Villars

Deve

Por seo tratamento, visitas consultas e conferencias na Tijuca .... 400$000
Pg. em 7 de Maio de 1859

J. V. d'Azevedo

DOCUMENTO N.º 42

Sub nitrato de bismutho .... 3 grs.
Rhuibarbo .... 2 grs.
Magnesia .... 6 grs.
Canella em po .... 2 gr.
Misture em um papel e fara como este n.º 12
Para tomar dois por dia

Dr. Barrouin

20 de sembro 1863
Para casa do Sr. Cap. José Vicente d'Azevedo

DOCUMENTO N.º 42

Gomma arabica	16 onças
Agua fria	16 onças
Xarope simples	8 libras (de 16 onças)

Lave a gomma duas vezes em agua fria, ponha-a depois em contacto com a agua prescrita e mexa de vez em quando para facilitar a dissolução; côe depois o licôr sem expressão atravez dum coador, misture com o xarope ou calda de assucar ferva até ficar a consistença de xarope.

Produz 8 libras 1/2 de xarope

Para fazer 5 onças:

Gomma arabica 4 oitavas

DOCUMENTO N.º 42

Para um escravo

R. Acetato de xumbo liquido	1 oitava 1/2
Alcool camphorado	1 oitava 1/2
Agua	12 onças

Misture

22 de Fevereiro de 1863 Dr. Barrouin

Para o escravo Agostinho

640 do Cap. José Vicente d'Azevedo

DOCUMENTO N.º 42

Sulfato de ferro	150 grs. (grãos)
Bi-carbonato de soda	36 grs.
Pós de Althea	150 grs.
Pós de gengibre	36 grs.

Mistura-se o sulfato de ferro em pós com o bicarbonato de soda, depois os pós de gengibre e pouco a pouco ajuntar os pós de althéa e com q. b. de xarope de losna. Fará 100 pilulas.

2 Maio 1863

Dr. Barrouin

Para a caza de José Vicente d'Azevedo (com a letra característica do Capitão José Vicente).

DOCUMENTO N.º 42

Casa do Sñr Cãp. José Vicente d'Azevedo
Para o seo filho

R. Xarope de Gomma	3 onças
Tartaro emetico	1/4 parte de 1 grão
Agua de louro cerejo	24 gottas

Mde dissolvendo o tartaro com um pouco de agua depois misture
2-4-1863

Dr. Barrouin

Para tomar uma pequena colher isto é de chá 4 vezes no dia. De noite ao deitar uma pequena chicara de chá de viola.

DOCUMENTO N.º 42

R. **Uso. externo**

Oleo d'amendoas doces	4 onças
Camphora	6 oitavas
Tintura de arnica	2 oitavas
Ammonia liquida	2 oitavas

Misture para fazer um linimento.

Para fazer fomentações na perna duas vezes no dia, tomará banho n'agua fria logo que os outros encommodos desapareção.

Dr. Barrouin

DOCUMENTO N.º 42

Infusão de folhas de larangeira	4 onças
Tartaro emetico	1/2 grão
Agua de louro cereja	1 oitava
Xarope de gomma	2 onças

Misture. Para tomar uma colher de sôpa cada vez, 4 vezes no dia, tomará algumas chicaras de chá de hyssopo.
29 de Setembro de 1861

Dr. Barrouin

Para Exma. Senhora D.
Deverá vascolejar o remedio antes de tomar.

DOCUMENTO N.º 43

Lorena 30 de Janeiro de 1860
Meu Compadre e amigo (Snr. Jm. Pinheiro)

Por me achar com a família na Fazenda, deixei de escrever-lhe pelo correio passado, e ainda hojo o faço apressadamente para que esta vá a tempo.

A viagem do am.º Graciano está marcada para 8 ou 9 de Fevereiro e eu estou ainda indecizo se partirei visto suas cartas de 17 e 21 do corrente não me terem trazido uma decizão qualquer sobre o projetado negocio para que convidou-me. A indecizão em que estou é motivada não só pelo estado de não restabelecimento em que ainda me acho que tornará incommoda e mesmo arriscada a minha viagem e que de certo me privará ahi de gozar completamente dos festejos que vou encontrar como tambem indo em duvida não posso deixar decididos certos arranjos que deveria terminar. Entretanto o mais provavel que siga e para melhor dispor ainda espero oque me trouxer os proximos correios. Com a familia é que decididamente não vou nem pretendo tão cedo, pois ainda estão bem gravados na memoria os incommodos que lhe demos, e os trabalhos porque passamos em viagem com um filho e quanto mais com dous.

Sinto dizer-me que ainda continua a molestia de seus filhos e faço ideia de quanto isso lhe será aborrecido, estimarei porem que esta já os encontre melhores senão restabelecidos.

Nota: Esta é a primeira carta do borrador. São 25 fôlhas (30x20 cms) manuscritas, de que já demos alentado resumo no trabalho - **A autora**

DOCUMENTO N.º 44

(os documentos do borrador estão todos sob n. 44)

Ilm.º Sr. Capitão
José Vicente de Azevedo

Rio de Janeiro, 1.º de Fevereiro de 1862.

Meu comp. e amigo

Recebi sua carta de 25 de janeiro e fico intelligenciado do que me mandou dizer.

Se esta alcançar o Cap. em S. Paulo, seria bom que aproveitasse a proximidade de Santos para vir a esta Côrte em um dos vapores d'aquella carreira, a fim de conversarmos melhor sobre nossos negocios. Não penso que ha alguma grande novidade. Deos louvado somos o que sempre fomos; mas os negocios tem continuado a ser muito limitados, contra a minha expectativa, e convem que tomemos alguma resolução qualquer.

Agora, se ao Comp.e repugna muito fazer essa viagem de mar e prefira voltar para Lorena, eu farei com que meu mano João chegue até lá (a Lorena) para no cazo de combinar com o Comp. em continuar-se com o negocio, fazerem juntos um giro por caza dos Freguezes e procurarem novas relações. Nessa hypothese, logo que o Comp. estiver de volta em Lorena escreva-me, e 4 ou 6 dias depois veja se pode mandar á Belem condução para o João ir para cima.

Estimo que fose feliz em sua viagem, e disponha do

Seu Com. e amigo affetuoso

Joaquim Pinheiro.

DOCUMENTO N.º 44

Lorena, 24 de Fevereiro de 1861

Meu comp. e amigo

Há quatro dias que estou de posse dos remedios que lhe pedi e como felismente aqui appareceu um médico, o Sr. Barrouin, estou tambem aproveitando os seus conselhos. Por falta de uma pessoa que entenda ainda não fiz applicação de ventosas o que espero fazer qualquer dia.

Faço sciente do que me diz em sua carta de 16 sobre preços de encommendas minhas e é verdade que estimarei que me venhão embora peço objetos para meu uzo aconteça que alguma vez deseje ceder algum ou contar do preço e alem disso lhe é conveniente para encurtar os pedidos quando a conta for subindo muito.

Pelo correio passado em data de 19 escrevi longamente sobre o motivo de sua carta de 6 do corrente e em sua conclusão o que não desejo é que me julgue tão desanimado para continuar, e disposto a preferir uma liquidação. Sobre isso explica-se bem o meu pensamento com as expressões escritas o que foi todo fundado na hipotese de decidir o compadre a acabar com o negocio por serem pequenos os lucros. Ainda assim não podia haver motivo de minha parte para arrenpender-me como pensa o compadre por não corresponderem os resultados as minhas esperanças e por isso e que disse que os lucros calculo que apesar disso estão alem do que se profetisava. Ademais si tudo concorre hoje para nos desanimar quem sabe se esta paralização não cessara?

O que é verdade repito é que acompanho de bom grado o que delibera o compadre como mais pratico do mundo e em quem deponho toda a minha confiança.

Segue para essa nestes quatro dias o Sr. Domingos da Silva de Moraes negociante de Guaratinguetá que já escrevi-lhe lembrando meu pedido e não sei o que elle ahi fará.

Estimo a continuação de sua boa saude de todos da familia e

Sou seu compadre

As. **José Vicente**

DOCUMENTOS RELATIVOS A ESCRAVOS (todos sob n.º 45)

DOCUMENTO N.º 45

Rs. 1:400$000

N.º 9 1$000
Pg. Mil reis de sello Lorena,
30 de Novembro de 1854

Gonçalves

Digo eu abaixo assignado que sou senhor e possuidor de uma escrava creoula, de nome Mariana com hua filha d'idade de 1 anno pouco mais ou mennos, cujos Escravo fasso venda de hoje para todo sempre ao Sr. José Vicente de Azevedo, pelo preço e quantia de hum conto e quatrocentos mil Rs. 1.400$000 cuja escravo transfiro toda posse, jus do mesmo e senhorio que a mesma tinha por ter recebido do pago deste em moeda corrente, fazendo Eu boa, firma valhire a ditta venda ficando o comprador obrigado a pagar a siza.

Lorena 2 de Novembro de 1854

Silvio dos Santos de Oliveira

Como testemunha presente

João José Rodrigues Ferreira

DOCUMENTO N.º 45

Illm.º Snr. Capm. José Vicente de Azevedo
Lorena

Mambucaba 28 de Agosto de 1860

Prezm. Amigo e Snr.

No dia 26 á noite recebemos seu estimado favor de 25 do corrente mez, que capeava a quantia de Rs. 860$000 para Manoel Luiz Gonçalves, a quem logo escrevemos exigindo nos mandar a sua Clareza, e em resposcta tivemos aqui. Aqui lhe juntamos: assim quando elle volte, compriremos sua ordem e lhe mandaremos solução em tempo. Ficamos sciente do mais conteudo daquella sua carta e sentimos que os escravos do refferido Illm e Snr., não servissem. Como dezejava, e julgamos que nos mesmos lhe apontamos os defeitos da escrava, o que igualmente não fizemos do mulato por nos ser desconhecido, entretanto, creia nos V. S. fez altissimo negocio e foi mais feliz do que se esperava.

Saude lhe desejamos e que desponha de nossa vontade, por que somos

De V. Sa.
Amigos muito obrig.

Viuva Nogueira, Genro & Cia.

DOCUMENTO N.º 45 (escravos)

Ilm.º Snr. Lourenço Xavier da Veiga

Pres. Am.º e Senhor

É portador d'esta o Alf. João Batista Novaes Osorio do Amaral, filho do meu amigo o Sr. José Novaes da Cunha, fazendeiro d'esta Municipio, o qual vai a essa cidade afim de receberem escravo do Sr. seu pai que ahi foi aprehendido, e como não leva justificação para que entendi que seria bastante officiar, como faço, ao meu collega o Sr. Delegado de Policia requisitando a entrega do referido escravo e garantindo-lhe que o referido Sr. Novaes é o seu verdadeiro Senhor; julgo conveniente dirigir-me igualmente a V. S. que sendo uma das pessoas mais importante desse logar, e conhecendo me pessoalmente, poderá fazernos o favor de arredar qualquer embaraço que por ventura posse haver na entrega do mesmo escravo, na certeza de que com esse obsequio q'espero merecer de V. S., em beneficio daquele meu amigo, prenderá V. S. o meu reconhecimento. Aproveito a occazião para apresentar a V. S. os meus protestos de estima, e a sua Exma. Fam. meus respeitosos cumprimentos, bem como as mais sinceras recomendações de ma. Sma. e ter a honra de assignar-me

De V. S.

Attento amigo e af. cr.

José Vicente d'Azevedo

Lorena 20 de Dezembro de 1861.

DOCUMENTO N.º 46

IMPÉRIO DO BRASIL

Com as armas imperiais

PROVINCIA DO CEARÁ

PASSAPORTE
VALIOSO POR 2 MEZES

N.º 324

ANNO DE 1868

SIGNAES

Idade 18 annos
Estatura regular
Cabello Pretos
Costa
Sobrancelhas das.
olhos ”
Nariz regular
Boca ”
Barba pouca
Phisionomia bonita
Côr Mulata
Signaes Particulares

Assignatura do Portador

O Dr. Chefe de Policia do Ceará Intv.
Francisco d'Assis Oliveira Marciel

Concede passaporte a Murtinho, escravo
de Manoel Bastos dos Santos
Natural desta provincia
Profissão para o Rio de Janeiro
a ser vendido
levando em sua companhia

Secretaria de Policia da provincia do Ceará aos 20 dias do mez de Agosto do anno de 1868

A) Francisco d'Assis Oliveira Marciel

Preço do Passaporte 2$000

Visto bom para S. Paulo, Secretaria da Policia da Côrte, em 10 de Setembro de 1868

A) F. J. de Lima

Ass. ilegíveis

N. 11 Rs. 200

Pg. duzentos reis

Ceará, 18 de Julho de 1868

Ass. Ilegíveis

Apresentado — Secretaria da Policia da Côrte, 9 de Setembro de 1868

a) F. J. de Lima

Pelo Thesoureiro

a) ilegível

Visto Santos, 15 de Nov. 68

S. Vicente

F. J. Lima (*)

DOCUMENTO N.º 45 (escravos)

N.º 35 R. 200

Pg. duzentos reis Oeiras

11 de Maio de 1868

PASSAPORTE,

N.º 12

SIGNAES

Idade 26 an. mais ou menos

Altura baixo cheio de corpo

Rosto um pouco redondo

Nariz curto e chato

cabellos pretos e carapinhos

Boca

Côr

Barba nenhuma

Assinatura do Portador

Não sabe ler nem escrever

O Escrivão

S. H. B. Campos

O Capitam Antonio Joaquim Portella Lima, terceiro supplente do Delegado de Policia d'esta Cidade de Oeiras do Piauhy e seu Termo &c. actualmente em exercício

Concedo Passaporte á Victor, escravo de José Antonio Ferreira, morador no Termo desta Cidade

Natural e residente Piauhyense rumo para o Rio de Janeiro com escala pela Provincia e Capital da Bahia, com destino a ser vendido,

afiançado por seu dito Senhor que mostrou ter pago na Collectoria Provincial desta Municipio a quantia de cincoenta mil reis, direito de exportação, como do conhecimento sob n.º 4, que juntou a sua petição, que ficão archivados em meo poder e Cartorio

Valerá por espaço de quatro mezes a contar desta data

(*) Dos passaportes damos cópias de 2 apenas, um do Ceará e outro do Piauí. Os outros que possuímos referem-se a Dionísio, de 20 anos, do Ceará (escravo de David da Rocha Oliveira), João, 24 anos, escravo de João Batista de Oliveira, e Raimundo, do Piauí, escravo do Capitão José Ferreira Barbosa. (Mais um documento raro juntamos — um bilhete de loteria de 1880 — das Loterias criadas para um Fundo de Emancipação. (Documento n.º 47.)

Custo 2$000 Reis

Delegacia de Policia da Cidade de Oeiras do Piauhy, 11 de Maio de 1868.
Eu Salurtiano de Hollanda Bezera Campos, Escrivão do Crime o subscrevy

a) Antonio Joaquim Portella Lima

Visto bom para seguir para o Rio de Janeiro. Secretaria de Policia da Bahia 15 de junho de 1868

O Escrivão

Pg. 3$000

Teixeira Filho

Ampliado por mais trinta Dias Secr. de Policia da Bahia, 31 de Agosto de 1868

O Colector

Pg. 1$000

Teixeira Filho

Apresentado Secretaria de Policia da Côrte, em 9 de Setembro de 1868

F. J. de Lima

Visto bom para S. Paulo. Secretaria da Policia da Côrte, em 11 de Setembro de 1868

F. J. de Lima

Visto Santos 15 de oubr. 68

S. Vicente

Lima

DOCUMENTO N.º 47

Loterias criadas para um Fundo de Emancipação.

Loteria n.º 76

Rs. 10$000

Rio de Janeiro

1880

49A. 50A. 51A. 52A.

Loterias

Reunidas para Creação do Fundo de Emancipação

Lei n.º 2040

de 28 de Setembro de 1871

DECIMO

de Bilhete

O Portador deste Decimo de bilhete receberá do Thesoureiro a decima parte do premio que lhe sahir por sorte na Extracção

Luiz A. F. d'Almeida

N.º 2024

Pagamento Integral

Tabela dos Premios desta Loteria

Decreto n.º 7543 de 22 de Novembro de 1879

1	de	100:000$000
1	”	40:000$000
1	”	20:000$000
1	”	10:000$000
1	”	4:000$000
4	de	2:000$000
5	”	1:000$000
20	”	600$000
40	”	300$000
60	”	200$000

957 PREMIOS DE 100$000

2 do 1.º Premio	1:000$000	2 do 3.º Prº	500$000
2 do 2.º Premio	700$000	2 do 4.º Prº	300$000

DOCUMENTO N.º 48

Despezas feitas com as Bestas

3	Sacos de Sal		200	6$000
3	Dias a duas pessoas para campiar duas bestas		1000	3$000
	Passa rodeio na tropa e hum Camarada 3 dias		500	1$500
	Mais hum dia a uma pessoa			$500
2	Sacos de Sal		200	4$000
	Dinheiro que paguei a Salvador Paiz, da Canna que as bestas comerão			20$000
	Importe doq. paguei aos adomadores			57$000
	Idem que paguei ao Chico Piño para touzar a tropa			2$000
0	Meses que paguei a José Rosa para tratar da tropa			36$000
2	Sacos de Sal		200	4$000
	Aluguel da emvernada da Cachoeira			20$000
2	Camaradinhas (Cachoeira) p. Luiz Moreira			26$000
1	Laço que os compradores levarão			7$000
				187$000
	Repartido p. dois toca a cada hum		93$500	
	Recebi que rendeo		60$000	
			33$500	
	De amançar a sua besta		10$000	
32	Bestas	120$000		3:840$000
5	Dittas	115$000		575$000
				4:415$000
	Repartido p. dois toca a cada um		220$500	
	Deduzido metade das dispezas		43$500	
	Din. que lhe entrego		264$000	
1	Cavallo madrinha que Vmce dirá o presso			

DOCUMENTO N.º 49

Papel de linho timbrado (J. L. de Freitas).

Ilm.º Am.º e Snr. Cap. José Vicente

Lorena 10 de Fevereiro de 1852

Que chegasse felizmente a essa cidade é oque muito estimo.

Recebi a carta que S. Sia. dignou-se remetter-me de Guaratinguetá pelo Ten. Barboza, que deseja substituil-o como louvado no inventario Cavarro, mas como deve saber o nosso Colector quando nomeou S. Sia. para avaliador nomeou conjunctamente ao Camillo para ser chamado em falta de sua pessôa por isso já não posso resolvel-o oque bastante sinto.

Conte-nos como foi de viagem por esses bellos caminhos, oque tem feito na Paulicéa e se já conseguiu o seu intento; corre por aqui que o Snr. Pedro está Calloiro, se assim é peço-lhe que lhe dê os meus sinceros parabens.

A sua ausencia tem causado bastante tristeza por aqui principalmente neste circulo em que vivemos, portanto não convem demorar-se por mais tempo, alem disso tenho em vista que eu só espero a chegada da sua amavel pessoa para entrar no rol dos homens serios.

Tudo por aqui vae em paz. Sua Exma. familia goza saúde.

Recommendo ao Snr. Pedro e peço-lhe que disponha com franqueza do pouco prestimo de quem preza ser

Am.º e Cre.º Obr.º

F. L. de Freitas

P. S. — Sepultou-se ha dois dias a mulher do meu Escrivão

Escrivão Cintra.

VÃO SOB N.º 50 ALGUMAS CARTAS TROCADAS COM D. ANGELINA

DOCUMENTO N.º 50 (várias sob o mesmo número)

Rio de Janeiro 6 de Novembro

Minha mulher

Aqui cheguei hoje ao meio dia com excelente viagem, não enjoando e nem lançando.

Eu mesmo fico pasmo com isso, mas é que a cauza de que trato é tão justa e tal a fé que tenho do bem que estou praticando, que Deus me tem ajudado não escrevo a mais ninguem hoje por falta de tempo, pois immediatamente que cheguei vim aqui para o Rio Comprido, tomar um banho e mudar roupa pois o calor é extraordinário; e agora são 4 horas volto para a cidade afim de entregar cartas e por esta no correio.

Encontrei aqui a Mana Jesuina que manda lembranças, bem como D. Eliza.

Saudades a todos

Vosso marido

J. Vicente

DOCUMENTO N.º 50

Lorena 5 de Fevereiro de 1862

Muito estimarei que tenha gozado saude em companhia de seu mano. Por aqui graças a Deos vemos passando sem novidade so as saudades é que incomodão bastante ate os meninos estão sempre perguntando quando papai vem. Remeto-lhe a carta incluza que veio do Rio com sobrescrito para o Snr. Lazaro, ausente a vose e por isso eu tirei fora porque já estava muito borrada e acho que assim dentro da minha vai bem, o que heide estimar é que tive bom resultado, faça o que puder a favor de seu mano e venha logo porque quando mais se demorar ahi mais feio fica de p. se elle não se matricular. O cazamento da Virginia agora já se falla mais nelle e pareceme que hade ser na Igreja porque em caza depende de muito dinheiro e o Pai não está por isso. Aceite muitas saudades nossas e o mesmo fará a nho Pedro e o Getulio e venha porque faz muita falta aqui a Deos lembre-se sempre da sua

Angelina

P. S.
a mulher do Manuel Cunha tem
estado nas ultimas.

Se achar ahi um galãosinho dessa côr e com a terça parte da largura desse compre 6 varas ou mais que é para guarnecer uma roupa para o sinhosinho.

CARTA DE D. JESUÍNA A SEU MANO JOSÉ VICENTE

DOCUMENTO N.º 50

A propósito da doença do menino Jeca ou Zeca publicamos uma carta de D. Jesuína à sua cunhada, que não traz data mas pelo assunto podemos deduzir a época.

Era voz corrente na família que o pequeno José Vicente fôra acometido de uma paralisia no decorrer do resfriado, o que hoje nos faz crer que fôsse paralisia infantil, de que só um milagre o teria salvo; aí vai a carta:

Rio 21 de Maio

Muito heide estimar que esta vá achar-lhe gozando de perfeita saude egualmente José Vicente e os meninos.

Logo que aqui cheguei lhe escrevi e até agora ainda não tive o prazer de receber uma carta sua, mas eu descurpo-lhe porque cei os ceos afazeres e por isso escrevo-lhe pedindo que deme noticias suas e do Zeca que já está melhor que muito cuidado tinha delle e desejava velo bom e ce elle não tem obetido melhoras com o remedio que está uzando é melhor a Snra traze-lo para casa quanto antes pois esta molestia ficando antiga não tem qura e hade cer um grande desgosto ce elle ficar alejado pois eu desejo que elle fique bom como ce fosse eu propria, e no mais peso-lhe que escrevame e desse noticias suas e de minha May e de todos de casa que desde que aqui cheguei ainda não tive e pesço a Deos que não ceja por molestia e aceite muitas saudades de Lazaro de Quita e de todos daqui e de muitas a todos la e hum abraço e hum bejo no Chico e no Zeca e aceite um apertado abraço desta sua Mana que muito lhe estima

Jesuina.

(A carta é anterior ao nascimento de seus sobrinhos Pedro Vicente e Maria Vicentina.)

DOCUMENTO N.º 50

S. Paulo, 10 de Fevereiro

Recebi vossa carta de 5 e estimei as bôas noticias q'me dais. Eu aqui vou passando n'uma vida incipida, mas graças a Deos tenho conseguido tudo á medida dos meus desejos e creio que os meus esforços aproveitarão tambem ao Getulio q'espero se matricule com o Pedro. Este tem de fazer um exame no dia 21 que não posso deixar d'assistir e q. isso só a 22 partirei e sem falta a 25 ahi estou, levando a satisfação de estar arranjado. Na carta de Antonio explico minuciosamente esses negocios da Academia e na do seo pai o q. dis respeito ao Getulio. Aqui chove todas as tardes e com grande trovoada, como terão visto nos **Correios Paulistanos,** de sorte q. estou prezo até o meio dia na minha occupação na Academia e de tarde em caza por cauza do tempo. Diga ao sinhosinho q. não encontrei a chanpanhe e nem eu contava encontrar porque a Sra. Maria Angelica ja me tinha dito que aquella garrafinha o cunhado mandou do Rio. Em compesação quero ver se lhe levo ume pequirinha russo que tratei por 50$000 e que resta experimentar que seja marchador. Pelo seguinte correio hei de ver se mando o galão de seda azul que hoje não poude procurar porque recebi vossa carta as 11 horas; ao meio dia vim almoçar e tenho estado a escrever até agora que são quatro horas.

Não ha aqui fazenda que agrade para roupinha das crianças, ou antes tudo é por um desproposito. Comprei uma alpaca cor de café com leite, porem, mais escuara, e galão azul do que achei, e com quanto eu veja que não presta foi para não deixar de levar alguma cousa para esse fim. Se puder ir pelo correio, eu mandarei e por isso vou agora mesmo la a ver se admittem officialmente, como ja arranjei hontem para uma fazenda que remetto para Nho Quim mandar fazer-me um Pierrot. Recommende a elle que não conte para ninguem que o Pierrot é para mim.

Escreva-me pelo correio de 15

Saude a todos deseja o

José Vicente.

P. S. — Si eu conseguir mandar a fazenda pelo correio, caso falte para a roupinha dos dois meninos mande dizer quanto é precizo mais e mande amostra.

CARTAS DE JOAQUIM JOSÉ MOREIRA LIMA AO GENRO JOSÉ VICENTE E À FILHA ANGELINA

DOCUMENTO N.º 51

Illm. Snr. Comp. José Vicente de Azevedo

Comfirmo a que lhe escrevi pelo correio passado.

Por uma carta que ontem recebi do Getulio soube que a sua presença e proteção muito cooperou para que elle fizesse fosse bem succedido no exame de Latim, e assim agradecendo-lhe esse obsequio, vou rogar-lhe continuar os seos esforços afim de elle fazer tambem e ser approvado no exame de Philosophia que ainda lhe falta para matricular-se, pois convem muito que elle o faça para que não seja perciso estudar preparatorios mais um anno, tendo depois de faser outros exames que elle vem a perder se não se matricular agora. Conto por tanto que fará o que poder em beneficio d'elle, afim de obter-se o que tanto se deseja, e é tão conveniente.

Toda a nossa familia passa sem novidade e se lhe recomendão

Estimo que tenha continuado á gozar saude, e que seja feliz na sua volta, por ser

Compe. Am. Obrigm.

Joaquim José Moreira Lima

Lorena 10 de Fevereiro de 1862

Primo e am.

Recebi pelo correio d'ontem sua carta de cujo contheudo fico sciente. Dei todos os recados que mandou dar quais ficarão interessados.

Sobre carnaval tenho feito o que posso mas de pouco tem vallido.

Não há por oras quasi animação, mas estou certo que a sua presença influirá muito e portanto venha o quanto antes. O correio fecha-se porisso adeos.

Ao pr. am.

Moreira Junior

DOCUMENTO N.º 51

Illm. Snr. Comp. José Vicente de Azevedo

Accuso em meo poder recebidas pelo correio de onte sua estimada de 9 e 10 do corrente a que respondo. Fico sciente dos embaraços que encontrou para o pagamento da ordem contra o Dr. Santos Lopes, e bem sinto que elle não se realisasse porque tinha de receber da imp. da ordem dois contos e tanto que me deve o saccador d'ella; mas vou escrever a elle participando o que houve a respeito, e exigindo o meo embolço por outros meios, que não sejão assim demorados.

Fico certo em dizer me que havia de entregar ao estud. Antonio Soares da Sa. segundo o meo pedido Rs. 147$400, o que de certo já fez, cuja promptidão lhe agradeço.

A respeito de exame tambem estou inteirado de tudo que me diz, e de novo lhe agradeço os esforços que tem feito para que o Getulio seja matriculado este anno junto com o Sr. Pedro, o que eu muito desejo que Vmce. consiga e faz mesmo muito bom arranjo por terem de novo juntos, e não convir que o Getulio esteja mais um anno no Collegio, tendo talvez nesse caso de admittir o Sr. Pedro algum outro companheiro, portanto conto que Vmce empregará todas as deligencias para que elle obtenha bom resultado dos exames que ainda lhe faltão, afim de matricular-se, o que estou certo que se acontecer é devido aos seos esforços, pois se não fosse a sua presença seria difficil elle fazer d'uma vez quatro exames que lhe faltavão, visto ser perdido 2, dos que tinha feito, por ter passado o prazo de 2 annos. Fico sciente de ter comprado 1 chapeo para o Getulio, e ter de comprar tambem um paleto ou sobrecasaca que elle percisa, e será melhor que seja mesmo sobrecasaca porque é mais decente, e tendo elle de entrar para a Academia torna se elle muito necessaria.

Estima que esta o encontre de perfeita saude, e que continue na posse da mesma, e faça feliz viagem na sua volta pois assim deseja

O Seo comp. Am. Obrig. Servo

Joaquim José Moreira Lima

P. S. — Como Vmce está com bastante influencia, e merecimento para com o Exmo Pres. da Provcia. seria bom empenhar se com elle para que mande por em Praça os consertos que há para fazer na cabeça e ponte do Parahyba e tambem as pontes no atterro, conserto do mesmo, para cujas obras teve no orçamento p. p. 8:000$000 que de certo não chegão para se fazer bem feito, assim como os consertos na estrada de Minas daqui ao alto da Serra para os quais tambem forão dados no orçamento 4:000$000. Tenha paciencia em juntar-nos mais este serviço, visto que como sua estada ahi tem nos prestado tantos outros de grande importancia.

Lorena 15 de Fevereiro de 1862

DOCUMENTO N.º 51

Carta de Joaquim José Moreira Lima a D. Angelina
(sua filha Angelina)

Remeto-vos a quantia de secenta mil reis que na conta o Braulio deve de 3 mezes de salario ao mesmo sapateiro de minha Comadre D. Maria a quem os deveis entregar. Estimo que passasses bem desde hontem e que todos por ahi estejão bons, que assim vos deseja o vosso

Amoroso Pae

AAs. **J. J. Moreira Lima**

Rs. 60$000

Lorena 31 de Janeiro de 1864 (ano do seu falecimento.)

(A "minha comadre D. Maria" deve ser D. Maria da Guia, sua cunhada, falecida em 1864.)

(Carta de Seu Moreira)

DOCUMENTO N.º 51

Angelina

Cidade 8 de Setbr.º de 1869

Me pareçe que estão as partilhas julgadas por sentença e assim vossos negocios mais bem encaminhados, portanto convem agora arranjares-vos com os credores, desejando eu receber para meu pagamento a divida do Quim visto que he proveniente da quantia que dei por isso vejo que vos faz desarranjo e porisso q- seja debedida por todos elles em regra de proporção passando-vos transferência della a hum dos credores e este responsabilisarce aos outros dando-lhe suas cuôtas partes que lhe tocarem oque eu não duvidarei fazer em falta do Dr. Pedro e quanto ao restante da minha divida nos arranjaremos de qualquer maneira q. for possivel. Desejo-vos saude e todo o bem assim como a vossa familia.

O vosso amoroso Pae

Moreira Lima

DOCUMENTOS SÔBRE O CARNAVAL

DOCUMENTO N.º 52

Doces 8 dz. a 14$000	112$000
Ceia	30$000
1 presunto	12$000

bebidas todas e velas e 2 queijos	156$200
refrescos	6$000
Foguetes	20$000
pães — 80	6$400
chá	3$200
café	1$280
chocolate	2$000
leite	4$000
baralhos	4$000
vestimentas	60$000
	417$080
Musica	140$000
	557$080
balas de estalos e doces para enfeites	20$000
	577$000

DOCUMENTO N.º 52

CONTAS DA DESPEZA DOS BAILES DO CARNAVAL

1	arroba de Asucar		8$000
1	ditta de ditto		8$000
16	lb. de D°		4$000
1/4	de cravo		$500
1/4	de Canella		$500
20	lb. de Assucar		5$000
1	Arroba de ditto		8$000
6	Cocos	320	1$920
12	lb. de Assucar		3$000
3	Cocos		$960
1	lb. de farrinha de trigo		$320
20	lb. de Asucar		5$000
1	Caderno de papel almasso		$080
	Dinheiro para ouvos		5$000
1	arroba de Asucar		8$000
	Papel dourado 2 mão		1$000
4	lb. de Asucar		1$000
	ditto de cor		$160
1½	lb. de far. de trigo		$480
	Pão para pudim		$240
8	lb. de Asucar		2$000
4	lb. de ditto		1$000
	Papel de cor		$080
2	Cadernos de papel Almaço		$160
2	Frutas de nós nocada		$120
8	lb. de Asucar		2$000
	Papel dourado 1 mão		$500
	Ditto de cor		$320
1/4	de Manteiga		$400
1/2	onça de Carbonato de Amoniaco		$500
1	lb. de Araruta		$320
3	lb. de farinha de trigo		$960
	Dinheiro para 3 lb. de far. de Araruta		$960

2	lb. de farinha de trigo	$640
1/4	de Manteiga	$400
	Pallitos para o presunto	$040
1/2	onça de Carbonato de amoniaco	$500
1/4	de manteiga	$400
	Dinheiro para ouvos	2$240
2	Mãos de papel dourado	1$000
2	noz moscada	$120
2	vas. de fita estreita	$160
3/4	de fita lavrada larga	$640
4	mãos de papel dourado	2$000
1½	vara de fita estreita	$180
2½	lb. de Asucar	$640
2	lb. de far. de trigo	$640
6	varas de fita de cores	$480
1	Mão de papel dourado	$500
3	lb. de banha de porco	$600
1/2	lb. de Manteiga	$800
	Vinagre	$040
1/4	de Manteiga	$400
	dinheiro para ouvos	1$200
8	lb. de Asucar	2$000
	Dinheiro para ouvos	1$200
2	nós moscada	$120
1	Garrafa de Vinho do Porto	1$600
	Leite	2$280
	Pecegos	$160
4	lb. de Asucar	1$000
2	Mocotós	$400
1	Caderno de papel Almasso	$080
2	lb. de farinha de trigo	$640
	Dinheiro para ouvos	1$000
	Dinheiro para leite	1$000
1	Carro de lenha	4$000
	Leite para o segundo baile	1$000
	Dinheiro para ouvos	1$000
1	lb. de Farinha de trigo	$320
30	pães	6$400

Abate-se o seguinte:

1	Arroba de Asucar gasto com o chá, café e chocolate de ambos os bailes	8$000	
80	pães para a Cêia	6$000	
1	garrafa de vinho do Porto para o preparo do presunto	1$600	
	Leite para o chocolate, 2 dias	4$280	
	ovos, idem idem	2$000	
3/4	de fita lavrada larga para enfeite do presunto	$640	
1/4	de manteiga para 400 e pallitos 60 rs. (p. o presunto)	$440	
	Impor. dos doces, geléas para os dois bailes (sem custo do feitio)		84$740
	Idem das parcelas acima mencionadas		23$360

DOCUMENTO N.º 52

Despezas com o Carnaval

2	perus a 2$ .... 4$	Pg.	4$000
	ao fogueteiro p. por varas em 12 dz. de foguetes	Pg.	3$240
1	a. de carne de vacca pa	Pg.	4$000
1	perna com lombo	Pg.	2$720
3	galinhas a 500	Pg.	1$500
	ao Joaquim Carvalho para tocar clarim a 1$ p. dia	Pg.	1$000
	Dinheiro para farinha de trigo	Pg.	1$000
	Ped. de toucinho		$
6	ramos de flores que comprei em S. Paulo	Pg.	6$000
12	archotes a 40 reis. e capa p. 200	Pg.	5$000
2	carneiros a 2$500, sendo 1 trocado com o comp. Ant.	Pg.	5$000
1	leitão	Pg.	3$000
12	duzias de foguetes por	Pg.	20$000
1	presunto com 161 lb.	Pg.	11$220
4	lb. de ballas de estálo a 160	Pg.	6$400
1	lata para as mesmas	Pg.	$600
1	caixote, encerado, feitio, carretos e frete do E. de F. 4:30 — 4750		9$070
	Dinheiro para aseitonas, palitos e mais miudezas p. Cia. ao Ignacio Carvalho dei ms.	Pg.	5$000
	Ao Antonio Carreteiro p. conduzir as familias 5$ por dia	Pg.	10$000
	Impcia da conta do Machado, de bebidas, velas e outras miudezas, como consta da mesma conta	Pg.	152$240
	muzica e 40$ por cada baile e passeio dois bailes e dous passeios	Pg.	160$000
	Imp da conta de venda do J. Ant.	Pg.	21$840
12	vestimentas p. os musicos a 5$000	Pg.	60$000
			494$830
	baralhos e outras miudezas da caza do Sr. J. Ant.	Pg.	3$500
	conta dos doces	Pg.	108$100
			606$430
	Imp. da conta de casa de Castro Lima & Cia	Pg.	14$913
			621$340
	504$ com 12 de m. assin.		516$000
	Dinheiro que recebi do Procurador		
	Deficit existente		105$340
	Import. de garrafas vendidas		5$200
			100$143
2	assignaturas pagas dos Sn. A. M. de C. Lima e Pedro Per		24$000
			76$143
2	assignaturas pagas em 26 de abril de 1862 dos Snr. Pedro Costa e Candido Vieira		24$000
			52$143

DOCUMENTO N.º 52

LUZES

Corredores, escadas e toilette dos homens	12
1.ª sala (do dia)	23
2.ª sala (do jogo)	8
botequim	2
3.ª sala	10
4.ª sala (passabem)	2
toilette das senhoras	2
salão de baile	56
quarto da frente	2
corredor e cosinha	3
	120

(É naturalmente o número de luzes em cadą aposento.)

DOCUMENTO N.º 52

Despezas de encommendas **no anno de 1862**

Para o Carnaval	178$620
Dinheiro	450$000
"	150$000
"	91$000
	829$620
	17$000
	846$620
26 de Abril	12$650
	859$070
Encommendas do Dr. Carneiro (17-5)	31$560
	890$630
Junho 12	7$500
Importancia do Cartorio	6$000
2 pares de sapatos	28$000
	932$130
Custo e caixa da Victoria	1:536$120
Tijolos e vasos	228$400
	2:606$650
Dinheiro ao Manuel Luiz	1:440$000
	4:136$650
Pago a José Nicoláu	105$200
	4:241$930

DOCUMENTO N.º 52

Notta dos objectos que ficão lançados em Conta do Snr. José Vicente de Azevedo.

12 Duzias de Foguetes de 3 bombas	20$000

1	Presunto com 16 1/2 lb.	680	11$220
2	Duzias de Mascaras	3000	6$000
4	Libras de balas de estallos	1600	6$000
1	Ceroula de meia cor de carne	—	6$000
6	C.^{os} de Belbutina Sulferino	880	5$280
5	C.^{os} de Belbutina Verde	—	4$400
4	C.^{os} de Setim branco	2200	8$800
	Imp. da C/do Sirgueiro	—	105$400
1	Lata de folha para as ballas	—	$600
5	Varas de Enserado	560	2$800
1	Caixote Feitios e Carretos	—	1$520
		Rs$	178$420

DOCUMENTO N.º 53

APPELLAÇÃO CRIME

(Devemos a publicação dêste documento à gentileza do Dr. Vicente de Paulo Vicente de Azevedo)

Senhor

Ainda uma vez, neste mesmo processo, d. Angelina Moreira de Azevedo, confia na justiça deste Egregio Tribunal.

Ha quasi nove annos, a 19 de Fevereiro de 1869, a tres kilometros, mais ou menos, de distancia da cidade Lorena, foi assassinado o marido da appellada, o Coronel José Vicente de Azevedo, de emboscada, em caminho de sua fazenda; e posto desde logo fossem presos e processados os indigitados assassinos, comtudo até hoje a sociedade offendida com aquele grave attentado não está completamente desaggravada pela condemnação dos dous ultimos culpados que se acham presos!

Em verdade, de todos os envolvidos neste summario, uns despronunciados em grão do recurso pela Relação da Côrte por falta de provas; outros já pela mão inexorável da morte levados a responder por seu crime à Aquelle cuja justiça é certa e indefectível, e um absolvido pelo jury; só restam os dous principaes culpados, João Barboza, o mandatario confesso, o companheiro do fallecido ex-réo Vicente na perpetração do assassinato, condemnado a galés perpetuas, mas com a execução da pena suspensa por ter protestado por novo jury, e o actual appellante, João Alves Bueno, mandante ostensivo e convicto do attentado de 19 de Fevereiro de 1869, o mesmo, que se fosse licito à appelada fazer-lhe a accusação perante este Egregio Tribunal, ella mostraria com o depoimento de testemunhas constantes dos autos, a habilidade com que este réo mediante a offerta de alforria e 200$000 de gratificação ao preto Vicente, e outras recompensas a João Barbosa, atrahiu-os á sua casa, em terras da fazenda do fallecido ex-réo, tambem mandante, Vicente José de Luna, (fls. 41 e seg. 51 e seg. 61 e seg., 70 e seg., 73 e seg., 75 e seg., 77 e seg., 237, 283 e 290), de onde, depois de planejado o crime, vieram todos juntos, tres dias antes de sua realização para a cidade de Lorena, fls. 127, e d'ahi foram ao lugar da emboscada; atravessando o appellante, em canôa, por duas vezes o rio Parahyba de uma para outra margem, bem armado, e acompanhado de João Barboza, (fls. 83 e seg., 85 e seg., 87 e seg., 240 e 246) com quem andou explorando a occasião em que teria de passar pela estrada o coronel José Vicente de Azevedo, fls. 155 e seg., 184 e seg., até que perpetrado o crime por seus agentes, amedrontou-se das consequencias, deixando de fazer desapparecer os vestigios da estada dos mandatarios em sua casa, fls. 196, e indo occultar-se no matto, em cujo esconderijo é encontrado no acto da prisão, fls. 35 v., e 128.

Não vem ao caso, é certo a reunião de tantas provas esparsas neste volumoso processo contra o réo appellante; suas promessas de que o assassinado não venceria o anno, fls. 118: sobre sua culpabilidade já o veredictum do jury de Lorena, de 28 de Dezembro de 1876, se pronunciou com inteira justiça.

Sabemos que o Tribunal não tem de julgar do fundo da causa, ou merito da decisão, e sim se foram ou não guardadas as fórmulas substanciaes do processo, mas, tendo em mãos estes autos, historia de um drama de sangue, que encheu de espanto a cidade de Lorena, echoando na provincia inteira, e mesmo em grande parte do Imperio, pela enormidade do attentado e pelas circunstancia de que se revestiu, força é que, ainda abstendo-nos da narração do delicto e suas provas, digamos algumas palavras, que nos esforçaremos para que sejam poucas, antes de entrarmos propriamente na apreciação dos fundamentos da appellação.

Parece incrivel que ainda depois da Reforma Judiciaria, com quatro sessões annuaes de jury em cada termo, tivessem podido os accusados deste processo embaraçar por tanto tempo a acção da justiça, evitando por todos os modos serem julgados no districto da culpa, servindo-se para isso de quanto pretexto licito ou illicito imaginava o seu advogado, do que ainda esta appellação é uma prova; ora porque não comparecia à sessão do jury algumas das quarenta e tantas testemunhas que foram inquiridas no summario; ora porque nem todas eram notificadas; outras vezes por motivo de molestia allegada pelos réos; ou esgotamento da urna em que se continham as sedulas dos nomes dos jurados, em virtude de recusas; e mais causas cujo effeito tem sido o de addiamento sobre addiamento das sessões de julgamento, com prejuizo do interesse publico, e da parte queixosa, a quem só uma tenacidade pouco vulgar pela punição dos assassinos de seu infeliz marido, tem podido, atravez de mil difficuldades, sustentar de Tribunal em Tribunal este quasi interminável processo, em procura de juizes!

Entretanto, quando depois de um tão prolongado esforço, consegue a appellada a condemnação do appellante, ainda se pretende nulificar esse julgamento por suppostas irregularidades, cuja improcedência havemos de demonstrar.

Não.

Temos fé que isso não ha de acontecer.

Não fallamos neste momento em nome de um direito privado unicamente; é uma ação publica tambem esta; o coronel José Vicente de Azevedo, essa victima sacrificada às más paixões de inimigos gratuitos, não foi uma perda só para sua desolada viuva, e seus quatro filhos, orphãos na mais tenra infancia, mas para a sociedade em geral, que nelle viu desapparecer um cidadão prestante, e coberto de grandes serviços feitos ao Estado; o qual como delegado de policia em seu municipio, cargo que exerceu em diversas situações politicas mostrou-se sempre de uma actividade e dedicação no cumprimento de seus deveres, superior a todos os elogios, como o attestaram os ex-presidentes desta provincia, com quem serviu, entre os quais os illustres conselheiros Josino do Nascimento e Silva, José Antonio Saraiva, Vicente Pires da Motta e outros.

Mas, si estas imperfeitas considerações de nada podem valer, outro tanto se não dirá do verdadeiro assumpto da presente discussão, isto é, a demonstração em que vamos entrar da improcedencia das pretendidas faltas de observancia de fórmulas com que se procura nullificar a justa sentença do jury de Lorena.

Vê-se, pelo exame dos autos, serem essas suppostas irregularidades, de cinco especies differentes, que tantas são as allegações feitas por parte do appellante, antes e depois dos actos do julgamento, consistindo:

1.º / Em não ter comparecido à sessão do julgamento do appellante a testemunha extranumeraria Leopoldino Leite de Faria.

2.º / Supposição de communicabilidade do jurado Augusto Alves Moreira, com pessoas estranhas ao conselho.

3.º / Não se ter interrompido o julgamento do réo, pelo facto de o desamparar na occasião da defeza, a pretexto de molestia, o seu advogado dr. Francisco de Assis Oliveira Braga.

4.º / Falta de habilitação juridica do defensor dado ex-officio pelo juiz.

5.º / Finalmente. A erronea applicação da lei feita pela sentença de condenação.

Apreciaremos separadamente cada uma destas allegações para tornar evidente a improcedencia das mesmas, de facto e de direito.

I

Terminado o sorteio do jury de sentença, o advogado dr. Braga, procurador do Appellante João Alves Bueno, pedindo e obtendo a palavra, disse: que sendo de vista as testemunhas José Octavio de Azevedo e Leopoldino Leite de Faria, não podia dispensar os seus depoimentos em presença do Tribunal, e porisso requeria se tomasse providencia em ordem a que fossem conduzidas debaixo de vara, e no caso de não serem encontradas, que ficasse o conhecimento da causa addiado para a proxima sessão judiciária. O que ouvido pelo juiz, mandou passar o mandato requerido, declarando, porém, que quando não fossem encontradas as testemunhas cuja presença no Tribunal era requerida, seria, como de facto já o era, indeferido o requerimento relativo ao addiamento do processo para a seguinte sessão nos termos do Accordam desta Relação anteriormente proferido nestes mesmos autos, e por haverem já as partes por muitas vezes, do que tem-se lavrado termo, concordado no julgamento do réo, não obstante a ausencia das testemunhas cujo comparecimento no Tribunal é facto hoje reconhecido impossivel, pelo grande lapso de tempo, mudanças de residencia para lugares desconhecidos, e tantos outros motivos. Pelo advogado do réo foi dito que aggravava no auto do processo para o Tribunal de Relação do districto do presente despacho, não se tendo, porém, tomado por termo especial o aggravo.

É isto o que consta quasi textualmente a fls. 1.062.

Em seguida, fls. 1.063, vê-se o comparecimento da testemunha José Octavio de Azevedo, a qual foi recolhida à sala onde estavam as mais testemunhas.

Só não compareceu, pois, Leopoldino Leite de Faria, que não foi encontrado, por ter-se mudado do termo, conforme certificou o official de justiça.

Qual a fórma substancial do processo com este facto preterida?

Não contestamos que a notificação das testemunhas do summario e seu comparecimento à sessão do julgamento do accusado, é um facto, em regra, indispensavel para o esclarecimento da causa, cuja inobservancia auctorisa o addiamento da mesma causa, como luminosamente se encontra discutido em Pimenta Bueno, Proc. Crim. ns. 223 e 224, e tem sido continuamente julgado por nossos tribunaes superiores, e este mesmo mais de uma vez.

É preciso, porém, não confundir as hypotheses.

Casos ha em que a exigencia do comparecimento de testemunhas, a este é um delles, seria impedir para sempre o julgamento da causa.

Depuzeram neste processo, durante a formação da culpa, ha perto de nove annos, mais de 40 testemunhas. Destas, umas simplesmente informantes, outras referidas, na maior parte eram inteiramente alheias às provas do crime que se buscava colher; limitavam-se a depôr que nada sabiam, ou a reproduzir o mesmo que já outras testemunhas haviam deposto. Com o tempo que tem decorrido da formação da culpa até à época actual, muitas dessas testemunhas têm fallecido, outras sahido para fóra do termo de Lorena, mudado de domicilio e residencia para lugares longinquos e não sabidos, para provincias diversas; tem havido emfim, tantas e tamanhas alterações na existência das testemunhas que, depois de ter dado isso causa a varios addiamentos deste processo, já por falta de notificações, já por não comparecimento dellas em presença do Tribunal do jury, concordaram as partes, e isto por vezes, na desistencia dessa formalidade, tomando-se disso termo nos autos; e desde então deixou de ser semelhante circumstancia causa de novos addiamentos, a ponto tal que no primeiro julgamento deste processo, não obstante requerer a autora a intimação de testemunhas do summario que indicou como indispensaveis para a accusação, não foi attendida, fl. 726; pediu o comparecimento de outras no Tribunal tambem não foi attendida, fls. 733; um dos jurados sorteados do conselho, por sua vez, requereu a mesma cousa, declarando-se impossibilitado de proferir sua decisão antes de ouvir depôr em sua presença algumas das testemunhas, e do mesmo modo não foi attendido: e vindo depois os autos a este Egregio Tribunal, onde foram discutidos, proferiu-se o Accordam de fls. 854, pelo qual se mandou submetter a causa a novo julgamento pelos motivos nelle exarados, sem entretanto julgar procedentes as razões da appellante, fls. 824 a 842, no que dizia respeito à ausencia de testemunhas, que foi total naquelle julgamento, porque, como é manifesto da exposição do desembargador relator e do procurador da corôa, fls. 843 a 845, 847 a 854, tornar dependente da presença de testemunhas o julgamento desta causa, seria, como já o dissemos, addiar eternamente a sua decisão. Se essa verdade já então era rconhecida, agora com muito mais força de razão.

A notificação e comparecimento de tôdas as testemunhas à sessão judiciaria de julgamento do accusado, sendo como é um principio acceito geralmente, e que não deve ser preterida, sofre, todavia, algumas excepções, e estas são:

a / quanto às testemunhas para cuja notificação e comparecimento ha obstaculo invencivel.

b / quanto àquellas que chamadas a depôr na formação da culpa, nada, entretanto, disseram relativamente ao crime e seus auctores, por ignorancia do facto.

c / si a testemunha é extranumeraria, ou apenas informante.

d / se é decorrido o praso de anno de que fallam os arts. 294 e 295 do Reg. de 31 de janeiro de 1842, entre o depoimento da testemunha e a sessão do julgamento do processo, não sendo por isso, conhecida sua residencia, e nem encontrada.

e / se as partes já concordaram em proceder-se nos debates e julgamento, não obstante a falta da testemunha, fazendo-se na acta mensão dessa circumstancia (Pimenta Bueno, Proc. Crim. cit. n. 224).

f / quanto às testemunhas sobre as quaes para notificação e comparecimento empregaram-se todas as diligencias necessarias; esgotadas as quaes não se oppuzeram as partes ao julgamento da causa, deixando de ter havido reclamação. (Ramos Junior, Quest. Pract. Crim. ns. 55 e 236).

Concorrem todas estas condições no processo de que nos occupamos.

A testemunha Leopoldino Leite de Faria, cujo depoimento se acha a fls. 187 e seg., é apenas referida, nada sabe de vista quanto ao appellante, e apenas pouca cousa de ouvir como guarda policial que era por aquelle tempo, sendo um dos que prendeu o fallecido co-reo Vicente, pouco depois do delicto.

Seu depoimento é de quasi nenhuma importancia, principalmente com relação ao appellante. Não podia comparecer em Lorena no dia do julgamento deste, porque estava fora do termo. Não uma, porém muitas vezes, declaram as partes dispensar a sua presença bem como de outras testemunhas do numero, para que se podesse effectuar o julgamento do accusado, o que consta das actas de diversas sessões, e termos exarados nestes mesmos autos; e é circumstancia já tomada em conhecimento por este proprio Tribunal; que não julgou-a procedente para decretar a nullidade do primeiro julgamento. Para o comparecimento da mesma testemunha, entretanto, empregaram-se todas as diligencias legaes; e ainda nesta mesma sessão foi pelas partes e conselho unanime de jurados declarado dispensadas todas as testemunhas, do que se tomou termo especial nos autos; vid. fls. 1068.

Não póde, pois uma tal falta, si é que como tal deve ser considerada juridicamente, o que contestamos, importar irregularidade substancial, que acarrete nullidade do julgado por preterição de defeza e provas.

Cremos que a improcedencia deste ponto das allegações do appellante, existente nos autos, está mais que sufficientemente demonstrada.

Passemos ao segundo topico.

II

No acto de estar o escrivão tomando um requerimento do advogado do réo, o mesmo advogado disse que o jurado sorteado Augusto Alves Moreira, tinha entrado na sala proxima à do jury, em communicação com os demais jurados; mas, immediatamente, voltando o dito jurado, declarou que não tinha tido communicação com quem quer que fosse; si pretendeu entrar em aquella sala era pelo costume de ser ella destinada ao jury de sentença.

Eis o incidente que se encontra escripto a fls. 1063.

Mas o que se segue disso? Que houve violação do art. 333 do Cod. do Processo Criminal? Que aquelle jurado se communicou com as partes, testemunhas, advogados, jurados não sorteados e com o publico? Certamente não.

A verdade foi que o mencionado jurado levantou-se para ir à sala proxima destinada ao mesmo conselho sorteado, mas que existindo ainda outras pessôas em caminho daquela sala, nem sua intenção chegou a realisar, regressando no proprio momento em que o advogado da defeza reclamou sem se communicar com pessoa alguma.

Isto é o que está no termo a que nos referimos; é o que certificam os autos, e a justificação jurada que juntamos.

A communicabilidade do jury de sentença, seria uma falta grave, e não se demonstra um semelhante facto com um simples dito do advogado empenhado em pôr embaraços à acção da justiça, mas com alguns dos meios ordinarios de prova conhecidos em direito, que podesse, se não desfazer, pelo menos pôr em duvida as que, em contrario, existem dos autos.

É isto, porém, o que se não vê em parte alguma deste processo. O proprio advogado do réo quando fallou em communicação com os demais jurados, se não queria referir-se aos mesmos jurados do conselho sorteado, devia ter indicado quaes esses jurados. Em opposição ao seu dito, está a contestação immediata do juiz de facto, e o seu juramento posterior na justificação que por parte da auctora procedemos no juizo municipal de Lorena, e que ora faz parte deste processo, e com a qual foi cabalmente provado que o juiz de facto Augusto Alves Moreira não teve communicação por actos ou palavras com pessôa estranha à dos juizes que formaram o conselho de julgamento do réo appellante, e que nem chegou a entrar na sala do jury de sentença emquanto alli se acharam outras pessôas, e só depois que della foi retirado o publico.

Deus nos livre que o simples dito de uma parte interessada, desacompanhado da minima prova, fosse bastante para inutillisar um julgamento dificil, uma causa dispendiosa como esta, em que tem sido preciso à justiça luctar com toda a sorte de embaraços para que não escape de suas malhas os ultimos e derradeiros culpados de tão grande attentado!

Diz o art. 333 do Cod. do Proc. Crim.:

"A conferencia do jury, em sua sala particular, é secreta.

"Dous officiaes de justiça, por ordem do juiz de Direito, "serão postados à porta della, para não consentirem que saia "algum jurado, ou que alguem entre ou se communique por "qualquer maneira com os jurados, pena de serem punidos como "desobedientes".

Que esta formalidade cumpriu-se fielmente, consta do termo de retirada do jury de sentença da sala publica para a sala secreta, fls. 1070, e do termo de volta á sala publica, e mais da certidão de incommunicabilidade do theor seguinte:

"Nós officiaes de justiça abaixo assignados, certificamos, que não "houve communicação por qualquer maneira com os doze juizes de facto que "compunham o jury de sentença assim no transito destes da sala publica á "sala secreta, como emquanto nesta se conservaram: e para constar passa-"mos a presente, que assignamos.

"Sala das sessões do jury em Lorena, aos 28 de Dezembro de 1876.

"Prudente de Jesus Fernandes.

"Severino Coelho da Rocha".

(Vid. fls. 1071)

A isto accrescente-se a justificação a que nos temos referido, art. 1.º, sobre o qual depozeram uniformemente que não houve durante a sessão de julgamento communicação de qualquer especie dos jurados sorteados com pessôas estranhas, nada menos de cinco testemunhas, maiores de toda a excepção, inclusive os proprios escrivães do processo e o juiz de facto Augusto Alves Moreira.

III

Por occasião do interrogatorio do réo, seu advogado retirando-se da sala publica em que funccionava o Tribunal, escreveu a petição de fls. 1066, em que dizendo-se accommetido de uma bronchite aguda, repentina, requeria ao juiz que houvesse por bem addiar o julgamento do réo para outra sessão, porque a causa era importante, e elle advogado não podia ser substituido por outra pessôa!

Como era natural, semelhante pretenção, puramente protelatoria, foi indeferida pelo juiz como devia ser.

Onde é que se viu interromper-se um julgamento, depois de eleito o conselho de jurados, interrogado o réo e lido grande parte do processo, só porque o advogado de uma das partes se lembra de dizer que se acha doente?!

Seria isso algum dos motivos justos a que se refere o art. 222 do Cod. do Processo Criminal?

Ninguem o dirá.

Dado mesmo que o advogado constituido houvesse ficado doente de molestia que o impossibilitasse de fallar, o que não era real, como provamos com o art. 2.º da justificação a que nos temos referido, conforme o qual consta que o dr. Braga retirou-se do Tribunal do jury, sem pretextar motivo justo, nem fazer qualquer allegação, estando no gozo de perfeita saude, ou pelo menos não soffrendo molestia alguma apparente, como se viu por todos os seus actos posteriores, conversando com varias pessôas e até jogando por divertimento no hotel em que estava hospedado, os termos a seguirem-se eram, dada assim a sua recusa de continuar com o patrocinio da causa nomear o réo, se o quizesse, outro advogado, e com elle ou sem elle, proseguir-se ulteriormente na conclusão do julgamento.

"Encetados os trabalhos e exame de um processo, diz o Sr. Pimenta Bueno, (proc. Crim. ns. 108 e 284), nenhuma razão póde auctorisar sua interrupção ou addiamento senão nos precisos casos da lei. Este preceito é demais concordante com o da incommunicabilidade do jury, e calculado tambem pela conveniencia de não desvairar a attenção dos juizes de facto, e distrahi-lo do encadeamento dos actos e viva lembrança de suas ligações e valôr".

Não obstante, escrupuloso como é o honrado e integro magistrado que presidiu o julgamento, ainda mandou que o escrivão informasse se não havia no termo algum advogado ou solicitador desimpedido que pudesse incumbir-se da defeza do accusado. E em vista da informação de impedimento dos que haviam, e não escolhendo o réo de prompto outro advogado, convidou o juiz ao jurado Tenente João Baptista Novaes Osorio para se encarregar da defeza do réo, o qual acceitando, o juiz lhe deferiu juramento aos Sanctos Evangelhos, de bem e fielmente servir aquelle encargo. Vid. fl. 1067.

Que a allegação inexata feita pelo advogado da parte, de acharse doente, não era motivo justo para interromper-se a sessão de julgamento, di-lo expressamente a lei; e seria mesmo um absurdo considerarse um advogado qualquer, parte obrigado de uma causa, e dependente de sua unica vontade os direitos do autor ou do réo, a ordem do juizo e até os proprios julgadores!

Não é procedimento regular de defeza querer prolongar um feito de modo a tornar difficil a sua conclusão. Non potest videri viri boni arbitratu litem defendere is, qui actorem frustrando, officiat, ne ad exitum contraversia deducatur, diz o Frag. 78, do Dig. Liv. 3.º, Tit. de procurat.

IV

Se não procede, como acabamos de vêr, o pretexto de molestia do advogado, ainda menos o de falta de habilitações juridicas do defensor dado ao réo ex-officio pelo juiz, para discutir, como se diz a fls. 1080, a importante questão de mandato criminal, auctoria e outras!

Si uma tal discussão era necessaria, porque desamparou a causa o advogado constituido, quando o jury lhe era favorável, por ter a accusação quasi deixado de usar do direito de recusas de jurados, afim de não esgotar-se a urna; e isso na occasião justamente em que tinha de empenhar-se no debate, sendo, como declara, o unico capaz de o fazer convenientemente?

Pela falta dessa discussão queixe-se de si o advogado. Para a ordem do juizo não houve incidente que a prejudicasse. Até essa mesma circunstancia de ter o advogado do réo o desamparado na occasião da defeza, o favoreceu em vez de fazer-lhe mal; como que attrahiu-lhe certa compaixão, tanto que tendo sido em uma das sessões anteriores submettido a julgamento o co-réo João Barboza, mandatario, não obstante a defeza do Dr. Braga que o não desamparou, foi condemnado a galés perpetuas por nove votos, ao passo que o appellante só foi condemnado por sete votos e no minimo do art. 192 do Codigo Penal.

Só mesmo com a intenção de injuria, pelo despeito de haver o Tenente Novaes Osorio acceitado, em ultimo caso, a defeza do accusado, se poderia ter escripto ser elle sopinamente ignorante, extranho completamente à materia, e até inimigo do dito accusado, quando a verdade conhecida por todos, inclusive o magistrado que o convidou a acceitar a defeza, e que certamente o não faria se fossem exactos semelhantes predicados, é que aquelle juiz de facto, que tambem é official da Guarda Nacional, é um cidadão intelligente e de alguma instrucção, principalmente em negocios forenses, pelos cargos publicos de importancia que tem exercido no seu municipio, tanto por nomeação do governo, como por eleição popular; o qual nunca foi inimigo do accusado, o que se acontecesse não teria acceitado a sua defeza.

Demais, se o tenente Novaes Osorio patrocinou bem ou mal os interesses do réo, jamais seria isso causa de nullidade do processo. Se as ruins defezas fossem motivo para se desfazerem sentenças dos Tribunaes do jury, tambem o seriam as defezas brilhantes e commovedoras, que abalam as consciencias e fazem perigar a verdade e a justiça, pela eloquencia dos oradores, e com mais força de razão ainda as accusações vehementes, demasiadamente fortes; e onde iriamos parar com uma tal doutrina, verdadeira innovação na jurisprudencia criminal?!

O certo é que o melhor ou peior modo porque foi accusado ou defendido o réo perante o jury, nada vem ao caso.

Nem havia necessidade de ser-lhe dado um defensor official, como já dissemos.

Nossas leis não obrigam os juizes de direito a dar defensor ao réo perante o jury, excepto se elle é menor ou pessôa miseravel, estado que não é o do appellante, como elle proprio reconhece em sua petição de fls. 1080; e só como tambem o não prohibe, é que, por equidade, nomeia o juiz um defensor official, nas condições que póde na occasião encontrar.

É isto o que ensinam todos os commentadores do nosso direito penal.

Foi assim que se procedeu.

Julgamos poder entrar, finalmente, na analyse do quinto e ultimo topico das allegações do appellante.

V

Ter o juiz de direito imposto pena diversa da que deveria applicar em conformidade da disposição da lei, o que exige reforma da sentença para applicação da pena legitima. Art. 303 do Cod. do Proc. Crim.

Como se vê da resposta aos quesitos, fls. 1072, o jury reconheceu o ponto principal da causa por maioria unicamente; sete votos.

O juiz de direito applicou a pena no gráo minimo, vinte annos de prisão com trabalho, em vez do gráo médio; prisão com trabalho perpetua, por ser o réo maior de 60 annos, e concorrer, portanto, em sua pessôa a circumstancia do art. 45 § 2.º do Cod. Penal.

É questão, se em vista do art. 332 do Cod. do Proc. Crim. restabelecido pelo § 1.º do art. 29 da Lei n. 2033 de 20 de Setembro de 1871, foi bem imposta aquella pena?

Parece que sim.

Diz o citado art. 332 do Cod. do Proc. que as decisões do jury serão tomadas por duas terças partes de votos; 8 pelo menos; sendo necessário unanimidade para imposição da pena de morte; mas que, em todo o caso, havendo maioria, 7 votos, se imporá a pena immediatamente menor.

Esta phrase havendo maioria, tem relação a todas as penas; é applicavel a todas as decisões. Ora, não houve unanimidade, e, consequentemente, passou, por isso, a pena para o gráo medio, visto que não podia ser imposta a de morte; mas como tambem não houve duas terças partes de votos mas só maioria, a pena a applicar-se era sem duvida a immediatamente menor à aquella do gráo medio, isto é o minimo, embora não tivessem concorrido no crime senão circumstancias aggravantes.

Para applicar-se o medio seria necessario que as decisões sobre as penas, não precisassem de ser tomadas por duas terças partes de votos.

Este procedimento está de harmonia com os julgados de nossos Tribunais superiores, como se conhece, entre outros arestos, pelo Accordam da Relação da Côrte de 5 de Setembro de 1873, app. n. 7731, que se encontra transcripto em Ramos Junior, Obr. cit. quest. 9.ª pag. 53, e especialmente no Accordam da Relação de Ouro-Preto, de 9 de Outubro de 1874, na Quinzena Juridica 1.º vol., pag. 292 e segs.

Em todo o caso, se essa intelligencia da lei, dada pelo digno juiz de direito que presidiu o jury não é a melhor, não sabemos qual a que podia importar a consequencia de facultar ao réo o protesto por novo jury.

Este recurso só cabe quando a pena effectivamente imposta é a de morte ou de galés perpetuas, na fórma do art. 87 da Lei de 3 de Dezembro de 1841, e art. 462 do respectivo Reg.; e se a pena que competia ao réo era a do minimo do art. 192 do Cod. Penal, mas a do medio, sendo o réo maior de 60 annos, fls. 751 e 1064 v., tinha de ser substituida por prisão perpetua com trabalho (cit. art. 45, § 2.º) e portanto não haveria ainda assim logar ao dito recurso (Vid. casos julgados em Ottoni, Null. do Proces. Crim. ns. 326 e 328).

* * *

Não obstante o principio de que a nullidade só póde ser opposta por aquelle em favôr de quem ella milita, (S. da Motta, Apont. Jurid. palav. nullidade) e apezar de não ter o appellante, a quem não faltam recursos e patronos poderosos e habeis, tratado de arrasoar sua appellação nesta superior instancia, comtudo, examinando estes volumosos autos pagina por pagina, fomos de seu ventre extrahir essas arguições que ahi ficam discutidas, algumas até incidentemente levantadas só com o fim de protelar o julgamento, e gastar as forças da auctora neste seu louvavel esforço em busca da justiça de que carece; e são ellas as unicas que encontramos, as unicas que o estudo contra o seguimento natural deste processo pôde engendrar para vêr se assim paralysava ainda por mais tempo a ultimação d'este feito.

Não ha, portanto, formulas substanciaes não guardadas, em todo o processo e julgamento.

O que é notavel destes autos, duplamente celebres, tanto pela narração criminosa que encerram, como por constituirem um aggregado de factos sem exemplo nos annaes judiciarios deste paiz, e quasi que podemos dizer do mundo civilisado, é tear as opiniões, ennublar a verdade, e crear taes péas á acção das leis, ao direito dos individuos e da sociedade, ao ponto de forçar á impunidade, que deve ser a excepção, a constituir-se em regra a consequencia natural, ás vezes até obrigada, dos processos criminaes, apezar da boa intenção dos juizes de facto que formam o jury, e da firmeza e sabedoria dos juizes de direito e tribunaes superiores de justiça!

A chicana fazendo crescer materialmente os processos, sobrepondo-lhe termos superfluos aos indispensaveis diminue a força dos arpéus da lei, de modo a tornar mais facil illudir a sua segurança.

Si no caso vertente, culpados existiram ou existem que se desembaraçaram da penalidade merecida, dous criminosos ainda ahi estão, o appellante, o mandante que se postou na frente do crime, que tomou a si a maior culpa, com ostentação, e o seu mandatario, João Barboza, são estes contra os quaes ha maior numero de provas, e Vossa Magestade Imperial, que paira em uma esphera superior ás paixões das partes contendoras, que nada tem com esse odio de 1869, que ainda perdura para com a familia do assassinado, em 1877, não consentirá que por futeis pretextos, se inutilise uma sentença justa, uma satisfação publica dada pela lei á sociedade offendida, ultimo consolo do opprimido contra o oppressor, fazendo recomeçar, de novo, este combate judiciario que já quasi tem exhaurido todas as forças da desolada viuva do coronel José Vicente de Azevedo.

Triste e dolorosa campanha esta! Ella tem mostrado a verdade da phrase de Schlegel, quando disse que as pelejas do fôro, seus perigos e alternativas, eram mais de receiar-se do que a lucta dos exercitos, os torneios da força e das espadas, porque nestes não se perde senão a vida, e naquelles alguma cousa mais: desconhecem-se os mais nobres sentimentos, gasta-se a paciencia, a fortuna e morre-se moralmente de envolto com tão arriscadas provanças!

É por isto que a vindicta privada toma muitas vezes o lugar da vindicta publica. Nem todos têm o espirito sufficientemente instruido, e sobretudo esse sentimento vivaz da Divindade que reprime os crimes, e é o maior obstaculo do desregramento das ruins paixões, para saber resistir com calma ás contrariedades do mundo, e á injustiça dos homens.

Já para muitos é principio corrente que não convem se envolver com a justiça. Ella que faça o seu officio por si só, dizem elles. Nada de queixas ou denuncias, e mesmo como testamunha é preciso não dizer a verdade toda, ser pussillamine, esquiva, encostar-se á sombra das testemunhas mais atrevivas e corajosas!

É mister atacar de frente estes falsos preconceitos. Elles podem conduzir para um abysmo a sociedade por melhor organisada que seja.

Si não fôra, repetimos, a constancia, tenacidade e muita força de vontade com que tem procedido a appellada desde o dia em que seu marido foi atirado e morto, nunca nenhum dos assassinos deste seria punido, não obstante a Providencia Divina como que ter dado o fio desta meada de sangue com a prisão inesperada, immediata ao delicto, do co-réo Vicente, escravo, fugido ha annos do poder de seu senhor, e quasi desconhecido.

Os embaraços começaram desde a formação da culpa. Atravessava a provincia um periodo de eleições, e tanto é bastante para se conhecer que a calma era substituida pelas agitações e movimento desordenado, a razão pela paixão, de modo que desde logo alguns dos individuos de maior ou menor responsabilidade, conseguindo envolver-se nas bandeiras politicas que fluctuavam no borborinho da época, entravaram as rodas do carro da justiça, que só depois de uma longa caminhada atravez de impecilios de todo o genero é que pode alcançar uma parte da verdade!

Que não mais seja esta obscuricida, que a consequencia natural de sua existencia, que se fez, seja mantida, é toda a nossa vontade, toda a nossa aspiração.

Demonstramos que não houve preterição de fórmulas substanciaes em todo o processado; e, pois, da costumada justiça de Vossa Magestade Imperial, esperamos a confirmação da sentença do jury, julgando improcedente esta appellação.

Sabemos quanto são necessarias as formalidades da lei, sem as quaes a duplicidade, o arbitrio e a injustiça predominaram com toda a facilidade, porisso mesmo que desde então não haveria regras fixas, nem modo certo e exacto de proceder, mas este principio salutar não vae ao ponto de inutilisar á força de alicantinas todos os processos, contra a evidencia e equidade, por meras supposições de erros, sem bases nem provas de qualidade alguma, e só por simples allegações das partes, interessadas muitas vezes em eternisar os feitos por não lhes assistir a razão e o direito.

Lê-se nas Entretiens critiques, philosophiques et historiques sur les procés, de Joseph de Boileau (Paris, an. XII) os seguintes versos:

"Sans doute, il est des formes nécessaires,
Et les anéantir serait tout renverser;
Mais aussi, sur ce point, se montrer trop sévère,
C'est aider la chicane et la valoriser.
Dans un juste milieu l'équité se rencontre;
Croyez-en, magistrats, ce qu'elle vous démontre,
Rejetez, balayez, toutes ces nullités
....
Qui tendent seulement au retard de l'affaire".

Ultimando, senhor.

Houve neste julgamento uma coincidencia singular!

O appellante era levado ao jury desde 1869 sem que jámais podesse ser julgado. Foi preciso que, por acaso, tendo a camara municipal de Lorena alugado para suas sessões a casa em que residiu o Coronel José Vicente de Azevedo, funccionasse alli o Tribunal do jury, na mesma sala em que aquelle cidadão foi recebido, ferido de morte, por sua familia em lagrimas, e onde expirou depois de uma prolongada agonia; para que então, não obstante todos os meios imaginados para protelação da causa que examinamos; não obstante as recusas de jurados, sempre excessiva por parte da defeza; com a ultima sedula que continha a urna completou se o conselho, e naquelle mesmo recinto em que parecia ouvirem-se ainda os gemidos da victima, ouviu o publico a leitura da sentença que condemnava o agente principal do crime!

Este facto foi recebido pela população da pacifica cidade de Lorena, como uma intervenção da Divina Providencia!

E de algum modo reparou isso o mau effeito que já causava tão tardia punição.

Vossa Magestade Imperial, a quem não escapará o alcance dessa benefica impressão, não quererá apagá-la sem juridico fundamento, e antes, ao contrario, nós o acreditamos com fé, ha de, com a rectidão de todos os tempos, completa-la fazendo tambem por sua vez

JUSTIÇA.

O advogado,

Pedro Vicente de Azevedo.

DOCUMENTO N.º 54

EXTRATO DO NUMERO DE SESSÕES DE JURY A QUE TEM SIDO SUBMETTIDO O RÉO JOÃO ALVES BUENO, VULGO JOÃO MAXIMO, ANTERIORMENTE Á SESSÃO DE 28 DE DEZEMBRO DE 1876, EM QUE FOI JULGADO E CONDEMNADO A 20 ANOS DE PRISÃO COM TRABALHO.

1.ª

28 de Setembro de 1869 — Addiou-se o julgamento a requerimento da queixosa por falta de notificação e comparecimento das testemunhas.

2.ª

5 de Outubro de 1870 — Não concordando nas recusas de jurados com os outros seus co-réos, João Barboza, João Petronilho e Vicente, escravo, obteve separação e addiamento de seu julgamento, nos termos do art. 276 do Cod. do Proc. Crim., esgotando-se a urna, por força das recusas, para o co-réo Vicente.

3.ª

26 de Abril de 1871 — Dá-se um incidente identico ao da sessão anterior.

4.ª

14 de Março de 1872 — Item, esgotando-se tambem a urna para com João Barboza.

5.ª

18 de Junho de 1872 — Dá-se esgotamento da urna para com todos os réos, pelo dito facto de recusas.

6.ª

19 de Setembro de 1872 — Sem que se procedesse a sorteio de jurados o seu advogado requer e obtem, apezar das contestações da queixosa, a remessa do processo para o termo de Guaratinguetá, afim de ser alli submettido a julgamento.

7.ª

18 de Dezembro de 1872 — Esgota-se a urna. (Fallece o réo Vicente a 4 de Fevereiro de 1873, na cadêa da cidade de Guaratinguetá.)

8.ª

12 de Março de 1873 — A requerimento do seu advogado é addiado o julgamento para outra sessão, por falta de comparecimento de testemunhas de accusação.

9.ª

17 de Junho de 1873 — Esgota-se a urna.

10.ª

3 de Outubro de 1873 — A requerimento de seu advogado é addiado, ainda uma vez, o julgamento para outra sessão, por falta de comparecimento de testemunhas da accusação.

11.ª

23 de Dezembro de 1873 — De novo é addiado o julgamento pela mesma causa de não comparecimento de testemunhas, sendo desta vez requerido por parte da queixosa.

12.ª

19 de Março de 1874 — É julgado e absolvido com os outros ex-réos, pelo jury de Guaratinguetá, cuja sentença foi annullada por este Egregio Tribunal, por incompetencia do dito jury, visto que a impossibilidade de julgamento por tres vezes sucessivas no jury de Lorena só se havia verificado para o réo Vicente, voltando, portanto o processo para o termo de Lorena.

13.ª

17 de Março de 1875 — Não concordando nas recusas com seus co-réos, de novo obtem separação do processo e addiamento para outra sessão; esgotando-se a urna para com João Petronilho.

14.ª

21 de Junho de 1875 — Item, da sessão anterior.

15.ª

23 de Setembro de 1875 — Item, da sessão anterior; sendo o julgamento de João Petronilho remettido para o jury do termo de Silveiras, por se verificar quanto a este co-réo a impossibilidade de effectuar no districto da culpa, nos termos do art. 17 § 6.º da Lei n. 2033 de 20 de Setembro de 1871 e Accordam desta Relação de 6 de Outubro de 1874.

16.ª

20 de Dezembro de 1875 — Esgota-se a urna.

17.ª

21 de Março de 1876 — Não concordando nas recusas com seus co-réo João Barbosa, é separado o conhecimento do processo e seu julgamento addiado; sendo julgado e condemnado a galés perpetuas João Barboza, de cuja sentença protestou por novo jury.

18.ª

22 de Junho de 1876 — Não é submettido a julgamento, por ter allegado molestia que o privava de comparecer ao Tribunal do Jury.

19.ª

12 de Setembro de 1876 — Esgota-se a urna.

20.ª

28 de Dezembro de 1876 — Seu julgamento e condemnação.

DOCUMENTO N.º 55

São Paulo, 18 de Fevereiro de 1870

Mamãi

Estimo que Vmce. e as crianças estejem bons, que é o que eu dezejo, eu graças a Deos estou bom e inda não sei para que colegio vou, fui ja com tio Pedro em uma casa ver roupa, e que me servi-se não tinha pronta, e então mandou-se fazer na mesma Casa porque fazem muito bem feito, mandou-se fazer um paleto preto de mirinó uma calça e colete de panno preto duas ditas brancas e um colete. pidi ao homem que fizesse ao menos a calça e o colete até o dia 20 para mim ir a misça no dia 21, o tio Pedro e primo Antonio vão mandar dizer. Os biscoitos que eu truçe tem sido muito apriciado o queijo perguntarão de onde era se era mineiro, eu disse que era feito la mesmo em Lorena, os doces tambem aprisiarão muito, porque quaze todo o dia denoite vem aqui diputados, e comem dosse e chá. O Padre baladão é que apreciou mais, diga as crianças que pelo Olinpio eu mando brincedos para elles, para Pedrinho um carrinho muito bonitinho, e para Mariquinhas uma boneca de lembranças as crianças e que não esqueção-se do mano de tambem a todos que por mim perguntar.

Seu filho que muito lhe estima

F. P. Vicente de Azevedo

N.B. — Muito mal escrita porque foi compressa

Zeca já comprei um canivetinho muito bonitinho para mandar para vosse, custou 1$500.

São Paulo 21 de Fevereiro de 1870

Mamãi

Estimo que Vmce e as crianças esteja com saude, pois eu graças a Deos estou bom hoje fomos a missa que mandarão dizer, e foi com muzica, a muzica do batalhão de Permanentes, teve tambem uma esse não pequena, e quem disse a missa foi o Padre Scepião. e teve muita gente, tanto que hoje não houve Assembléa porque era o dia de seu aniverçario. O alfaiate já entregou o paletó a calça e Colete e que já fui amissa com elle. já comprei brinquedo para as crianças para o Pedrinho um carrinho, e para mariquinhas umas bonecas o que mandarei pelo Olimpio. De lembranças para todos que por mim perguntar. deste seu filho que muito lhe estima

F. P. Vicente de Azevedo

N.B. — estou, ançiando por receber cartas de lá

S. Paulo, 24 de Fevereiro de 1870

Mamãi

Estimo que Vmce e as crianças estegem bons, pois é o que eu desejo. Eu graças a Deos estou bom, aqui todos os conservadores me tratam muito bem, inda hontem siamos em casa do Padre Scipião, honde esteve mais de trinta pessoas. o intrudo aqui está forte que aqui qualquer hora que se saia na rua e arriscar a ser molhado, inda nos dias de semana, não he tanto mais nos Domingos para se ser molhado não é perçizo sair-se de casa. eu inda não fui para o Colegio, primeiro porque a roupa não estava pronta e intão agora espero passar o intruido para dipois intrar talvez segunda feira. diga ao Octavio que trate bem de meos animais, e que me escreva sempre que puder que elle pode todos os correios me escrever porque elle não tem o que fazer. e mande-me dizer como vai Snr. Albino. Aceite lembranças minhas e de tambem a crianças e a todos que por mim perguntar deste seu filho que muito lhe estima

Francisco P. V. Azevedo

P.E. — Vmce. sempre que puder me de noticias de lá

São Paulo, 28 de Fevereiro de 1870

Mamãi

Estimo que Vmce e as crianças estegem com saude. O portador desta é O Snr. F. P. Franco filho do Capitam Marciano. Vai um carrinho para o Pedrinho, um brinquedo de roda para Mariquinhas, um canivetinho e uma caichinha de tinta para o Zeca, e uma botoadura de vidro para o Octavio. Para Vmce, não mando nada porque não acho nada çoficiente para lhe mandar, mais quando achc mando. vai a minha botoadura velha para o Zeca porque não serve para mim ocupar aqui por ser muito pequena. aqui nem na janela se pode sair porque é molhado. Recebi a sua carta de 22 e muito contente fiquei por saber que todos estão bons.

Eu esta semana é que vou para o Colegio, creio que é para o do Isidro. Aceite lembranças minhas e recomende a todos que por mim perguntar. deste seu filho que muito lhe estima

F. P. Vicente Azevedo

São Paulo, 2 de Março de 1870

Mamãi

Esta era para ir na companhia dos brinquedos mas eu me esqueci de mandar. tanto que o canivetinho tambem ficou e só pelo Olimpio eu eide mandar. hontem aqui foi de mais o Intruido, mesmo dentro de casa fomos molhado. nós ao principio não queriamos brincar mais depois não teve outro remedio se não bricar-se porque quem não brincava passava por bobo. hoje se deus quizer vai na procição de cinza que deve ser muito bonita principalmente para mim que inda não vi.

De lembrança a todos que por mim perguntar e aceite, deste seu filho que muito lhe estima

F. P. Vicente Azevedo

DOCUMENTO N.º 55

São Paulo, 8 de Março de 1870

Eu
Mamãi

Estimo que Vmce. e todos de casa estegem com saude, pois e o que eu dezejo. eu graças a Deos tenho tido saude. Recebi a sua carta de 27 a qual muito prazer tive em saber que todos de casa estavão bons. eu inda não estou no Colegio mais breve entro. no dia 2 assisti a proçição de cinza, o que achei muito bonito, porque foi a primeira vez que vi. Pelo primeiro correio mande-me uma medida para mim comprar um chinelo para Vmce. visto que não acho outra couza que comprar. aqui tudo é mais caro do que lá, e como no Joaquim Antunes. As calças que eu trouce de lá so serve para ocupar em casa, porque aqui a roupa toda é esaminada na pessoa.

Nada mais tenho a dizer um abraço no Pedrinho e outro em nenem e mande dizer se elles apriciarão os brinquedos, e diga a elles que foi muito pouco porque aqui tudo, tudo é muito caro como já disse. Recomendações a todos que por mim perguntar deste seu fliho que muito lhe estima

F. P. V. Azevedo

N. B.
junto remeto uma carta para o manézinho e diga a elle que não repare na letra porque entre nos não há seremonia.

São Paulo, 11 de Março de 1870

Mamãi

Estimarei que Vmce. todos de casa estegem com saude, eu graças a Deos tenho passado bem. hontem de noite fui na pocição do deposito e achei muito bonito teve muita gente e a igreja toda iluminada, e hoje se deus quizer vou a pocição de Passos.

Recebi sua Carta de 3 de Março o que muito prazer tive em saber que todos estão com saude. Pelo outro correio escrevi ao Snr. João Ignacio sabendo se a D. Mariquinhas ja sahio da Casa, pois Vmce. me escreva a esse respeito, mande-me dizer tambem se Vmce. já mandou dizer amiça que eu lhe pedi para mandar dizer, para N. S. da Aparecida. Nada mais tenho a dizer, lembranças a todos que po mim perguntar deste seu filho que muito lhe estima

F. P. V. Azevedo.

N. B.
não repare na letra porque aqui hoje e um dia de muito barulho como Vmce. sabe.

São Paulo, 14 de Março de 1870

Mamãi

Estimarei que Vmce. e todos de casa estejem com saude, pois eu graças a Deos tenho tido saude. inda não estou no colegio mais esta semana creio que me matriculo. Digá ao Pedrinho que comprei um bumbinho e pratos muito ingraçadinho para mandar para elle quando o Olimpio for, custou 6$500 já pode Vmce. ver que não é cousa atôa. Nada mais tenho a dizer, escrevo-lhe só para dar noticia minhas e saber de sua saude recomende a todos que por mim perguntar deste seu filho que muito lhe estima.

F. P. V. Azevedo.

N. B.
Vmce. pode me escrever sem ser por intermedio porque a carta me é entregue.

P. E.
remeto-lhe uma carta de D. Carlota.

DOCUMENTO N.º 56

Ellma. Exma. Snra. D. Angelina Moreira D'Azevedo.

Manoel Lopes da Silva Castro
Lorena

Por esta intimo a V. Exca. a Interlecutoria proferida pelo Sñr. Juiz de Orphãos, designando o dia 19 do corrente, as 10 horas da manhã para proceder-se na discripção e avaliação dos bens de seu Casal que ficarão pelo fallecimento de seu marido Coronel José Vicente d'Azevedo, do que fique sciente. Drs. Ge. Obr. Exca. Lorena 15 de maio d'1869.

Deus guarde V. Excia.

O Escrivam de Orphãos

Manoel Lopes da Silva Castro

Illma. Exma. Snra. D. Angelina Moreira d'Azevedo

Manoel Lopes da Silva Castro
Lorena

Por esta intimo V. Exca. o despacho proferido pelo Sñr. Juiz de Orphãos, designando o dia 31 do corrente, as 9 horas da manhã, para proceder-se na descripção e avaliações dos bens de seu casal que ficarão pelo fallecimento de seu marido o Coronel José Vicente d'Azevedo, do que fique sciente.

D. Ge. a V. Exca.

Lorena 28 d'Maio de 1869.

O Escrivam de Orphãos

Manoel Lopes da Silva Castro

DOCUMENTO N.º 57

São Paulo, 8 de Fevereiro de 1870

Minha estimada Comadre

Muito desejo que esta a encontre com saude, bem como todos os seus filhos. Aqui cheguei ha dias sem novidade, felizmente e não lhe tenho escripto a mais tempo por muitas occupações.

A esta hora já naturalmente o Chiquinho esta a caminho com o Dr. Rodrigues. Não ha presentemente aqui um Collegio que preste, mas há de se arrumar as cousas pelo melhor modo que for possivel. Tanto mais que agora seria inconveniente ir para o Rio, onde está grassando a febre amarella.

Aqui ao menos parece que o clima é melhor.

Creia que sou com sincera estima

Seu Comp. affº obrmº

Pedro Vicente

Trechos de cartas que se seguem:

13-2-1870

"Pode a Comadre estar descansada quanto a seo filho, na certeza de que terei para elle todos os cuidados como se fôsse meu proprio. Hei de pol-o externo no Collegio que com effeito é melhor assim, esperando alguns dias para ir se acustumando com isto por aqui.

Enfim, tudo se ha de arranjar a sua vontade e eu irei escrevendo sempre a comadre para dar noticias delle. Hoje vou ver a roupa e o mais que elle precizar.

7-3-70

O Chiquinho ainda não entrou para o Collegio por ter querido que elle esperasse algum tempo para primeiro ir se acustumando com isto por aqui. Mas ira brevemente começar a frequentar as aulas vindo pouzar em casa em quanto eu aqui estiver. Já mandei fazer a roupa que elle precizava e póde estar descançada que eu terei todo o cuidado com elle.

É certo que o Leite é um dos muitos pretendente a cadeira de primeiras lettras dessa cidade, mas estou informado que elle é um tratante muito grande, e que não é tão bom professor como se inculca, de modo que em nada nós poderiamos lucrar com a sua ida para ahi. Hei de dar um meio de arranjar mestra que sirva para o Jeca.

Consta-me que meo camarada e o Leopoldino andão por ahi remando... Escrevo ao João Rodrigues para que me veja como anda ahi o meo escravo Leopoldino pondo-o a trabalhar na roça ou vendendo-o... isto é gente que só serve para nos dar incommodo.

17-3-1870

Já soube que foi marcado o jury, mas espero que tudo hade se arranjar; isto é não podendo eu estar ahi e nem mandar quem me substitua o julgamento ficará para uma outra sessão. Tenho providenciado nesse sentido mas convem que ninguem saiba para não começarem a fallar.

O Chiquinho ainda não foi para o Collegio, por que está me parecendo que não ha collegio que preste para elle ficar nelle, o que verificarei e sendo assim é preferivel que volte para ahi quando eu fôr a ficar aqui sem tirar proveito. Eu verei isso.

DOCUMENTO N.º 57

Gabinete da Presidencia

Ouru Preto, 7 de Abril de 1874

Minha estimada Comadre.

Os meus affazeres darão causa a não ter ha mais tempo accusado o recebimento de seo favor datado de 14 de Março findo, o que só agora posso fazel-o.

Senti deveras não ter podido ir a Lor. antes da minha viagem para aqui, mas por diversas causas foi-me na realidade isso impossivel.

Ainda não foi entregue a Caza Rocha, Brochad & Cia. a quantia a que a Comadre se refere por saldo de sua conta, e logo que isso se dé eu examinarei a sua conta para remetter-lhe, pois creio que a quantia de que trata ainda haverá saldo a seu favor, visto que não lhe cobro juros desde a conclusão do inventario em 1869.

Vamos passando sem novidade e muito nos recomenda-mos a Com. e seos filhos.

Sou com a maior estima e gratidão

Seo Comp. obr.

Pedro Vicente

Deve

1869 — Dezembro 26		
	Sua conta	6:015$941
1870 — Maio 6		
	Contas pagar no recurso de Joaquim Luiz	98$408
1870 — Dezembro 31		
	Pagamento ao Com.(?) ... por saldo de contas com meo finado irmão	190$860
		6:305$209

Haver

1871 — Junho 1.º		
	Uma vistoria pela avaliação do inventario	900$000
1873 — Março 15		
	Recibi	1:776$000
1875 — Recibi		4:239$941
		6:915$941
	Saldo a seo favor	610$732

DOCUMENTO N.º 57

Minha Comadre

4-4-70 — ....

não lhe tenho escripto mais amiudadas vezes por muitas occupações, principalmente agora que os trabalhos da assembléa se prolongão até tarde.

O Chiquinho já está no Collegio em que tem de ficar.

Acredito que aproveitará, pois tenho informações de que o Collegio é bom.............................. Quanto ao Jeca ahi veremos como fica melhor, pois supponho que poderemos arranjar quem o vá ensinando ahi, enquanto não está preparado para sahir para fora ....

As. **Pedro Vicente**

DOCUMENTO N.º 57

Gabinete da Presidente
Ouro Preto, 24 de Julho de 1875
Minha estimada Com.

Tenho presente o seu favor datado de 29 de Junho findo que accuso.

Confio que me terá desculpado de não escrever-lhe mais vezes. Sabe que o serviço a meo cargo occupa-me o tempo. Não deixo, entretanto, de lembrar-me, e com saudades, da nossa terra e dos que nos são caros.

Já respondi ao Chiquinho que se fara possivel achar um advogado no caso de servir para tomar conta do andamento do processo seria conveniente uma vez que o contracto fosse rasoavel, pois que eu tão cedo talvez não possa voltar a occupar o meo posto, como alias desejava.

Nada tem que agradecer-me pelo arranjo que obteve o Chiquinho. Oxala posso eu servi-la em couza melhor.

Agradeço a bondade do seos cumprimentos, que por mim, e pela senhora retribuimos, e assegurando mais uma vez que sou com maior apreço e estima

Seu comp. muito grato aff. amigo

Pedro Vicente de Azevedo

DOCUMENTO N.º 56

Recebi da Sna. Angelina Moreira de Azevedo a quantia de um conto setecentos e setenta e seis mil reis. (1:776$000) que levo em conta de seo debito, passando esta para sua clareza. Lorena 15 de Março de 1873

Pedro Vicente de Azevedo

DOCUMENTO N.º 57

A Exma. Snr. D. Angelina Moreira de Azevedo

1869

			Deve	Haver
Março	13	Sellos e direitos pagos no processo	9$200	
	15	Pgt.º de ferias de estrada ao Capm. Antonio Joaquim Barboza, com o desconto de setenta e sete mil e seis centos de duas patentes	141$400	
Abril	2	Pgt.º de ferias de uma parte do Embahu a José Moreira e Silva	100$000	
	„	Pg. de ferias de estradas do Embahu a Ignacio Monteiro de Noronha	366$000	
	10	Recebi do Capm. Luiz A. Gonçalves, de São Paulo, em saldo da contas com meo irmão		20$000
	15	Sellos e outras despezas pagas no processo	133$700	
	22	Recebi do Calasam, Cunha & Campos, importancia do cafe remettido		624$000
Maio	1.º	Ferias de estradas firmadas por meo irmão e que recebo por mão de Dr. M. S. Duarte de Azevedo		1:020$000

Junho	19	Pgt.º de seis partes de custas do processo ao official de justiça Franc. Machado	46$920	
	„	Pgt.º de seis partes de custas do processo ao official de justiça Prudente do J. Fernandes	19$620	
	„	Pgt.º de seis partes de custas do processo ao official de justiça Fernando Martins	25$620	
	27	Pgt.º a Joaquim Jeba de ferias que apresentou por conta das obras a cargo do meo irmão	40$860	
Agosto	4	Pgt.º de uma conta a seo mano Joaquim José Moreira Lima Jr. de conformidade com suas ordens	1:426$022	
	26	Pgt.º de seis partes de custas do processo do escrivão Correia e ao Dr. Chefe de Policia, e mais despesas do processo	251$980	
Setemb.	3	Recebi do Dr. A. Rodrigues de um apinto direto e taboleta a elle vendidos		20$000
Setemb.	11	Recebi do Manoel Lopes da Sa. Castro pela venda da chacara que foi do Luiz Ant.º		500$000
„	„	Pgt.º ao escrivão Manoel Lopes de custas de inventario, sellos e um avaliador	349$820	
„	„	Pgt.º ao escrivão Evora da escriptura de venda da chacara que foi do Luiz Ant.º	7$200	
„	„	Recebi em virtude de uma ordem de J. Cel. J. F. da S. Guerra, por sua conta		2:000$000
„	20	Pgt.º do imposto da casa em que mora D. Mariquinas	3$000	
Outub.	1.º	Pgt.º ao Tenente Joaquim M. da Roza do que lhe ficou a dever meo finado irmão	53$646	
„	„	Pgt.º da divida de Pereira Vianna & Cia.	46$360	
„	13	Pgt.º da divida de Guedes & Barboza	244$000	
„	„	Pgt.º a Rocha, Sobrinho & Cia.	143$990	
„	21	Pgt.º a Marques & Campos, successores de Lima, Campos & Cia.	509$960	
Novemb.	5	Recebi do Snr. J. J. Moreira Lima para pg. da pequenas dividas do cazal, conforme o combinado na transferencia da Hypotheca do Guerra		5:577$536
„	„	Recebi mais em virtude do mesmo accordo, do Snr. J. J. Moreira Lima para ser levado conta do que me deve a caza e acha-se legalizada no inventario		5:410$415
			3:919$358	15:171$951

"	"	Pgt.º a Guichado & Ciaa. dinheiro entregue a seo procurador Dr. A. Rodrigues os A. F.	2:788$080	
„	„	Pgt.º a Francisco da Rocha Metto de sua divida justificada no inventario ...	1:403$500	
„	„	Pgt.º ao Escrivão Evora da escriptura de transferencia da divida do Guerra e Sellos	33$200	
„	29	Dinheiro que recebi do J. L. de Figueiredo, producto do café remettido		1:124$246
Dezemb.	20	Pgt.º a Camara Municipal da divida justificada no inventario	268$000	
„	26	Valor do meo credito e seos juros legalisados no inventario a 6 por cento	15:200$000	
"	"	Valor pelo qual se ha de passar escriptura do cavalo de nome Valente que lhe compro		1:300$000
„	„	Para o pgt.º de Francisco de A. Rodrigues, de sua divida justificada no inventario	120$000	
„	„	Deduz-se a quantia acima, visto ter ella sido fornecida por intermedio de seo mano Major J. M. Lima Jr. a quem foi entregue a quantia		120$000
			23:732$138	17:716$197
		Saldo contra nesta dupl.	6:015$941	

Lorena 26 de Dezembro de 1869

CARTAS DE PÊSAMES

DOCUMENTO N.º 58

Comadre Angelina Minha Amiga,

Rio, 28 de Março

Escrevo-lhe esta primeiro que tudo pedindo-lhe descurpa por não lhes ter escrito a mais tempo, mais não tinha animo de escrever-lhe e alem disso estive doente de cama oque me privou de escrever. E oque poderei eu lhe dizer tendo a Snra. perdido hum bom Marido da maneira que perdeis, que para isso não ha consolação tão cedo só o tempo he que nos pode consolar e eu que perdi hum irmão e hum bom Amigo e hum amparo que com elle contava, mas Deos tudo nos tirou e elle assim quiz e ceos innocentes filhos que tão cedo perderão hum Pay que nunca mais hão de achar e na ocazião que mais precizavão dele, e a minha querida afilhada que nem o conhecia. Deos que a proteja e cresça em Paz e não sei mais o que lhe poderei dizer senão que Deos nos de paciencia para tanto sofrimento.

Participo-lhe que acabou com os seus sofrimento a mana Elisa (a mulher do sócio Snr. Pinheiro) morrendo na quinta feira santa estando sem fala desde segunda feira e sofrendo orrivelmente nesses 4 dias alem dos outros sofrimento que já forão tantos, ceos filhos estão inconsolaveis principalmente a Carmita que faiz pena vela pois elles tem razão para assim estar porque huma May não se torna a encontrar e como ella tão estremosa para ceos filhos, mais Deos assim quiz e não a remedio ce não hirmos com a vontade delle que sabe oque faz e nós não sabemos oque dizemos e peço-lhe que quando puder deme noticias suas e de seos filhos que muito estimo ter e abençoe a minha afilhada por mim e saudades ao meninos e aceite hum abraço desta sua Comadre que he muito sua amiga e muito lhe estima

Jesuina

Illma. Exma. Snra. D. Angelina Moreira de C. Azevedo

São Paulo, 17 de Março de 1869

Minha Comadre e Snr.

A infausta e tetrica noticia da morte do meo Compadre o Snr. Coronel José Vicente de Azevedo, veio cavar em meo peito um abysmo profundo de dôr e de saudade.

Comprehendo a dôr que lhe delacera o coração, e sei igualmente sentil-a.

Tem pois esta por fim mostrar-lhe unicamente q- compartilho do acerbo infurtunio, que a mão da fatalidade fêz pesar sobre Vmce.

Esposa e Mãe, conheço a falta irreparavel quando perdemos o arrimo de nossos dias, e o Companheiro inseparavel de nossas venturas, e dos nossos infurtunios.

Deos, porem, immenso e misericordioso, não esquece dos seos quando estes sucumbem ao peso da desventura. Confiemos em sua bondade, e a aurora do futuro espargirá as trevas de que o presente se enluta. Aceita pois os sinceros sentimentos de sua

Comadre e fiel amiga

Carlota Christina de Andrade

DOCUMENTO N.º 58

Ilma. Snra. D. Angelina Moreira de Azevedo

Arêas, 22 de Março de 1864

Estimada Snra. Hoje é o trigessimo dia em que foi sepultado o meu verdadeiro Amigo he este o dia em que escolho para dar os pezames a V. Sia. e aos innocentes filhos que perderão o melhor dos Paes. Confundo as minhas lagrimas as lagrimas da innocencia e da orphandade e cumprindo com os deveres da Religião eu e meu filho ainda hoje dirigimos preces a Divindade pelo descanso eterno d'aquelle a quem tanto amavamos e que longe de nos goza da bem aventurança e que talvez muito breve nos espera na mudança deste mundo de illusões onde as paixões os desgostos e as contrariedades terão de findar os meus dias.

Acceite V. Sia. o meu profundo pezar e disponha de quem é de V. Sia.

Am.º Obr.º e Cr.º
(Ilegível)

DOCUMENTO N.º 58

Carta enviada a D. Angelina pela morte de sua sogra e tia, D. Maria Pereira da Guia Azevedo.

D. Angelina

He com muito pezar que faço esta afim de lhe dar meus sentimentos pela grande dor que passou, farei ideia mas a unica consolação está em quase termos sertesa que ella está gozando das delicias do ceo porque era merecedora, eu muito fraca para lhe consolar só nos resta a reseguinação a ser feita a vontade de Deos.

Fará o favor de dizer o mesmo ao Sr. José Vicente que de coração sinto seos desgostos:

Acceite recomendações de todos e sou sua amiga muito obrigada

Constança Lazaro

16 de Setembro.

DOCUMENTO N.º 58

Comadre Angelina

Rio 21 de Fevereiro

Hoje fais hum anno que eu perdi hum bom irmão e a Sna. hum bom Marido assim quiz Deos que ton cedo perdecemos aquele que tanto nos estimava, acabo de chegar de misça que por sua alma mandei dizer e Deos o tenha em sua Santa Glora pelos bens que a mim fez e a muitos que a sua falta chorão, não quiz decha de lhe escrever hoje por cer hum dia tan lembrado para nos que tanta falta nos faiz aquele que bem verdadeiro amigo num desse noticias suas e de ceos Filhos que muito estima ter e de todas as pessoas que nos çai caras eu não pasço bem desde que tive a menina he hum sofrer continuado tanto que ja estou desacursoada e parece me que não fico mais boa cera o que Deos quizer, Lazarozinho tambem tem pasçado mal com febre intermitente e esta bem acabrunhado o que muito me intristece mais cera o que Deos tiver detreminado a minha pequinina pasça bem, mande me dizer como esta minha afilhadinha que muita vontade tenho de ve-la e não cei quando cerá, e recomendem muito a todos os nossos e abrace ceos Filhos e bejinho em minha afilhadinha e aceite muitas saudades de todos da que e hum abraço desta sua comadre que muito lhe estima

Jesuina.

DOCUMENTO N.º 58

São Paulo, 12 de Março de 1870

Minha Estimada Comadre

Muito hei de estimar que Voce tenha gozado perfeito saude, em companhia de tudo que lhe pertence. Recebi sua carta da qual foi portado seo filhos, em quanto ao que me recomenda para Zela d'elle, voce sabe as nossas pósses porem esteja certa que tudo o que eu e meu marido podermos fazer por elle estaremos sempre prompto para o que for precizo. E Deos lhe dê fôrças para se consolar com a separação d'elle, pois só elle e que nos pode ajudar a passar nos mais suavemente os trabalhos e desgostos que se tem n'esta vida.

Queira recomendar-me a todos de sua familia e aceite muitas recomendações de todos de nossa caza, e em particular minhas e de meu marido e

Sou de Vmc. comadre e muito amiga

Carlota Christina da Conceição Andrade

DOCUMENTO N.º 58

Ilma. Exma. Snra. D. Angelina d'Azevedo Castro Lima,
minha presadissima Comadre.

Côrte, 12 de Março de 1869

Possuida da mais viva dôr pelo lamentável acontecimento de que foi victima seu muito adorado marido e meu estimado Compadre o Illm. Snr. Coronel José Vicente de Azevedo, fallecendo em dias do mez proximo passado, cuja infeliz noticia tive a de surpressa pelos hornaes desta Côrte que convidarão a seus amigos para assistirem a Missa de septimo dia, á que concorri com minha filhas na Igreja de N. S. do Carmo, e acompanhando a V. Excia. em tão justa quanto acerbo desgosto, permita-me que o manifeste com a sinceridade de meu coração e com o respeito que sempre tributei a V. Excia. a quem hoje o reiteramos eu e minhas filhas

De V. Excia.

muito obrigada comadre e affectuosa amiga

Maria do Carmo Novaes Ozorio

S. C. á rua da Floresta
(Catumby) n. 21

DOCUMENTO N.º 58

Minha Comadre e Ama.

Rio 29 de Novembro

Muito hei de estimar que esta va acha lhe com saude e igualmente os meninos e minha afilhadinha, como cegue amanha para la meu compradre não quero dechar de lhe escrever dando lhe noticia minhas e pedindo lhe que sempre que posça de me sua que da muito praxer em recebe-las, muito estimei esta vinda de meu compadre nesta ocasião pareceme que fui N. Sn. da a Parecida quem mandou, pois tiro me de grandes dilfinculdades cervindo me num grande favor que lhe pedi pois so Deos he quem a de da lhe a pga de tantos favores que a mim tem feito e Deos que abençoem aos filhos e de lhe imemças felicidades pelo hum que elle acaba de fazer a m. filha.

vai a procuração para batizarce a minha afilhadinha caso ella esteja doente muito heide estimar que não percise, que eu quero ter o gosto de leva-la a Pia, e por isso pesço a Deos que ella esteja simpre boa e forte para que posça esperar por sua madrinha que quer ter esse prazer, vai huma pequena lembrança para ella e para o Pedrinho e outra para a Snra. a de descunpar que he as muitas lembrança de amizade, saudes, aos meninos beijos em minha afilhadinha e a ceite hum abraço de sua Comadre e muito sua amiga

Jesuina

N. B.
aceite saudades de Quita e de todos mais de caza.

DOCUMENTO N.º 58

Lorena 21 de Março de 69

Ao meio da mais amarga dor porque estou passando não posso deixar de responder a prezada carta de meu comp. e por que eu sei o quanto tomou parte em meos justos sentimentos, e não tenho escripto a mais tempo porque falta-me forças para o fazer e acredito que tudo quanto me dis em sua carta eu trago em lembrança.

DOCUMENTO N.º 58

D. Angelina

He com muti pezar que faço esta afim de lhe dar meo sentimentos pela grande dor que passou, farei ideia mas a unica consolação está em quace temos serteza que ella esta gozando das delicias do ceo porque era merecedora eu muito fraca para lhe consolar so nos resta a resiginnação a ser feita a vontade de Deos.

Fará o favor de dizer o mesmo ao Sr. José Vicente que de coração sinto seos desgotos;

Acceite recomendações de todos e da sua am. muito obrigada

16 de Set.

Constança Lazaro

ÍNDICE

GOVÊRNO ROBERTO DE ABREU SODRÉ

Terminou-se a impressão dêste livro aos 30 de outubro de 1969, na Imprensa Oficial do Estado, para a Comissão Estadual de Literatura, do Conselho Estadual de Cultura, sendo Secretário da Cultura, Esportes e Turismo o Sr. Deputado Dr. Orlando Zancaner e membros da C.E.L. os Srs. Pedro Antônio de Oliveira Ribeiro Neto, presidente; Aureliano Leite, Fernando Góes, Homero Silveira, Jannart Moutinho Ribeiro, José Aderaldo Castello, Leão Machado, Maria Alice Fernandes Carreira e Péricles Eugênio da Silva Ramos. Êste último é o encarregado das edições da C.E.L.

Capa de **Luiz Alberto Diaz Corrêa**